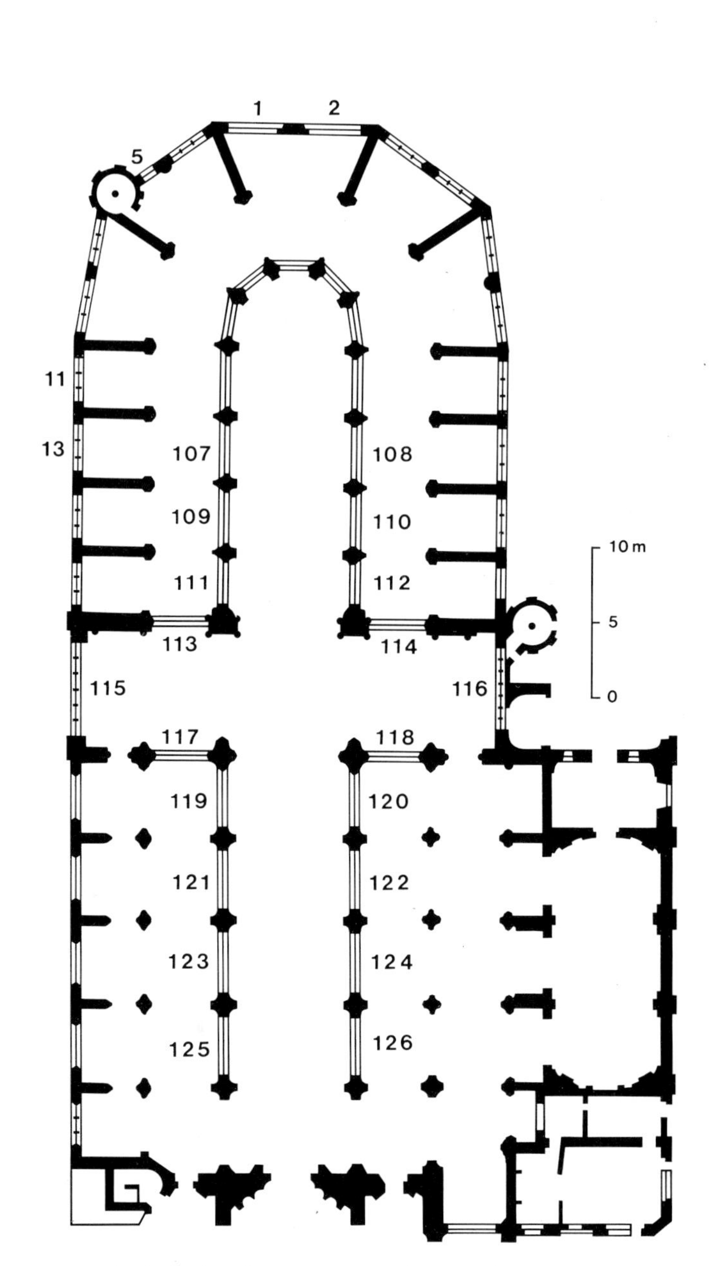

Eglise Saint-Merry. Plan de situation des vitraux.

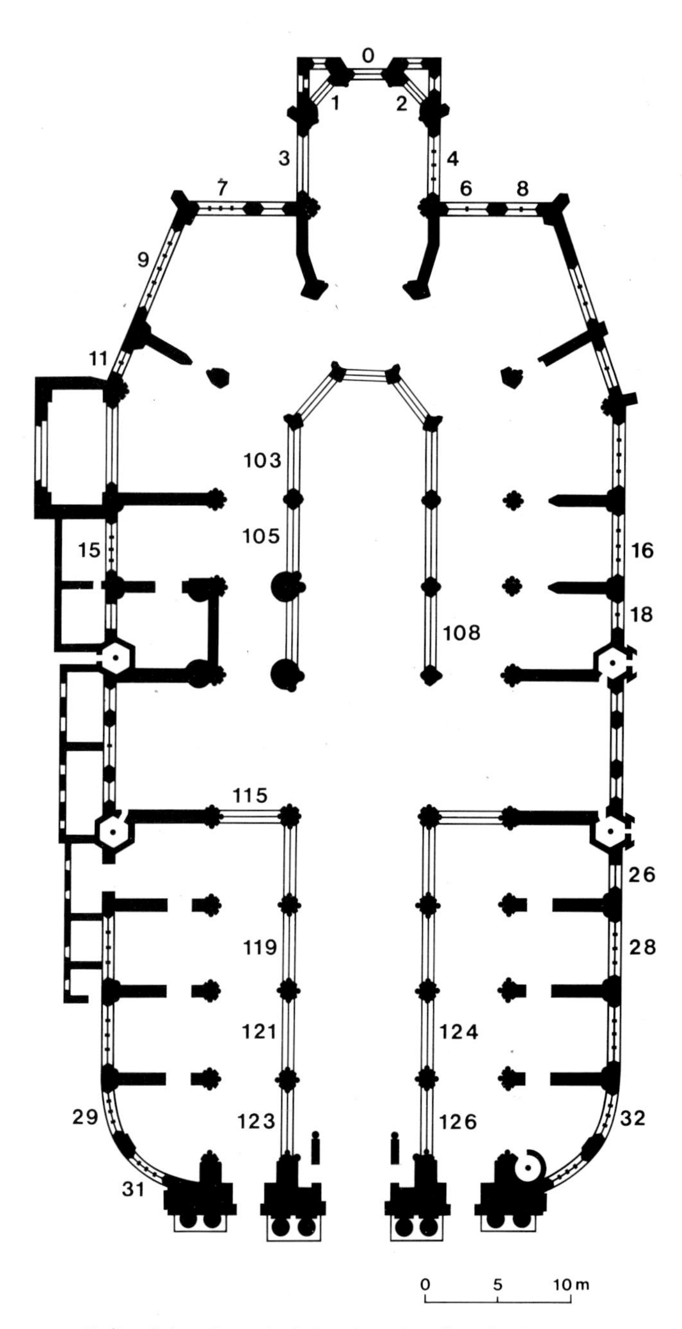

Eglise Saint-Gervais-Saint-Protais. Plan de situation des vitraux.

Délégation à l'Action Artistique de la Ville de Paris :
I.S.B.N. 2-905118-46-6

Vitraux parisiens de la Renaissance

Collection dirigée par

Béatrice de ANDIA
Délégué général à l'Action artistique de la Ville de Paris

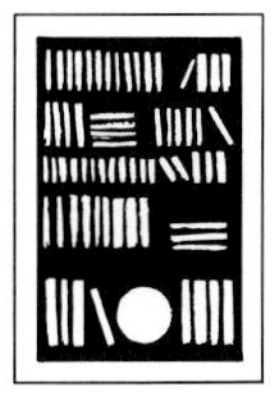

DÉLÉGATION A L'ACTION ARTISTIQUE DE LA VILLE DE PARIS

Vitraux parisiens de la Renaissance

Textes réunis par

Guy-Michel LEPROUX
Chargé de recherche au CNRS

Préfaces de

Jacques CHIRAC
Maire de Paris

et de

Béatrice de ANDIA
Délégué général à l'Action artistique de la Ville de Paris

Avec la collaboration de

Françoise GATOUILLAT, *Chercheur à l'Inventaire général des richesses artistiques de la France,*
Michel HÉROLD, *Conservateur à l'Inventaire général des richesses artistiques de la France,*
Pierre JACKY, *Etudiant à l'université de Paris IV-Sorbonne,*
Claudine LAUTIER, *Ingénieur au CNRS,*
Anne PINTO, *Peintre-verrier, conservateur-restaurateur,*
Frédéric PIVET, *Peintre-verrier, conservateur-restaurateur,*
Anne PRACHE, *Professeur à l'université de Paris IV-Sorbonne,*
Vice-Présidente du Comité international du Corpus vitrearum

SOMMAIRE

◀ *Saint-Merry, baie 123. Miracle du Christ (vers 1500), détail :*
Guérison d'une possédée; Résurrection de Lazare.

Apogée ou chant du cygne

Exposition et donc livre exceptionnel

«Rien n'est plus rare qu'une exposition de peinture sur verre et rien n'est moins connu que les vitraux parisiens». Ainsi s'exprime en 1919 Jean Lafond, rendant compte de la première grande exposition française de peinture sur verre, présentée au Petit Palais, conséquence directe de la guerre de 1914-1918 : pour prévenir les tirs destructeurs de la Grosse Bertha, qui va frapper au cœur de Saint-Gervais-Saint-Protais, les vitraux parisiens ont été démontés, et, une fois la tourmente finie, une fois restauré ce patrimoine merveilleux et fragile, il est offert, avant qu'il ne soit remonté, à l'émerveillement du public et des amateurs afin qu'ils puissent goûter de près ces splendeurs faites pour la contemplation à distance. La seconde exposition est également le fruit d'une guerre. Après la conflagration mondiale de 1939-1945, le musée des Arts décoratifs présente en 1952 les vitraux démontés pendant les hostilités. Cette nouvelle opération aussi délicate que spectaculaire, concerne non seulement les verrières parisiennes mais aussi celles de la France entière.

La troisième présentation, dont cet ouvrage est la clef de voûte, propose, en 1993, les vitraux parisiens de la Renaissance. Par miracle, cet événement «rare» s'ouvre sans conflit préalable, ou plutôt à la suite d'une guerre différente puisqu'il s'agit d'une réponse au principal ennemi de la peinture sur verre : la corrosion entraînée par la pollution urbaine. Cette présentation est possible grâce à une rencontre heureuse d'activités diverses : celle de chercheurs qui se consacrent depuis des années à l'étude des vitraux parisiens de la Renaissance et d'autre part, celle d'une équipe, la conservation des objets d'arts des églises de la Ville de Paris qui, au sein de la sous-direction du Patrimoine, surveille la restauration des monuments religieux du point de vue des œuvres d'art.

◀ *Saint-Séverin, baie 211 (vers 1460), détail : Ange céroféraire.*

La politique d'avant-garde de la Ville de Paris

Si la France possède plus de la moitié des verrières anciennes préservées dans le monde, si plus des deux tiers des vitraux conservés datent du XVI e siècle, Paris se taille une part de roi avec ses cent églises qui ont victorieusement surmonté les tourmentes et les révolutions qui ont détruit ou mutilé quelque deux cents autres. Centre séculaire de création du vitrail, la capitale est, par un hasard heureux, un de ceux qui a le mieux conservé le trésor de ses maîtres verriers.

Conscient qu'un vitrail est une œuvre d'art en elle-même, désireux d'en redire l'inépuisable originalité, la virtuosité technique surprenante comme la mystérieuse richesse formelle, le Maire de Paris, Jacques Chirac a prié les Affaires culturelles de sa ville de mobiliser tous les moyens pour sauvegarder et mettre en valeur ce délicat capital. Au «Plan église», qui engage des dizaines de millions de francs et se déploie jusqu'au prochain millénaire en se donnant pour but de restaurer tous les bâtiments cultuels, se greffent plusieurs programmes annexes : préservation des orgues, des sculptures et des tableaux, des vitraux et des objets de culte... Ainsi Paris devient-il la première entité publique, consciente de l'intérêt de son patrimoine verrier, qui sait dégager les moyens nécessaires pour le conserver. La Direction culturelle a commencé sa campagne par la remise en valeur de deux grandes églises : Saint-Gervais-Saint-Protais et Saint-Germain-l'Auxerrois dont les verrières ont été déposées pendant le temps nécessaire au nettoyage de l'architecture.

*Les premiers résultats de cette politique se manifestent non seulement par des campagnes photographiques et audiovisuelles, mais surtout par des recherches scientifiques et des restaurations en partie présentées aux expositions de 1993, à la Rotonde de La Villette et à la Mairie du VI*e *arrondissement. Les études techniques des panneaux se déroulent généralement au Laboratoire de recherche des Monuments historiques de Champs-sur-Marne. Ils déterminent les principales causes de dégradation et les meilleurs moyens d'y porter remède. Les restaurations qui s'exécutent ensuite sont poursuivies par les meilleurs ateliers de France. Le passage entre les mains de spécialistes peut durer de quelques jours, quant il s'agit d'un simple nettoyage, à plusieurs mois. C'est le cas pour l'ensemble des vitreries de Saint-Germain-l'Auxerrois repris par Isabelle Baudoin, Marie-Françoise Dromigny et Guy Le Chevallier et surtout pour la verrière, haute de huit mètres, de la Sagesse de Salomon provenant de Saint-Gervais-Saint-Protais. La restauration de cette dernière est en cours dans l'atelier de Mme Pinto et de M. Pivet. Après ces expositions, elle sera doublée par une vitre de protection, seul moyen efficace pour éviter que de mauvaises conditions atmosphériques ne nuisent à son intégrité.*

Saint-Gervais, baie 2. Vie de la Vierge (1517), détail : le Doute de Joseph. ▶

Vn angel de Dieu luy nonca et pour verite prononca
que de lesprit elle estoit pleine p quoy fut son

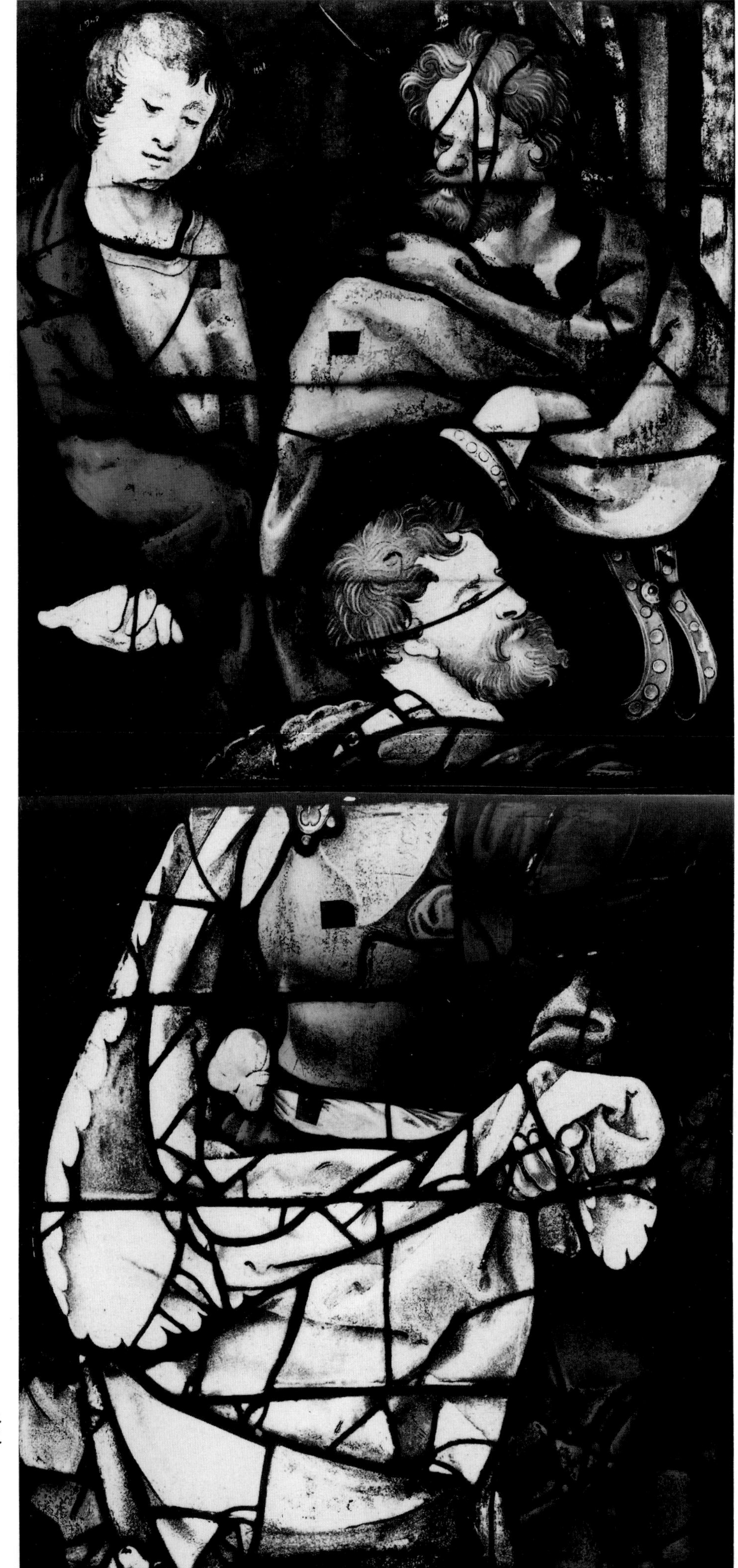

Saint-Germain-l'Auxerrois, baie 120.
Incrédulité de saint Thomas (1533), détail.

Saint-Gervais, baie 16. La Sagesse de Salomon (1531), détail.

Vitrail et architecture

Lorsque l'architecture romane, aux murs épais ponctués de contreforts et scandés de rares fenêtres closes par de minces plaques d'albâtre, est remplacée par l'art gothique, le poids des voûtes en ogives retombe sur des piliers fuselés. Les murs évidés peuvent alors accueillir les vitraux. Entourée de

Saint-Etienne-du-Mont, baie 222. Les Pèlerins d'Emmaüs (1587-1588), détail.

Saint-Etienne-du-Mont, baie 224. Incrédulité de saint Thomas (1588), détail.

larges bordures sombres, cette première génération de verrières parisiennes s'inspire des mosaïques et des coffrets d'orfèvrerie sertis de pierres dures provenant de Byzance. A Paris, les éléments les plus anciens conservés, datant de 1180, ont été réemployés au cœur de la fameuse rose de Notre-Dame sur Le Jugement dernier. Ses tons simples et purs sont puissants et peu nombreux.

Lorsqu'au XIIIe *siècle, le vitrail laisse enfin la lumière envahir les volumes intérieurs, il transforme l'architecture qu'il sublimise par la magie de ses couleurs et parvient à s'imposer à l'édifice qui devait le sertir. Bien que n'étant pas un élément nécessaire pour l'art gothique et que même les Cisterciens le rejettent, son décor envoûte, charme, chante et son seul enchantement suffit à modifier les structures les plus imposantes. Bien plus, sa polychromie changeante nuance et même dissout les ordonnances les plus grandioses. Au fil des heures et des saisons, ses effets d'ombre et de lumière créent des mystères, suggèrent des symboles, animent les pierres qu'ils transfigurent en féeries évanescentes. Son aura immatérielle envahit l'espace, le strie de rayons, de sphères, de flammèches ou de spirales iridescentes. Ses bleus et ses rouges sonnent comme les clairons des anges que, souvent, ils représentent. Ses jaunes irradient un velouté, une poésie impalpable qui apaise et induit à prier. Les vibrations de son kaléidoscope introduisent dans les espaces immuables du temple sacré, une subtile résonance affective : une émotion radieuse étreint; le spirituel palpite et sa joute irréelle sacralise l'atmosphère où ses prismes célestes glorifient la demeure de Dieu.*

D'abord distribués en séries de petits panneaux à dominantes rouges et bleues, les verres teintés sont placés dans des barlotières forgées à la forme des compartiments. Les suites narratives conservées à Paris reprennent les caractéristiques de Chartres : à Notre-Dame, les trois roses occidentale (1220), septentrionale (1250) et méridionale (1260) ainsi que la Sainte-Chapelle, précieux reliquaire de la Couronne d'épines (1243-48), révèlent la trace d'ateliers anonymes. Le prestige que ces chefs-d'œuvre confèrent à la capitale est tel que les artistes parisiens reçoivent des commandes de province : à Clermont et au Mans. Lorsque cette envolée de maîtres, de cartons ou de modèles jaillit comme un feu d'artifice, d'autres noms ne tardent pas à resplendir à leur tour, sonnant comme des fanfares, telles Tours et Angers.

Au cours des décennies suivantes, les fenêtres d'abord étroites, s'élargissent; scandées de meneaux, leurs lancettes permettent d'embrasser de véritables tableaux aux nuances phosphorescentes. Si les vitraux se métamorphosent par leurs volumes, s'ils perdent leurs cadres sertis d'entrelacs et de guirlandes, s'ils se jouent de l'architecture, celle-ci transforme à son tour l'armature et remodèle la technique et le style des verrières de Paris.

Vitrail et sculpture

Auxiliaire principal de l'architecture, la statuaire joue à l'extérieur de l'église le même rôle que le vitrail poursuit à l'intérieur. A l'image des sculptures médiévales dont ils se veulent le complément, les vitraux sont d'abord considérés comme un édifiant catéchisme d'images. Aux yeux des fidèles, ils narrent de manière différente, la même Bible, *le même* Evangile, *les mêmes légendes dorées. Les deux arts arborent la même iconographie, la même doctrine, la même foi. Tandis que les ronds de bosse ou les bas-reliefs se déploient sur les façades en plusieurs registres, se resserrent dans les écoinçons, soulignent les archivoltes, s'inscrivent dans les tympans, épousent les piédroits, qu'ils envahissent à l'intérieur sur les chapiteaux, tribunes et autels, les vitraux règnent sur les ouvertures, illustrent les mêmes scènes que les sculptures, honorent les mêmes saints et les mêmes épisodes sacrés. Ils vont jusqu'à adopter le même style, tour à tour hiératique et un peu naïf, puis élancé et sinueux. Selon les modes et les écoles, leurs formes s'allongent, se désincarnent, reflets de plus en plus éthérés de leur époque, pour, au* XIVe *siècle, aboutir à voir s'étirer sur les fenêtres hautes ces processions de solitaires auréolés de mandorles, surmontés de dais, enchâssés d'architectures imaginaires. Leurs dessins arachnéens évoquent la Jérusalem céleste et les sphères divines où se meuvent les saints et le peuple de Dieu.*

Au XIVe *siècle, alors que la production normande est en pleine floraison, les ateliers bouillonnent de créativité, et appliquent, dès 1310, le jaune d'argent découvert l'année précédente en Angleterre, à la cathédrale d'York ! Ils éprouvent durement les ravages de la guerre de Cent ans, la raréfaction des mécènes, mais le* XIVe *siècle entraîne la reprise des commandes. Le style évolue. Inspirés par les manuscrits et les tapisseries, les maîtres vitriers parisiens exécutent, entre autres, les verrières du collège de Beauvais (1370-1400), transportées au* XIXe *siècle à Saint-Germain-des-Prés puis à Saint-Séverin. Pareils à des cierges allumés, les personnages solennels des six fenêtres occidentales de la nef centrale sont enchâssés dans des niches aux architectures raffinées. Au* XVe *siècle, le goût évolue encore et les quinze verrières de la nef et du chevet de Saint-Séverin, (1450-1470), constituent l'ultime transposition sur verre de la statuaire médiévale. Eliminés ensuite de la capitale, ils subsistent en province jusqu'en 1500. Entre-temps, toujours à Saint-Séverin, les transformations du style s'imposent dans une ouverture du chevet : un donateur, le parlementaire Brinon, représenté auprès d'une Vierge à l'enfant, se réfère aux modèles flamands de Van der Weyden, divulgués par les cartons de Henri de Vulcop. Encore à Saint-Séverin, l'influence nordique se retrouve dans la dernière campagne de travaux (après 1491). Les vitraux allient dans leurs bordures les lys de France et les hermines de Bretagne, et célèbrent le mariage d'Anne de Bretagne et du roi de France.*

Saint-Merry, baie 120. Vie de la Vierge (vers 1500), détail : La Vierge au Temple.

Charles VIII, sensible à l'art du vitrail, commande en 1485 la rose occidentale de la Sainte-Chapelle. Ce chef-d'œuvre incontesté, dû sans doute à trois artistes influencés par les écoles septentrionales, présente des visions de l'Apocalypse. Sa palette colorée, la virtuosité de sa technique, ses compositions denses et équilibrées ont une beauté si raffinée et si originale, qu'ils influencent deux siècles d'histoire de l'art et pour commencer, à Saint-Germain-l'Auxerrois, le superbe vitrail de saint Vincent et saint Sixte (1500), réalisé par un disciple de Vulcop, connu sous le nom de Maître des Très Petites Heures d'Anne de Bretagne.

Parmi les dernières nouveautés du XIVe *siècle, mentionnons la multiplication des «rondels» civils. Les plus délicats proviennent de l'hôtel Saint-Pol, du Louvre et de nombreuses demeures aristocratiques. Jadis appelé «grisets» à cause de leurs décors peints en grisaille, circulaires, de petite taille, ils évoquent le plus souvent des scènes profanes. Exécuté sans mine de plomb, l'un d'eux, reprenant un carton de Jean Fouquet, est présenté au musée d'Ecouen.*

Vitrail et peinture

A la Renaissance, le vitrail a progressivement rompu avec les traditions sculpturales et s'est affranchi de l'architecture. Finis les espaces étroits, circonscrits et répétitifs accordés à des scènes narratives ceintes de lisières richement décorées. Finis les architectures arachnéennes entourant des personnages solitaires. Adieu compositions compactes et géométriques ! Adieu entrelacs et bestiaires ! Occupant pleinement l'espace lumineux, les verrières inaugurent le règne d'un vitrail clair, individualisé et autonome : chacun a sa gamme, sa tonalité qui l'isole de ses voisins et lui donne une vie propre. Tout devient liberté, originalité, panache ! La jonction entre la peinture et le vitrail, brève interférence de deux disciplines autonomes, constitue le point d'orgue de l'histoire du vitrail. Ce XVIe *siècle si fécond opère cette synthèse en trois étapes : la première sous l'influence de modèles flamands ou allemands, la seconde sous l'empire de l'Italie et la troisième est le chant du cygne, annonciateur de la décadence.*

La Renaissance française

Paris, livré à lui-même, envahi par les Armagnacs, les Anglais, repris par Charles VII, reste au XVe *siècle une ville fleurissante. Autonome, rebelle aux Valois retirés sur les bords de la Loire, menée par ses prévôts et ses théologiens de la Sorbonne, la capitale se tisse des liens nombreux avec le Nord qui lui apporte la richesse commerciale et l'expression d'une école plastique qui s'intègre dans la tradition en une résille serrée qui envahit tous les domaines, dont celui du vitrail. Au* XVIe *siècle après une première*

◄ *Saint-Etienne-du-Mont, baie 101 (1540). Transfiguration, détail.*

ébauche de Renaissance strictement française, sous l'influence des peintres de Bruges et de Gand, on retrouve sur la verrière des églises, dans les vastes tableaux qui enjambent lancettes et tympans, dans la multiplicité des formes serties de plomb, leur manière; tantôt réaliste, burlesque proche de Bruguel, tantôt éthérée, quasi-mystique. Sous l'influence de modèles d'une exquise élégance se dressent des formes telles des arabesques. Des êtres transparents apparaissent soutenus par le poids des riches ornements dont ils sont revêtus. Choix religieux, ce contraste entre l'âme translucide et quasi-immatérielle et la matière lourde et opulente, est accentué par la technique même du vitrail. L'usage du verre coloré et souvent luminescent intensifie les contrastes. Intensité, vibration et préciosité confèrent à ces scènes peintes une intemporalité qui va au-delà de la peinture sur toile et élève le vitrail jusqu'au sublime.

Une première énigme éclaircie

Un grand nombre d'œuvres réalisées autour de 1500, a été attribuée au Maître de la Vie de saint Jean-Baptiste. Ainsi en est-il des chefs-d'œuvre de Saint-Gervais-Saint-Protais : la Vie de Marie-Madeleine dont Christophe de Carmone est le donateur; du même auteur anonyme auraient été les verrières septentrionales de la nef de Saint-Merry, évoquant les Miracles du Christ, de saint Jean-Baptiste et de saint Thomas. Ce travail de virtuose, pour ce qui est de la coupe des verres soulignée avec des plombs, est remarquable par l'élégance de sa composition. Habile, inspiré de modèles gravés souvent étrangers, cette main aurait aussi dessiné les Quatres vies de la Vierge de Saint-Merry et de Saint-Etienne-du-Mont. On la retrouve de même dans les œuvres présentées à Saint-Godard de Rouen et Saint-Jean d'Elbeuf (1500). Ce n'est pas tout : le Maître de la Vie de saint Jean-Baptiste aurait travaillé également à Saint-Sulpice de Nogent-le-Roi, à Pont-Audemer, à Ferrières-en-Gâtinais, à Saint-Martin-de-Champeaux en Ile-de-France, à Lux en Bourgogne et à Saint-Pierre-le-Rond à Sens. Cette énumération laisse rêveur : comment le même artiste aurait-il réaliser une œuvre aussi gigantesque, seul ou avec un, au plus deux, compagnons comme c'était le cas dans les ateliers de l'époque ?

Il semble que le Maître de la Vie de saint Jean-Baptiste soit un mythe et que ses œuvres émanent non d'un, mais de plusieurs ateliers, principalement parisiens.

La période royale

La décision annoncée en 1528 par François Ier de faire de Paris sa principale résidence n'est pas restée sans conséquence sur l'évolution de la peinture sur verre dans la capitale : plusieurs maîtres appelés sur les chantiers

◀ *Bayonne, cathédrale. La Prière de la Cananéenne (1531), détail.*

royaux de l'Ile-de-France entrent en contact avec le milieu artistique de Fontainebleau et assimilent le nouveau style bien plus rapidement et plus profondément que s'ils ne l'avaient connu que par l'intermédiaire de la gravure : ainsi, dès le début des années 1540, alors que dans la plupart des ateliers, les œuvres de Marc-Antoine viennent seulement de supplanter les modèles flamands ou germaniques, les canons maniéristes font déjà leur apparition au chœur de Saint-Etienne-du-Mont.

André Chastel estime que le vitrail de cette époque est la réponse française à la fresque italienne. Les verriers parisiens de la Renaissance conçoivent leurs scènes comme des œuvres majeures. Déployée sur toute la largeur des multiples lancettes, sans tenir compte de la division structurelle des meneaux de pierre, leur composition est unifiée à partir de 1531. L'espace couvert s'organise en un grand décor pictural excluant toute réminiscence gothique. Une quête de perspective, de troisième dimension, apparaît, marquée au sol par les lignes de fuite du carrelage, et au fond, par une série de plans architecturaux ou végétaux qui crée une réelle profondeur. L'intervention accentuée du dessin qui modèle les vitres claires, permet à l'intérieur d'un même chassis d'évoquer des groupes de personnages. L'artiste s'affranchit de la mise en plomb : plusieurs têtes peuvent apparaître sur une même pièce de verre. Enfin, dans le mouvement qui anime les personnages groupés ou séparés, se décèle l'influence de Raphaël; les figures robustes et classiques reprennent celles des grandes peintures antiques et chaque personnage, individualisé, campé, est prêt à agir.

En 1572, Le Tasse, écrivant au comte de Ferrare reconnait la supériorité de l'art du verrier : «Dans les églises de France... la peinture et la sculpture sont mauvaises et sans proportions justes. Mais on ne doit sans doute pas ranger dans ces peintures les fenêtres de verre coloré et figuré; elles sont extrêmement nombreuses et dignes d'admiration autant que d'éloge, en raison de leur charme, de la vivacité des couleurs, du dessin et de l'art des figures. C'est un domaine où les Français peuvent blâmer les Italiens. L'art du verre est chez nous apprécié pour l'apparat et les délices des buveurs et chez eux employé au décor de la maison de Dieu et au culte religieux».

Le poète de la Jérusalem délivrée *s'étonne du rôle dévolu au verre dans l'édifice cultuel français. Marquant son intérêt pour cette forme originale de peinture, il s'exclame admirativement devant la fonction architecturale et décorative du vitrail. Ses moyens et ses effets lui semblent supérieurs à ceux de la peinture ordinaire. Même si le vitrail est une peinture, son organisation est telle, les lignes de ses plombs lui accordent tant de relief, l'intensité de ses couleurs est si éblouissante, qu'ils finissent par surpasser la toile qu'ils transposent, par dépasser la fresque qu'ils adaptent.*

Saint-Merry, baie 110. Baptême des nouveaux croyants (vers 1540), détail.

Une seconde énigme dévoilée : Jean Chastellain

Qui est-il, ce fameux Maître de Montmorency auquel tant de chefs-d'œuvres sont attribués ? Est-il l'étranger que Jean Lafond pressentait hier encore ? Rien de tel : les dernières déductions prouvent qu'il s'agit d'un Parisien de génie. Pour ce faire, on constate que, selon les statuts de la corporation fondée en 1467, seuls les verriers parisiens peuvent travailler à Paris. Or le Maître de Montmorency, avant d'être au service de connétable Anne de Montmorency, a exécuté cinq verrières à Paris, dont celle de sainte Agnès à Saint-Merry en 1510 et La vie de la Vierge à Saint-Gervais en 1517. De ce fait, il ne pouvait qu'être Parisien. Les derniers restaurations exécutées confirment cette hypothèse : les verrières de Saint-Gervais-Saint-Protais sur la Sagesse de Salomon (1531) et celles du tympan (1532) de la baie voisine, celles de Saint-Germain-l'Auxerrois sur La Rose du Saint-Esprit et L'Incrédulité de saint Thomas, celles de Saint-Merry sur La vie de saint Pierre (1540), et celles de Saint-Etienne-du-Mont sur Le saint Nom de Jésus (1541), sont en effet de sa main. La commande de cette dernière, conservée aux Archives notariales, complètes à partir de 1540, est attribuée à Jean Chastellain; on peut, à partir de ce document, remonter la filière, et par une patiente comparaison des cartons, modèles, drapés et signes distinctifs, retracer la carrière d'un des plus grands maîtres verriers français. Jean Chastellain a aussi laissé son nom à Montmorency, Triel, Melun, Bayonne et Provins.

Un mystère, cependant, demeure : entre les œuvres antérieures à 1520 et celles postérieures à 1530 se décèlent deux manières totalement différentes. Les premières s'inspirent de modèles flamands et en particulier de Jan de Beer et les dernières, de gravures italiennes. Entre ces deux styles, l'artiste a donc été à Fontainebleau où il a étudié et assimilé la Renaissance, telle que voulait l'instaurer, à Paris, François Ier.

Dans la verrière sur la Sagesse de Salomon (1531), Jean Chastellain a l'audace de ne pas placer au premier plan l'acteur principal. Ses personnages prennent des formes élancées, des attitudes nobles et souples, des gestes discrets. Le luxe royal se retrouve dans la préciosité des attitudes, dans les costumes de brocards damasquinés, dans la somptuosité des bijoux, dans l'extravagance des chapeaux.

Chant du cygne avant la décadence

En ce second tiers du XVIe siècle, le vitrail s'est donc libéré définitivement des contraintes de l'architecture et de la sculpture et il se présente indépendant de son environnement. Cette indépendance est à double tranchant : l'édifice Renaissance peut très bien avoir des fenêtres garnies de vitraux ou non, preuve en est, le chœur de Saint-Etienne-du-Mont. La présence des

Montmorency, collégiale Saint-Martin, baie 3, détail : le donateur présenté par sainte Barbe.

verrières dépend souvent des finances de la paroisse : les effets du colloque de Poissy de 1562, qui mettent à contribution les fabriques parisiennes à hauteur de 30 000 livres, puis les troubles religieux, rendent de plus en plus difficile le financement des programmes décoratifs. Pour d'autres raisons pécuniaires, pendant des décennies, les travaux de Saint-Gervais-Saint-Protais et de Saint-Etienne-du-Mont sont suspendus. Lorsqu'ils reprennent, les vitraux inaugurent de nouvelles techniques : la peinture sur émail.

Cette troisième période est celle des Pinaigrier. D'abord Nicolas qui, à Saint-Etienne-du-Mont, exécute de 1585 à 1588 le transept et la nef méridionale puis à Saint-Gervais, réalise La Résurrection. C'est vers le milieu de ce siècle que Jacques Pinaigrier s'était établi à Paris. Son frère Nicolas travaille de 1566 à sa mort : 1606; il est le maître d'apprentissage de ses deux neveux, Jacques et Louis. Ce dernier, de 1609 à 1612, exécute avec Nicolas Chamus les huit vitraux de la nef de Saint-Gervais. L'art du vitrail devient avec eux si proche de la peinture, que Nicolas Pinaigrier et surtout Claude Porcher s'intitulent, et c'est symptomatique, «maîtres vitriers et peintres sur verre».

Entre-temps changent les conditions du métier. Les commandes civiles monopolisent les activités de nombreux ateliers, tandis que le vitrail religieux ne cesse de perdre du terrain.

Déclin du vitrail aux siècles du classicisme

Au XVIe siècle, le vitrail flamboie de ses dernier feux, au XVIIe siècle tout concourt à son abolition : la lecture des nouveaux missels à l'usage des fidèles exige un fort éclairage. De plus, l'architecture classique ne supporte plus le prisme coloré du vitrail; elle est satisfaite par la plénitude de ses formes et refuse d'être mystifiée par des jeux de couleurs éternellement changeants. Forte de sa sérénité, cette valse de lumières lui semble inutile, suspecte. Enfin, la peinture l'exclut de même : le jour à la fois teinté et tamisé qui émane des vitraux déforme les tons des tableaux qui se multiplient sur les murs et qui deviennent le complément nécessaire de l'architecture des églises du Grand Siècle. Cette concurrence entre les deux disciplines, peinture et vitrail, est la lutte du pot de fer contre le pot de terre. Le vitrail est taxé de réminiscence gothique, qualificatif rédhibitoire. Bref les fenêtres sont fermées par des vitres blanches et la construction des églises se conforme à ces critères. Pire, en 1741, sous prétexte d'éclaircissement, sont détruites les parties basses des verrières d'une des plus belles églises de France, Saint-Merry.

Il faut attendre le XIXe siècle, son romantisme, son amour du Moyen Age pour que le goût du vitrail renaisse et que reparaisse «la pénombre sainte où des vitraux exquis jettent un éclat d'émeraude, de rubis et de saphirs» (Pierre Loti).

Saint-Gervais, baie 9. Vie de sainte Isabelle de France (vers 1510-1517), détail : La cour céleste.

AVANT-PROPOS

HORMIS la rose de la Sainte-Chapelle exécutée vers 1485, les vitraux parisiens de la fin du Moyen Age et de la Renaissance restent méconnus. Guy-Michel Leproux, qui a fait une thèse à l'Ecole nationale des Chartes sur les Pinaigrier, famille de peintres-verriers parisiens dont l'activité s'est étendue sur le XVIe et le début du XVIIe siècle, a eu l'idée de cette exposition et c'est sous son impulsion, qu'elle a pu être envisagée à la Rotonde de La Villette et à la mairie du VIe arrrondissement. Les dates retenues ont été choisies pour coïncider avec le XVIIe colloque scientifique du Comité international du Corpus Vitrearum, à Rouen, en juin 1993.

Le Corpus Vitrearum est en effet une institution, qui groupe dix-sept pays d'Europe et d'Amérique du Nord. Il a été fondé au lendemain de la Seconde Guerre mondiale, qui a fait prendre conscience de la fragilité des vitraux anciens, patrimoine inestimable de la peinture, et de la nécessité d'en établir un catalogue systématique avant qu'il soit trop tard. Le Corpus Vitrearum est patronné par l'Union académique internationale et par le Comité international d'Histoire de l'Art. Les problèmes de protection et de conservation des vitraux ont parallèlement conduit à la création d'un Comité technique à côté du Comité scientifique. Les membres des deux comités se réunissent régulièrement, tous les deux ans, pour mettre en commun leurs expériences et leurs observations. En raison du nombre grandissant des spécialistes, les deux comités organisent maintenant des réunions séparées, tout en se tenant mutuellement au courant de leurs recherches.

La France, qui possède plus de la moitié des vitraux anciens préservés à travers le monde, n'avait pas accueilli le colloque scientifique du Corpus Vitrearum depuis 1975. Le Comité français est heureux de pouvoir recevoir dignement ses collègues étrangers cette année, grâce à la générosité du Conseil régional de Haute-Normandie, et de pouvoir présenter une exposition à Paris, grâce au concours de la Ville.

Initialement, Guy-Michel Leproux et ses coéquipiers avaient proposé de rassembler des photographies en couleurs, sur films transparents et à l'échelle des panneaux des verrières. Le projet a rencontré un accueil si favorable, tant auprès des responsables de la Ville qu'auprès des conservateurs des musées, qui ont des vitraux parisiens dans leurs collections, que le projet a été profondément modifié : les photographies ne figurent plus qu'à titre de complément d'information à côté d'un choix exceptionnel d'œuvres originales.

La restauration en cours de l'église Saint-Gervais a permis l'emprunt de la superbe verrière de la Sagesse de Salomon et de cinq autres panneaux de l'église. Des panneaux, descendus de l'église Saint-Germain-l'Auxerrois pour examen, ont pu y être ajoutés. Des œuvres conservées au musée Carnavalet, au musée national du Moyen Age, au musée des Arts décoratifs, à Paris, et au musée national de la Renaissance, à Ecouen, constituent un ensemble de premier ordre, réuni pour la première fois. Cette exposition fera date, parce que le public, comme d'ailleurs les auteurs du catalogue, découvrira la qualité de ces vitraux parisiens. L'examen rapproché des verrières a, en effet, démontré l'importance d'ateliers pratiquement ignorés jusqu'ici.

Le catalogue et la préparation de l'exposition sont le fruit d'une collaboration exemplaire. L'équipe du Corpus Vitrearum-France, fondée par Louis Grodecki, est une équipe de recherche de l'Université de Paris-Sorbonne (Paris IV), associée à un laboratoire du Centre national de la Recherche scientifique. Elle travaille en liaison étroite avec la Direction du Patrimoine du Ministère de la Culture et bénéficie du soutien indéfectible des Monuments historiques et de l'Inventaire général. Les auteurs du catalogue reflètent ces diverses instances par leur appartenance. Pierre Jacky est un étudiant de l'Université de Paris-Sorbonne, de même qu'Anne Pinto, qui est également peintre-verrier restauratrice. Claudine Lautier et Guy-Michel Leproux dépendent du Centre national de la Recherche scientifique. Françoise Gatouillat et Michel Hérold travaillent à l'Inventaire général, dans le cadre de la cellule Vitrail, et ont pu consacrer une partie de leur temps à la préparation de l'exposition, grâce à la compréhension bienveillante de leurs directeurs. C'est donc le concours de la Délégation à l'Action artistique de la Ville de Paris, des conservateurs des musées municipaux et nationaux, de la Sous-Direction de l'Inventaire général au Ministère de la Culture, du Centre national de la Recherche scientifique et de l'Université de Paris-Sorbonne, qui a fait de ce projet une réalité, pour le bénéfice du public et de la communauté scientifique.

Anne PRACHE

Saint-Etienne-du-Mont, baie 204.
◄ *Apparition du Christ aux trois Marie (1542), détail.*

1490-1520

De la Sainte-Chapelle à la Sainte-Chapelle

FRANÇOISE GATOUILLAT - CLAUDINE LAUTIER

Le baron François de Guilhermy, dans son *Itinéraire archéologique de Paris* publié pour l'exposition universelle de 1855 écrivait qu'à la veille de la Révolution, "Paris possédait au moins autant d'églises qu'on en compte à Rome. Avec ses faubourgs et sa proche banlieue, la ville renfermait trois cent onze établissements ecclésiastiques dont cinquante-neuf paroisses... L'île de la Cité contenait encore dix-sept églises, paroissiales pour la plupart, groupées autour de la cathédrale Notre-Dame, un monastère de Barnabites, la Sainte-Chapelle et l'église de l'Hôtel-Dieu"[1]. Beaucoup de ces édifices ont disparu, et ceux qui subsistent n'ont souvent conservé que partiellement leur vitrerie primitive. Les causes des destructions des vitraux anciens sont nombreuses, depuis les guerres de Religion jusqu'à la Révolution[2]. L'histoire du vitrail parisien au cours du Moyen Age ne peut, à partir des monuments conservés, s'écrire qu'en pointillés.

La Sainte-Chapelle demeure le seul édifice, avant l'église Saint-Séverin, qui ait conservé un ensemble cohérent de sa vitrerie médiévale, certes très restaurée et complétée au XIXe siècle. Elle a sans doute été protégée des destructions par sa vocation de chapelle d'un palais déserté par les rois avant la fin du XIVe siècle. Le monument, fondé par saint Louis pour abriter les reliques de la Passion du Christ, a été construit et orné de sculptures et de vitraux en un laps de temps extrêmement bref, de 1243 à 1248[3]. C'est une immense châsse dont les parois vitrées sont à l'image des pierres précieuses et des émaux des reliquaires orfévrés. Le programme iconographique est vaste et très élaboré, faisant la part belle à l'Ancien Testament, dont l'illustration s'étend de la Genèse au Livre des Rois, aux prophètes auxquels sont associés les deux saints Jean, qui encadrent la Vie du Christ placée dans l'axe. Il se termine par l'Histoire des reliques de la Passion jusqu'à l'événement contemporain de leur arrivée à Paris, et dans la rose occidentale, qui sera remplacée à la fin du XVe siècle mais avec le même thème, le récit de l'Apocalypse[4]. Les vitraux sont distribués en grandes séries de petits panneaux à dominante colorée rouge et bleue, placés dans des barlotières forgées à la forme des compartiments. Ils ont été exécutés simultanément par trois ateliers, dans un style rapide et brillant, qui aura une influence certaine sur des chantiers à peine postérieurs comme ceux des cathédrales du Mans et de Tours[5].

Ce que l'on connaît de Saint-Germain-des-Prés provenait de la chapelle privée de l'abbé dédiée à la Vierge, bâtie par Pierre de Montreuil en 1245 et détruite en 1802; les panneaux ont été dispersés en France et à l'étranger[6]. Comme les panneaux de Saint-Germain-des-Prés, les verrières de la chapelle de Sainte-Marie-l'Egyptienne, dite de la Jussienne, construite vers 1250 dans le quartier des Halles, avaient été recueillies par Alexandre Lenoir dans son musée des Monuments français créé en 1791; mais on ne les connaît plus que par ce que Lenoir a écrit sur elles[7]. Il ne reste à Notre-Dame presque rien en comparaison du nombre considérable de verrières que la cathédrale a possédées : la rose occidentale, datable des environs de 1220, la rose nord exécutée vers 1250-55, la rose sud vers 1260. C'est à travers des éléments disparates utilisés en bouche-trous dans ces roses et dans la vitrerie de la Sainte-Chapelle que l'on a connaissance de certains aspects des créations parisiennes antérieures ou ultérieures. Ainsi les neuf panneaux d'une verrière démantelée de la Vie de saint Matthieu, remployés dans la rose

Saint-Germain-l'Auxerrois, baie 121 (vers 1490). Le corps de saint Vincent jeté aux bêtes sauvages, détail.

a. Sainte-Chapelle, baie L. Le Deutéronome-Josué (1243-1248), détail : Dieu parle à Moïse.

sud de Notre-Dame, datables vers 1180, un très beau médaillon d'un Jugement dernier et une scène de baptême d'un autre style, exécutés tous deux vers 1200 et utilisés en bouche-trou à la Sainte-Chapelle. De la Sainte-Chapelle encore ont aussi été retirés des panneaux de la seconde moitié du XIIIe siècle, un Calvaire et des scènes de la Vie de saint Jean-Baptiste d'un caractère miniaturiste et délicat, dont la provenance reste inconnue, de même que celle des deux panneaux relatifs à l'Antéchrist venus compléter la rose nord de Notre-Dame[8]. Le vitrier Guillaume Brice et ses contemporains sous Louis XV "restauraient" les ensembles qui leur étaient confiés en employant les verres anciens provenant de verrières détruites qu'ils avaient en magasin, car on ne produisait plus guère de verres de couleurs.

La production vitrée de la première moitié du XIVe siècle, si éclatante en Normandie par exemple, dans des ensembles sans doute fortement inspirés par les chantiers parisiens, n'a laissé aucun exemple à Paris, ni verrières ni même de panneaux entiers[9]. Pour la seconde moitié du même siècle, le seul témoignage à prendre en considération est un groupe de panneaux exécutés pour la chapelle du collège de Beauvais, fondée par Jean de Dormans en 1370 et bâtie par Raymond du Temple entre 1374 et 1380[10]. Le Collège apostolique devait y être figuré, sous des dais architecturaux importants. Seules deux figures sont partiellement anciennes, accompagnées d'une trentaine de panneaux à décor architectural, où le jaune d'argent, nouvellement inventé au début du siècle, souligne contreforts, pinacles et gables percés de rosaces colorées.

b. Saint-Séverin, baie 215 (vers 1380), détail : saint Jacques. Provient de la chapelle du collège de Beauvais.

Saint-Séverin, baie 209 (vers 1460), détail : Martyre de saint Sébastien.

Cet ensemble monumental fort élégant, pour autant qu'on puisse en juger d'après ses vestiges, fut d'abord remonté en 1824 dans le haut-chœur de Saint-Germain-des-Prés, avant de trouver place dans les premières fenêtres de la nef de l'église Saint-Séverin en 1858. L'église des Célestins, construite en bordure du Marais vers 1390, était ornée de verrières exécutées sous Charles VI. Ce roi y avait fait peindre son portrait ainsi que ceux de ses prédécesseurs[11]. L'abbé Lebeuf, Pierre Le Vieil, puis Alexandre Lenoir, évoquent aussi les verrières de l'église Saint-Paul, datant du règne de Charles VII, avec des contributions royales[12]. Le Vieil encore, citant l'historien Sauval, signale les vitres peintes des demeures royales, le Louvre et l'Hôtel Saint-Pol, bâtis par Charles V[13]. Les vitreries civiles, les "rondels", qui décoraient les fenêtres des maisons, ont rarement survécu aux modernisations de l'habitat. Cependant une étude récente fait apparaître un de ces "grisets" d'une exceptionnelle qualité, exécuté au milieu du XVe siècle sur un carton de Jean Fouquet. Il est maintenant conservé au musée de Cluny et pourrait bien provenir d'une maison parisienne.

Si l'on peut supposer une production vitrée importante à Paris durant la première moitié du XVe siècle, à l'image de ce qui se voit dans d'autres arts, les manuscrits ou la tapisserie, rien n'est conservé dans les monuments avant 1450.

Saint-Séverin

L'ensemble des verrières hautes de l'église Saint-Séverin produit un effet d'apparente homogénéité: une longue suite de niches claires garnit chacune des lancettes de son vaisseau sans transept. En réalité cet ensemble est composé de séries diverses, juxtaposées, parfois imbriquées au gré des agrandissements et des modernisations de l'édifice.

Les vitraux remployés de la chapelle du collège de Beauvais, déjà mentionnés, occupent les trois travées les plus proches de la façade. A leur suite, les verrières qui appartiennent en propre à l'édifice dépendent des campagnes de la reconstruction entreprise après un incendie hypothétique que l'on situe vers 1450; le bâtiment fut alors repris d'ouest en est, à partir des trois premières travées du XIIIe siècle épargnées par l'accident[14]. Les verrières exécutées pour la nouvelle église suivent la tradition établie au cours du siècle précédent, faisant une part importante aux éléments de l'architecture qui abrite soit des personnages soit des scènes. Ces éléments architecturaux sont des tourelles polygonales où la perspective est mentionnée. Les surfaces des socles et les voûtains de ces habitacles sont visibles.

L'ensemble est peu cohérent sur le plan iconographique. La diversité des représentations témoigne de la liberté de choix accordée aux familles et confréries de paroissiens donateurs. Dans la nef quatre verrières présentent trois saints isolés (baies 205, 208, 210, 212), trois autres montrent une scène parfois traitée en deux lancettes, bien que leurs protagonistes soient enfermés dans leurs édicules individuels; la scène est, dans ce cas, accompagnée d'un ou deux saints (Incrédulité de saint Thomas, Noli me tangere, Ascension). Celle du Meurtre de Thomas Becket occupe toute une baie, comme la verrière en triptyque de la Trinité entourée d'anges céroféraires. Les silhouettes habitent tout l'espace des niches, disparaissant parfois partiellement à l'arrière de leurs piedroits et laissant peu visibles les damas tendus sous les dais; elles sont rarement présentées frontalement, mais sont dépeintes dans des attitudes suggérant un mouvement qui transgresse quelque peu la convention de la statuaire simulée, à laquelle obéissent encore parfaitement les apôtres provenant du collège de Beauvais. Les attitudes sont contraintes par le cadre formel, pourtant uniformément respecté; lorsque la scène décrite se déroule en plein air, l'herbe qui règne partout sous les socles occupe aussi leur surface, rejetant ainsi paradoxalement architecture et tissu damassé hors de la réalité de l'action figurée (Noli me tangere, Martyre de saint Sébastien). Au vu des verrières parisiennes conservées, peut-être faut-il noter que celles de Saint-Séverin sont les dernières conçues selon la formule des grands personnages sous dais, formule qui persiste ailleurs encore un peu après au-delà de 1500.

L'harmonie colorée des verrières de la nef, posées vers 1460, est basée sur des tons clairs et assourdis. Les violines, ors et bleus clairs jouent avec les verres nacrés relevés d'un jaune d'argent souvent très pâle, excluant presque le rouge, notamment dans les trois baies les mieux conservées du flanc nord (baies 207 à 211). Cette coloration douce tempère le style anguleux et les gestes roides des figures. Malgré la forte altération des verres, on observe que la peinture combine des lignes fines et nettes avec des modelés très adoucis, rendus par un lavis de grisaille léger et très brossé. Les effets semblent plus appuyés dans les meilleurs panneaux du côté méridional (baie 212 en particulier). Au chevet, la gamme colorée est plus haute, et le style des panneaux, à peine plus jeunes que ceux de la nef, relève d'une écriture un peu différente, d'une technique ample et vigoureuse alors mise au service d'un art plus détendu, qui laisse apercevoir un haut niveau de qualité.

Le chevet plat qui fermait primitivement l'église achevée vers 1470 était percé d'une baie axiale triple. L'étude récente de Mme N. Reynaud[15] établit que le Christ-Sauveur du Monde y était entouré de la Vierge à l'Enfant et de saint Jean l'Evangéliste, dans une iconographie proche de celle du triptyque Braque de Roger Van der Weyden conservé au musée du Louvre. L'auteur démontre que la verrière, probablement offerte par la famille de parlementaires parisiens Brinon, a été exécutée entre 1460 et 1470 sur des cartons fournis par le "Maître de Coetivy", sans doute Henri de Vulcop, auteur des cartons de tapisserie de la Guerre de Troie et de la Destruction de Jérusalem, d'un panneau peint de la Résurrection de Lazare conservé au Louvre, et d'un groupe de miniatures, "l'un des artistes les plus importants du troisième quart du XVe siècle, actif dans le Val de Loire, dans le Berry et à Paris"[16]. Entre 1489 et 1496, l'abside actuelle plus profonde et polygonale remplaça le chevet plat construit une vingtaine d'années plus tôt.

Plusieurs verrières de ce chœur furent alors adaptées à leur nouveau cadre, et parmi elles l'ancienne baie axiale scindée entre l'actuelle baie 200 — le Christ-Sauveur et la Vierge —, et la baie voisine au sud, saint Jean l'Evangéliste. D'autres lancettes de l'ancien chevet subirent le même traitement, saint Jean-Baptiste (baie 201) et un saint diacre (baie 204). La largeur des nouvelles lancettes ne coïncidant pas avec celle des panneaux remployés, des bordures leur furent adjointes. Certaines d'entre elles comportent les fleurs de lys royales alternant avec les hermines de Bretagne, ce qui permet de dater le remaniement d'après 1491, date du mariage du roi Charles VIII avec Anne de Bretagne. Les verrières du nouveau chœur étant plus nombreuses que celles de l'ancien, il fallut les compléter. Deux baies du rond-point, (201 et 204) sont chacune constituées d'un saint antérieur à 1470 apparié à un autre plus jeune d'un quart de siècle. L'harmonisation entre parties anciennes et parties rapportées est si bien conçue qu'elle n'avait pas été soupçonnée avant les travaux de Mme Reynaud[17]. Les niches des nouvelles figures imitent celles de leurs voisines plus anciennes. Les bordures nécessaires à l'élargissement des panneaux primitifs, à luxuriants feuillages peuplés de petits archers et d'oiseaux, ou à feuilles de chou où sont lovés des escargots, ont été reprises autour des compléments. Cependant l'observation des costumes des donateurs groupés au bas de chaque lancette confirme bien l'écart d'âge des différents panneaux. Une verrière entière a aussi été ajoutée (baie 203, saint Pierre et saint André). Son parti formel libéré des contraintes observées dans les œuvres précédentes laisse s'affirmer plus ouvertement un style contemporain de celui de la rose occidentale de la Sainte-Chapelle.

Saint-Séverin, baie 200. Vierge à l'enfant (vers 1470), détail.

La rose occidentale de la Sainte-Chapelle

Charles VIII signa le 15 janvier 1485 une ordonnance permettant aux chanoines de la Sainte-Chapelle de recouvrer les rentes dues au roi pour qu'ils aient les moyens financiers d'effectuer les réparations nécessaires au monument qui menaçait ruine. Parmi celles-ci intervient le remplacement du remplage et du vitrage de la rose du XIIIe siècle, dont le dessin primitif est connu par une miniature des *Très Riches Heures du duc de Berry*, et une autre des *Heures d'Etienne Chevalier* peintes par Fouquet. On peut même supposer que le roi est donateur du vitrail qui porte le chiffre et les emblèmes royaux[18]. L'œuvre est absolument essentielle dans l'histoire de la peinture sur verre à Paris.

La rose, qui décrit les visions de l'Apocalypse d'une façon quasi-exhaustive, est composée de deux cercles concentriques autour d'un oculus hexalobé; celui-ci montre saint Jean et les sept églises d'Asie aux pieds du Fils de l'homme. Le premier cercle comporte six fuseaux et le second douze fuseaux, chacun d'eux groupant quatre soufflets qui décrivent les tableaux de l'Apocalypse depuis l'image des vingt-quatre vieillards célébrant Dieu dans le premier cercle, jusqu'à la fin du monde dans le second. Certains compartiments en forme de cœur sur le pourtour sont ornés du chiffre K du roi Charles VIII, ou de son écu armorié entouré du collier de l'Ordre de Saint-Michel. Les ouvertures en forme de flammes séparant les fuseaux sont semées de lys sur fond d'azur; leur répartition organise et aère les champs historiés.

L'œuvre est particulièrement bien conservée, un dixième à peine des panneaux ayant été refait. Certaines scènes sont même exemptes de toute restauration, en particulier dans la partie supérieure de la rose.

Les compositions des scènes sont denses, foisonnantes, mais elles restent équilibrées et se jouent des compartiments de forme complexe. Elles sont aussi très variées, plaçant des grandes figures en action sur des fonds de paysages pleins d'invention, associant habilement des groupes de figures en buste, ou emportant des groupes de personnages dans des mouvements extraordinairement expressifs. Cette œuvre joue sur la variété d'échelle des personnages, sur la profondeur de champ des scènes, sur la richesse d'effet, d'une manière tout à fait nouvelle dans l'histoire du vitrail.

La palette colorée de l'ensemble de la rose est claire, mariant essentiellement des nuances de vert, jaune, bleu et violet, au verre incolore qui joue un grand rôle. Le rouge reste discret dans bien des panneaux, voire absent de certaines scènes. La technique est virtuose. L'atelier à l'œuvre utilise des pièces de verre de grandes dimensions lorsque le sujet le permet, dans des draperies, des ailes d'anges, des sols herbeux et des ciels par exemple. La palette des peintres-verriers est aussi enrichie par l'emploi abondant de la gravure à l'outil, qui dégage le fond blanc des verres doublés; cette technique concerne ici non seulement les verres rouges et bleus, mais aussi les verres verts, ce qui est tout à fait inusuel. Ainsi sont ornementés les harnachements des chevaux, dégagés les grêlons et les astres, et d'autres détails. L'utilisation de verres précieux est aussi remarquable, des verres vénitiens, parfois à trois couleurs, et des verres aspergés, pour des drapés ou des éléments architectoniques.

Le style de la figuration est plein d'aisance. Les personnages sont de proportions plutôt allongées, les gestes expressifs, en particulier le mouvements des têtes et des mains. Les visages sont ovales ou ronds, encadrés de chevelures traitées en mèches mi-longues bouclées à leur extrémité et rejetées souplement vers l'arrière. Les effets de draperies sont abondants, fluides aux épaules et s'étalant au sol en nombreux plis amples. La grisaille conjugue une teinte noire et une autre rousse, cette dernière souvent employée en lavis pour réchauffer les carnations et pour définir des détails des paysages ou des costumes. L'utilisation du jaune d'argent est abondante mais toujours judicieuse, complétant souvent la gravure; sa teinte varie du jaune paille au jaune orangé.

L'observation permet de dénombrer, au sein d'un atelier unique, trois artistes au moins qui se partagèrent la réalisation des quatre-vingt-sept panneaux historiés. En effet, des nuances sont perceptibles dans la manière de peindre, l'une plus graphique et définie, comme dans la Décollation des deux témoins, plus estompée, adoucie au putois, comme le panneau de l'Adoration de la Bête ou de celui de l'ange qui verse le feu de l'encensoir sur la terre. Une troisième manière alourdie, moins habile, se voit par exemple dans le panneau des quatre anges de l'Euphrate déchaînés.

La rose de la Sainte-Chapelle apparaît comme un chef-d'œuvre unique qui ne devait cependant pas rester sans descendance. Dès 1958, J. Lafond l'a replacée dans le contexte d'un grand courant artistique s'exprimant dans les différentes techniques d'art. Y voyant l'un des premiers témoins de ce courant dont l'influence devait persister pendant près de trente ans, l'éminent spécialiste a souligné la relation incontestable qui existe entre la rose parisienne et l'une des verrières de Saint-Germain-l'Auxerrois, celle de saint Vincent et de saint Sixte. Il a relevé également les liens unissant cette dernière œuvre à toute une production conservée en Normandie. J. Lafond re-

◀ *Sainte-Chapelle, rose ouest (vers 1485-1490), détail : Décollation des deux témoins.*

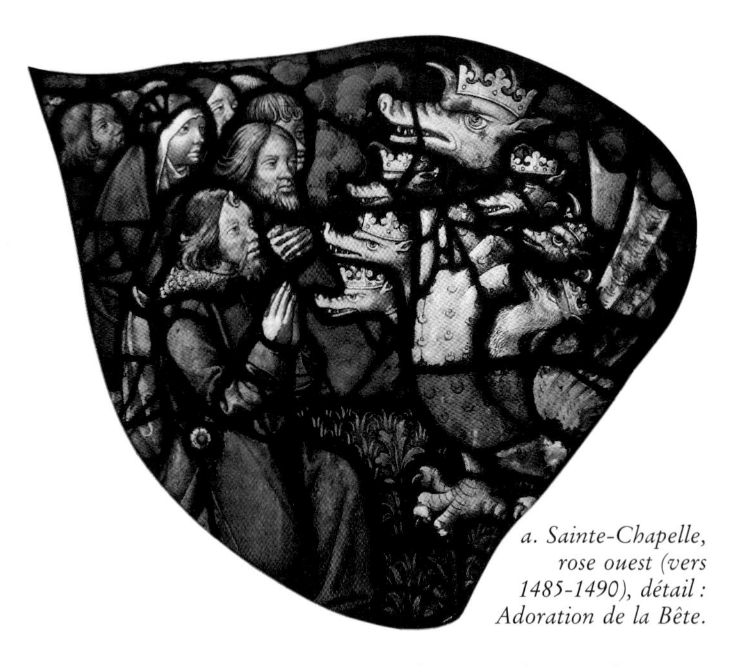

a. Sainte-Chapelle, rose ouest (vers 1485-1490), détail : Adoration de la Bête.

groupe, d'ailleurs avec une infinie prudence, de nombreuses œuvres parisiennes et normandes sous la dénomination générale de "Maître de la Vie de saint Jean-Baptiste", tout en laissant ouverte cette question complexe[19]. Dans la suite directe de la rose de la Sainte-Chapelle, Mme F. Perrot a aussi placé le précieux panneau représentant le Portement de croix, fait pour l'hôtel de Cluny bâti pour l'abbé Jacques d'Amboise à partir de 1485[20]. Le modèle transposé en vitrail par le peintre-verrier est ici identifié. Il est parisien et connu par la gravure. On le suit dans deux incunables xylographiques du cabinet des Estampes de la Bibliothèque nationale et dans les meilleures gravures d'illustration de la fin du XVe siècle, en particulier celles du *Livre d'Heures à l'usage de Rome* achevé d'imprimer le 17 septembre 1496 par Philippe Pigouchet pour Simon Vostre. La distance qui sépare la grande œuvre monumentale de ce petit panneau dont l'usage se rapproche de la vitrerie civile, implique des différences d'exécution qui ne permettent guère de conclure que l'artiste employé par Jacques d'Amboise ait pu œuvrer dans l'atelier de la Sainte-Chapelle. Cependant les liens sont manifestes.

Par son échelle monumentale et par son expression picturale, l'œuvre qui semble la plus proche de la rose est bien la verrière de saint Vincent et saint Sixte de Saint-Germain-l'Auxerrois, mais elle s'en démarque aussi par l'absence de techniques précieuses, et un style qui, bien que très maîtrisé, apparaît comme plus rapide.

Mme N. Reynaud apporte d'importantes précisions sur le cartonnier de l'atelier qui réalise la rose de la Sainte-Chapelle, personnalité restée anonyme dans laquelle elle reconnaît un successeur du grand peintre du troisième quart du XVe siècle, Henri de Vulcop[21]. Cet héritier, enlumineur, cartonnier de tapisseries, auteur de gravures ou de modèles de gravures pour les livres imprimés, et de patrons de vitraux, est dénommé par Mme N. Reynaud "Maître des Très Petites Heures d'Anne de Bretagne", en fait le "Maître de la Vie de saint Jean-Baptiste" proposé par J. Lafond. Le même artiste se voit attribuer un troisième pseudonyme par G. Souchal, qui amplifie encore sa production présumée de nombreuses œuvres dans ces mêmes techniques, le dénommant "Maître de la Chasse à la Licorne", du nom de la célèbre suite de tapisseries conservée au musée des Cloîtres de New York[22]. Cette dénomination est acceptée par Ch. Sterling, qui détaille l'œuvre de ce peintre et la relie au milieu parisien de la création picturale vers 1500[23].

Certains vitraux de Saint-Séverin peuvent être datés très précisément des années qui suivent la réalisation de la rose de la Sainte Chapelle; ils ont été mentionnés plus haut. Ce sont quatre figures de saints en pied accompagnées de donateurs, logées dans les baies du chœur, et exécutées entre 1489 et 1496. Mme N. Reynaud attribue les cartons du noble archange saint Michel (baie 201) et de sainte Geneviève (baie 204, très restaurée) au "Maître des Très Petites Heures d'Anne de Bretagne"[24]. Le traitement pictural de la figure de l'archange et des donateurs agenouillés à ses pieds se rapproche également de l'art du peintre le plus raffiné de la rose de la Sainte-Chapelle. Cette peinture ne se retrouve guère dans les figures contemporaines et voisines des apôtres Pierre et André (baie 203), ce qui laisse entrevoir une certaine diversité des tendances à la fin du siècle.

b. Sainte-Chapelle, rose ouest (vers 1485-1490), détail : Quatre anges de l'Euphrate.

Au musée de Cluny est conservé un autre témoignage de la production vitrée des années 1490-1500. Il s'agit d'un panneau retiré de la baie de la Genèse de la Sainte-Chapelle en 1852. Il y avait été utilisé en bouche-trou lors d'une réparation ancienne. Il représente un bourreau d'une Flagellation qui faisait partie d'un cycle de la Passion, dont subsistait aussi un fragment de la Dérision du Christ, remployé au même endroit et maintenant disparu. L'échelle de ces panneaux montre qu'ils provenaient d'une verrière basse d'une église inconnue. Les fortes analogies formelles et techniques avec certains panneaux de la rose de la Sainte-Chapelle, ne permettent cependant pas l'attribution du fragment conservé ni au cartonnier de la rose, ni à l'un de ses peintres-verriers. En effet le traitement pictural est assez différent dans les deux œuvres, et l'on doit, pour justifier les rapports étroits, se référer à des modèles, xylographies, livres imprimés par Pigouchet et leur variantes, copies et répétitions chez les imprimeurs parisiens Jehan Dupré, Antoine Vérard ou Thielman Kerver, largement explorés par G. Souchal[25].

De cette analyse se dégage la diversité des œuvres qui sont à rapprocher des panneaux du XVe siècle de la Sainte-Chapelle. Il est difficile, chaque fois, de déterminer, dans les relations que l'on peut établir, quelle est la part due au cartonnier, celle due aux modèles utilisés, celle du peintre-verrier exécutant et enfin celle qui incombe aux désirs et aux moyens financiers du commanditaire.

Saint-Germain-l'Auxerrois, baie 121 (vers 1490). Le corps de saint Vincent jeté aux bêtes sauvages, détail du paysage.

NOTES

1. F. de Guilhermy, *Itinéraire archéologique de Paris,* Paris, 1855, p. 20, 220, cité par J. Lafond, 1988, p. 124.
2. Sur ces questions, voir en particulier la belle étude de J. Lafond, *Le Vitrail. Origines, technique, destinées,* 3e éd., annotée par F. Perrot, Lyon, 1988, pp. 73-157.
3. L. Grodecki, J. Lafond, *Les Vitraux de Notre-Dame et de la Sainte-Chapelle de Paris, CVMA - France I,* Paris, 1959.
4. J. M. Leniaud, F. Perrot, *La Sainte-Chapelle,* Paris, 1991, p. 128.
5. L. Grodecki, C. Brisac, *Le Vitrail gothique au XIIIe* siècle, Fribourg, 1984, pp.96-106, 126-138.
6. Voir M.B. Shepard, "The St.-Germain Windows from the Thirteenth-Century Lady Chapel at Saint-Germain-des-Prés", dans *The Cloisters. Studies in Honor of the Fiftieth Anniversary,* New York, 1992, pp. 283-301. L'auteur fait le point de la question.
7. A. Lenoir, *Musée des Monuments français. Histoire de la peinture sur verre et description des vitraux anciens et modernes,* Paris, 1803 (an XII), p. 18.
8. J. Lafond, *op. cit.,* CVMA I, 1959, pp. 35-67. L. Grodecki, *Le Vitrail roman,* Fribourg, 1977, p. 114-117, 286. F. Perrot, *Catalogue des vitraux du musée de Cluny à Paris,* thèse de 3e cycle, Université de Dijon, 1973, n° 28 à 31.
9. On conserve néanmoins quelques traces de cette production : un panneau perdu et quelques pièces de restauration dans les verrières du XIIIe siècle de la Sainte-Chapelle, et, par exemple, la tête de l'Enfant Jésus de l'Arbre de Jessé à Saint-Séverin dans la baie occidentale. On sait également, par des descriptions anciennes, que Notre-Dame possédait un ensemble de verrières de cette époque.
10. F. de Guilhermy, op. cit., 1855, pp. 335-339. J. Lafond, "Les plus anciens vitraux de Saint-Séverin", dans *Bulletin de la Société des antiquaires de France,* 1956, p. 109. Id., dans *Le vitrail français,* Paris, 1958, p. 180.
11. A. Lenoir, *op. cit.,* 1803, p. 20.
12. J. Lebeuf, *Histoire de la ville de Paris et de tout le diocèse,* Paris, 1754 (rééd. 1883-1893), vol. I, p. 324. P. Le Vieil, *L'Art de la peinture sur verre et de la vitrerie,* Paris, 1774, p. 31. A. Lenoir, *op. cit.,* 1803, p. 36.
13. P. Le Vieil, *op. cit.,* 1774, p. 30.
14. J. Verrier, "L'église Saint-Séverin", dans *Congrès archéologique de France, Paris-Mantes,* 1946, p. 140 (136-162). Le cardinal d'Estouteville accorde en 1452 des indulgences en vue de la réparation de l'église et du rétablissement de ses vases, parements et ornements.
15. N. Reynaud, "Les vitraux du chœur de Saint-Séverin", dans *Bulletin monumental,* 1985, pp. 25-40.
16. Ch. Sterling, *La Peinture médiévale à Paris, 1300-1500,* vol. II, Paris, 1991, p. 72. N. Reynaud, *op. cit.,* 1985, p. 25.
17. N. Reynaud, *op. cit.,* 1985, pp. 34-36.

18. Le texte de l'ordonnance est conservé aux Archives nationales, LL 621 f° 121v°. Voir S.J. Morand, *Histoire de la Sainte-Chapelle royale du Palais,* Paris, 1790. J. Lafond, *op. cit.,* CVMA France I, 1959, p. 73, 310-328. J.M. Leniaud et F. Perrot, *op. cit.,* 1991, pp. 213-229.

19. J. Lafond, dans *Le Vitrail français,* Paris, 1958, pp. 187-188, 250, et n.108 p. 323.

20. F. Perrot, "Un panneau de la vitrerie de la chapelle de l'hôtel de Cluny", dans *Revue de l'Art,* n° 10, 1970, pp. 66-72.

21. N. Reynaud, "Un peintre français cartonnier de tapisseries au XVe siècle : Henri de Vulcop", dans *Revue de l'Art,* n° 22, 1973, pp. 6-21.

22. G. Souchal, "Un grand peintre français de la fin du XVe siècle : le Maître de la Chasse à la Licorne", dans *Revue de l'Art,* n° 22, 1973, pp. 22-49.

23. Ch. Sterling, *La Peinture médiévale à Paris, 1300-1500,* vol. II, Paris, 1990, notices n° 40, 43, 45.

24. N. Reynaud, *op. cit.,* 1985, p. 36.

25. G. Souchal, *op. cit.,* 1973.

b. Paris, musée national du Moyen Age. La servante entre dans la chambre de Tobie et Sara (deuxième moitié du XVe siècle).

LA SERVANTE ENTRE DANS LA CHAMBRE DE TOBIE ET SARA,
provenant de la verrière de Jérémie et Tobie de la Sainte-Chapelle de Paris.
Musée national du Moyen Age,
Thermes de Cluny (Inv. Cl. 1894)
Deuxième moitié du XVe siècle.
Diam. 0,58 m.

HISTORIQUE

Le panneau a été exécuté lors d'une restauration non documentée par les textes. La Sainte-Chapelle, avant la restauration fondamentale commencée en 1848, possédait un certain nombre de panneaux de restaurations anciennes qui s'échelonnaient de la fin du XIIIe siècle à la fin du XVe. Quelques uns d'entre eux, éliminés dans un souci d'harmonisation stylistique, sont encore conservés au musée de Cluny (musée national du Moyen Age). Le panneau présenté appartenait à la cinquième fenêtre sud, où la moitié droite de la baie raconte l'Histoire de Tobie.

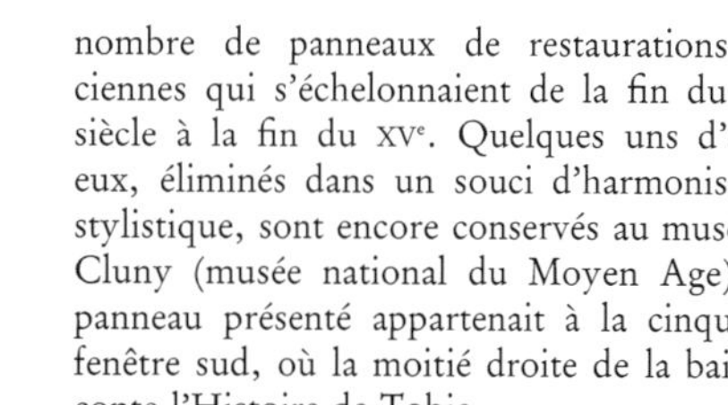

ICONOGRAPHIE

Situé au milieu du XIXe siècle à sa place d'origine dans le récit, le panneau reprend probablement le schéma initial de la scène illustrant le verset 15 du chapitre VIII du livre de Tobie. Une servante entre dans chambre nuptiale de Tobie et Sara, pour s'assurer que Tobie est vivant, contrairement aux sept précédents maris donnés à Sara. Mais les deux époux sont endormis paisiblement. Le décor de la chambre est encadré d'une arcature sous laquelle est disposé le lit à draps blancs et couverture pourpre, le sol est formé d'un carrelage fleuronné jaune. La servante est vêtue d'une robe verte à galons d'or et d'un manteau rouge.

CONSERVATION

Le panneau comprend quelques pièces du XIIIe siècle qui semblent avoir appartenu à la scène originale, notamment la tête de Tobie et quelques pièces du drapé pourpre de la couverture, et peut-être le chapiteau et la rosette de la colonnette centrale.

TECHNIQUE ET STYLE

Cette œuvre est un véritable pastiche d'un vitrail du XIIIe siècle fait à la fin du Moyen Age. La composition d'ensemble et le traitement de l'espace sont manifestement inspirés du panneau perdu, comme incitent à le penser les remplois. Certains éléments trahissent l'exécution au XVe siècle, comme la texture de la majorité des verres, le type du dallage du sol, le jaune d'argent employé sur l'arcature, de même que la teinte de la grisaille et la mollesse du trait.

BIBLIOGRAPHIE

Centre de Recherche sur les Monuments historiques, *Travaux publics, Sainte-Chapelle,* Album *11e Fenêtre,* pl. 36. L. Grodecki, dans *Les Vitraux de Notre-Dame et de la Sainte-Chapelle de Paris, CVMA - France,* I, Paris, 1959, pp. 229-230, 338. F. Perrot, *Catalogue des vitraux du musée de Cluny à Paris,* Thèse de 3e cycle, Université de Dijon, 1973, pp. 89-90. J. M. Leniaud, F. Perrot, *La Sainte-Chapelle,* Paris, 1991, pp. 210-213.

F. G. et C. L.

a. Saint-Germain-l'Auxerrois, baie 121 (vers 1490). Le corps de saint Vincent jeté aux bêtes sauvages, détail.

LE CORPS DE SAINT VINCENT EXPOSÉ AUX ANIMAUX.
Eglise Saint-Germain-l'Auxerrois. Baie 121.
Verrière composite, avec des scènes des légendes de saint Sixte et de saint Vincent.
Vers 1490-1500.
H. 1,40 m - L. 0,75 m (dimensions de la baie : H. 8,50 m - L. 3,50 m).

HISTORIQUE

Les panneaux sont placés dans la baie la plus proche de la croisée, sur la face ouest du bras nord du transept de l'église. Dans la verrière, ils occupent le deuxième registre de la deuxième lancette. L'ensemble est très composite. Sous un tympan dédié à plusieurs figures de saintes réparties dans les ajours, sont disposées dans les lancettes deux scènes de la Vie de saint Sixte accompagnées de quatre scènes de l'Histoire de saint Vincent. Les deux scènes du Martyre de saint Vincent (son corps exposé aux bêtes sauvages, puis jeté à la mer) sont de la même facture que les panneaux relatifs à saint Sixte. Les scènes supplémentaires, qui représentent la Mort du saint dans son lit, et la Construction d'une église (sur les reliques du saint à Saragosse ?) sont stylistiquement différentes. Elles proviennent certainement d'autres baies de l'église. Quant aux deux saints patrons en pied qui complètent la composition actuelle, saint Pierre et sainte Anne, seule la dernière semble stylistiquement compatible avec le groupe principal. Tous ces panneaux étaient déjà regroupés dans la même fenêtre aux alentours de 1845, ainsi que l'a observé Guilhermy. Mais l'historien nous confirme que l'édifice possédait une autre verrière dédiée à saint Vincent dans la nef, supprimée vers 1838.

ICONOGRAPHIE

En ce qui concerne les quatre panneaux narratifs de style homogène, ils semblent bien avoir été juxtaposés dès l'origine dans cette baie. Les deux légendes de saint Sixte et de saint Vincent peuvent avoir été reliées pour deux raisons. La première pourrait jouer sur la confusion entre saint Laurent, compagnon de saint Sixte, et saint Vincent, tous deux diacres et martyrisés sur un gril. L'autre s'inspire d'un commentaire qui suit la Vie de saint Sixte dans la *Légende dorée* de Jacques de Voragine, ayant trait à la consécration du Saint Sang sous la forme de vin nouveau, à l'occasion de la fête de Transfiguration coïncidant avec la fête de saint Sixte. L'association du vin et du sang rappelle un jeu de mots courant dès l'époque médiévale sur le nom de saint Vincent, qui en fit le patron des vignerons. Chaque scène est composée de deux panneaux superposés couronnés d'un petit dais architectural de style flamboyant. La première scène de la légende de saint Sixte (en haut à droite) montre le saint pape prêchant la foi puis son arrestation. La seconde dépeint sa décollation ainsi que celle de ses diacres Félicissime et Agapit. Du Martyre de saint Vincent sont conservées les deux scènes postérieures à sa mort citées ci-dessus.

CONSERVATION

A l'exception du soubassement qui comporte des écus armoriés, tous modernes, les scènes relatives à saint Sixte et saint Vincent ont subi relativement peu de restaurations au cours des campagnes menées l'une par Prosper Lafaye vers 1870, l'autre par Henri Carot en 1901. La grisaille est fortement altérée sur certaines pièces, faisant apparaître certains traits en « négatif ».

TECHNIQUE ET STYLE

Les compositions des scènes sont très pleines, mais laissent toutefois une place non négligeable au paysage peuplé d'arbres et de fabriques de verres de couleurs, mis en plombs de manière assez virtuose en raison des coupes complexes. On peut noter des pièces de grandes dimensions, comme celles qui forment le corps de saint Vincent jeté aux bêtes. Les personnages, au canon allongé, semblent surgir

Saint-Germain-l'Auxerrois, baie 121 (vers 1490). Le corps de saint Vincent jeté aux bêtes sauvages.

du cadre formé par les meneaux de pierre qui masquent souvent une partie de leur corps. Les mouvements sont soulignés par les jeux des mains, par la tension des corps, par les jambes souvent fléchies. La coloration est claire et brillante, chaque scène montrant de larges surfaces d'un rouge lumineux, associé à un bleu limpide, un violet profond et un mauve, un jaune intense teint dans la masse, et deux nuances de vert vif. Le verre blanc est utilisé principalement pour les carnations et quelques accessoires. Dans les visages larges, modelés avec une grisaille brune posée en lavis léger, se retrouvent partout des traits fortement accentués, nez proéminents et arrondis, lèvres épaisses, yeux saillants aux paupières lourdes. Les visages sont encadrés de mèches courtes et séparées, rehaussées d'un jaune d'argent très foncé ou d'une grisaille noire reprise par des enlevés. Les drapés sont traités largement et simplement, en grands pans lisses rythmés par de rares plis ou les détails des costumes. Les damas sont peu nombreux, les verres précieux et la gravure absents.

BIBLIOGRAPHIE

F. de Guilhermy, *Notes manuscrites, Paris, monuments religieux,* t. II, Bibl. nat., ms. nouv. acq. fr. 6119, fol. 31-32. J. Lafond, dans *Le Vitrail français,* Paris, 1958, p. 249. *Recensement des vitraux anciens de la France,* vol. I, *Les Vitraux de Paris...,* Paris, 1978, p. 45.

F. G. et C. L.

Paris, musée national du Moyen Age. Portement de croix, provenant de la chapelle de l'hôtel de Cluny (vers 1500).

PORTEMENT DE CROIX, provenant de la chapelle de l'hôtel de Cluny à Paris.
Musée national du Moyen Age,
Thermes de Cluny (Inv. Cl. 22.391)
Vers 1490-1500.
H. 0,73 m - L. 0,41 m.

HISTORIQUE

L'hôtel parisien de Jacques d'Amboise, abbé de Cluny, fut construit à partir de 1485 et achevé avant 1510. Au premier étage, la chapelle privée de l'abbé est une très belle réussite de l'architecture de la fin du Moyen Age. L'absidiole qui surmonte l'autel est éclairée par trois fenêtres à deux lancettes. Le panneau présenté, qui montre la partie droite d'un Portement de croix qui occupait jadis toute la largeur de l'une des baies, appartenait à un cycle de la Passion. Le programme iconographique s'organisait autour d'un Christ en croix sculpté, qui est ancré à la base de la voûte en cul de four de l'absidiole et empiète sur le meneau de la fenêtre centrale; il est entouré d'anges recueillant le Saint Sang et portant les instruments de la Passion, répartis sur la voûte elle-même. Les trois baies semblent avoir regroupé neuf scènes en deux lancettes chacune, les acteurs de la grande Crucifixion devant occuper le registre supérieur de la baie d'axe; le Portement de croix se situait avec vraisemblance dans le registre supérieur de la baie de gauche. Le panneau était encore à sa place d'origine au début du XIXe siècle. Entré dans la collection personnelle d'Alexandre Lenoir, il revint à Alexandre Du Sommerard qui le fit remonter dans la chapelle en 1833. Il y fut présenté jusqu'en 1903 avec des panneaux de provenance variée. Il est à nouveau présenté au musée depuis 1990.

ICONOGRAPHIE

L'avant-plan de la scène est occupé par le Christ, ployant sous le poids de sa croix, la corde au cou tenue par un soldat qui le précède. Au second plan, un bourreau le frappe d'un bâton et tient dans sa main gauche les trois clous de la Crucifixion. Le bois de la croix est soutenu par Simon de Cyrène au côté duquel apparaît un autre bourreau. Dans un mouvement ascensionnel et traités à plus petite échelle, les deux larrons et d'autres soldats forment le cortège qui précède le Christ. La main qui agrippe l'épaule du Christ appartient à un bourreau figuré dans le panneau voisin, maintenant perdu. A côté de lui devait être figuré le groupe des saintes femmes accompagnées de saint Jean. Mme F. Perrot a pu mettre en relation cette œuvre avec deux xylographies de la fin du XVe siècle, attribuées à l'atelier de Philippe Pigouchet et conservées à la Bibliothèque nationale, en particulier la « Grande Passion » dont l'iconographie confirme celle du panneau complémentaire du Portement de croix, maintenant perdu.

CONSERVATION
Le panneau est assez bien conservé. Une grande pièce de remploi complète le bas de la robe violette du Christ. Seule la manche gauche du soldat au premier plan et une pièce dans l'angle supérieur gauche du panneau sont modernes. On peut noter toutefois l'usure de la grisaille.

TECHNIQUE ET STYLE
Le panneau, fait pour être vu de près, est conçu à petite échelle, avec une coupe très précise des pièces. La composition est dense et animée. Les attitudes des principaux acteurs sont contournées et même dansantes. L'effet général est précieux par l'abondance des demi-teintes qui contrastent avec un rouge éclatant, en particulier celui du pourpoint du soldat au premier plan. Son costume est enrichi d'une épaulière à mufle de lion qui, avec d'autres détails de son équipement, n'est pas sans rappeler les dessins d'Henri de Vulcop représentant la Guerre de Troie (1460-1470). Son pourpoint est orné de points blancs gravés à l'archet, tandis que, sur la même pièce, la poignée du cimeterre et la ceinture sont gravées à la pointe et reprises au jaune d'argent. La grisaille de deux teintes, l'une noire et l'autre rousse, est appliquée avec une grande délicatesse, avec des modelés putoisés éclaircis à l'aiguille ou à la brosse. Le style de ce panneau appartient au courant stylistique qui s'illustre dans la rose occidentale de la Sainte-Chapelle, probablement à peine antérieure. Cependant, la distance qui sépare la grande œuvre monumentale de ce petit panneau dont l'usage se rapproche de la vitrerie civile, implique des différences d'exécution qui ne permettent guère de conclure que l'artiste employé par Jacques d'Amboise ait pu œuvrer dans l'atelier royal de la Sainte-Chapelle.

BIBLIOGRAPHIE
F. Perrot, « Un panneau de la vitrerie de la chapelle de l'hôtel de Cluny », dans *Revue de l'Art*, n° 10, 1970, pp. 66-72; Id., *Catalogue des vitraux du musée de Cluny à Paris*, Thèse de 3e cycle, Université de Dijon, 1973, n° 63.

F. G. et C. L.

Paris, C.R.M.H., album de relevés des vitraux de la Sainte-Chapelle. Vitrail provenant d'une église inconnue retrouvé en bouche-trou dans la baie de la Genèse. Bourreau d'une Flagellation.

BOURREAU DE LA FLAGELLATION,
remploi provenant de la baie de la Genèse de la Sainte-Chapelle de Paris.
Musée national du Moyen Age,
Thermes de Cluny (Inv. Cl. Perrot 67b).
Vers 1490-1500.
H. 0,88 m - L. 0,44 m.

HISTORIQUE
Le panneau a été retiré en 1852 de la baie de la Genèse. Il peut y avoir été placé lors des réparations faites après la construction de l'orgue dans la travée ouest de la Sainte-Chapelle en 1752. En effet, avant les restaurations de 1852, Lasteyrie avait vu dans cette baie une inscription datée de 1753. Le panneau, ainsi que d'autres figurant dans les relevés du XIXe siècle et maintenant disparus, provient certainement d'une fenêtre basse d'une autre église parisienne. Il est entré au musée de Cluny après

la grande restauration de la Sainte-Chapelle et, semble-t-il, après avoir été endommagé. Une restauration récente a été pratiquée sur la partie basse du panneau.

ICONOGRAPHIE
Le panneau montre un bourreau de la Flagellation, fragment d'un cycle de la Passion. La figure est tendue dans un mouvement violent. Les bras levés devaient brandir des verges de même type que celles passées à sa ceinture. L'homme, coiffé d'un bonnet rouge, est vêtu d'un pourpoint bleu damassé ceinturé sur une cotte rouge, de chausses rayées, jadis continues jusqu'aux bottes brunes. La scène se passait dans un espace dallé, le reste du décor a disparu. Un autre panneau du même cycle a été dessiné en 1852, il a disparu depuis. Il semble être un fragment d'un Christ de dérision comme l'indiquait la position des trois bourreaux.

CONSERVATION
Le vitrail d'origine, probablement rectangulaire, a été découpé dans la forme des demi-médaillons de la verrière de la Genèse. Il montre une « couture » horizontale qui indique que la scène était composée sur deux panneaux de hauteur. Il en était de même pour la scène montrant le Christ de dérision. D'après le relevé ancien, la figure était conservée intégralement, sauf ses mains. Mais son environnement était composé de bouche-trous, semble-t-il prélevés dans la même suite, à l'exception de quelques éléments du dallage. L'état dans lequel l'œuvre nous est parvenue est un peu différent de celui du relevé, et la restauration récente a restitué les éléments détruits au XIXe siècle, en particulier les bas des chausses.

TECHNIQUE ET STYLE
Comme dans la rose occidentale de la Sainte-Chapelle, exécutée après 1485, le peintre-verrier a utilisé des techniques précieuses de verres vénitiens à trois couleurs de fils pourpre clair, bleu et rouge sur verre blanc, et de gravure à l'outil très fine dans la ceinture et les verges. Les modelés posés au putois sont très sensibles, l'expression du visage fortement exagérée. La grisaille est de deux couleurs, rousse et brune; le carrelage, d'un tracé assez élaboré, est coloré en ton local par de la grisaille rousse posée sur la face externe.

BIBLIOGRAPHIE
F. de Lasteyrie, *Histoire de la peinture sur verre,* vol. II, Texte, Paris, 1857, p. 162. L. Grodecki, dans *Les Vitraux de Notre-Dame et de la Sainte-Chapelle de Paris, CVMA - France,* I, Paris, 1959, pp. 86-87. J. M. Leniaud, F. Perrot, *La Sainte-Chapelle,* Paris, 1991, p. 223. Centre de recherche sur les Monuments historiques, *Travaux Publics, Sainte-Chapelle,* Album *Anciens panneaux,* pl. 24, 17.

F.G. et C.L.

DEUX ANGES EN PRIÈRE.
Paris, musée des Arts décoratifs (Inv. 21188).
Panneau d'antiquaire.
Vers 1490-1500.
H. 0,30 m - L. 0,48 m.

HISTORIQUE
Le panneau a été offert au musée en 1919 par la Marquise de Laborde. Il est constitué autour de deux fragments d'anges remontés avec un complément de pièces modernes. La provenance des fragments anciens est inconnue. Exposé en 1953 au musée-même parmi les chefs-d'œuvre des vitraux de France, le panneau est depuis conservé en réserves. Il est monté dans le même châssis qu'un autre panneau d'antiquaire constitué autour d'un fragment, un peu plus tardif, figurant un angelot porteur de flambeau.

ICONOGRAPHIE
Le panneau rapproche artificiellement deux anges volant dans des nuées, les mains jointes en geste de prière. Les deux fragments ont sans doute été exécutés pour des ajours latéraux d'une fenêtre à réseau flamboyant, leur échelle semble un peu trop grande pour qu'ils aient pu appartenir à une scène, telle que le Ravissement de sainte Madeleine ou l'Assomption de la Vierge. La coupe sinueuse amputant de part et d'autre les genoux des deux figures suggère que des nuées ondulantes, aujourd'hui manquantes, complétaient la forme d'origine.

CONSERVATION
Sont anciennes les deux figures d'anges peintes sur verre blanc relevé au jaune d'argent. Celle de gauche demeure absolument intacte, l'autre, recoupée de quelques plombs de casse, est complétée soigneusement pour la pièce inférieure de son drapé. Les ailes colorées faites d'un rouge clair plaqué sont conservées sauf une petite pièce à droite. Le fond de nuées d'origine subsiste partiellement sous les ailes et au-dessus des deux anges, mais d'une façon plus extensive à gauche. Les verres anciens rouges, blancs et bleus sont corrodés. Parmi les pièces ajoutées, certaines ont été peintes pour s'accorder aux pièces du fond, d'autres ont été laissées sans peinture.

TECHNIQUE ET STYLE
La qualité des verres de cette œuvre avait été remarquée en 1953. La grisaille brune est appliquée en hachures et en lavis brossés parfois grattés à l'aiguille. Les deux silhouettes ont été exécutées sur un même carton qui a été retourné pour obtenir deux anges parfaitement symétriques. Le procédé est utilisé très fréquemment pour vitrer les parties supérieures des baies. Un haut niveau de qualité est néanmoins visible ici : la peinture n'a pas été posée uniformément de la même manière pour décrire les deux anges jumeaux. Différents procédés de peinture contribuent à produire l'effet peu accentué d'un éclairage latéral venant du côté gauche. En 1953, L. Grodecki suggérait pour ce panneau un rapprochement avec l'art lyonnais et bourbonnais de la fin du XVe siècle. Mais la facture de ces anges, le type des visages ronds, leurs yeux aux orbes saillants, le traitement de leurs chevelures paraît, avec les drapés fluides, autant de caractères qui sont propres aux œuvres du groupe constituant la suite de la rose occidentale de la Sainte-Chapelle. Ces anges pourraient provenir d'une des nombreuses églises parisiennes vitrées aux abords de 1500.

BIBLIOGRAPHIE
L. Grodecki, *Vitraux de France,* catalogue d'exposition (Musée des Arts décoratifs), Paris, 1953, n° 47 bis, pp. 88-89.

F. G.

Paris, musée des Arts décoratifs. Deux anges en prière (vers 1490-1500).

Saint-Séverin, baie 201 (vers 1491-1495), détail : saint Michel présentant des donateurs.

Un exemple de vitrail civil : un rondel de Jean Fouquet

PIERRE JACKY

Le vitrail présenté, qui se trouvait conservé dans les réserves du musée national de la Renaissance, fut récemment identifié à l'occasion de recherches universitaires portant sur la collection de vitraux du musée. Nous en attribuons le carton au peintre Jean Fouquet.

Cette œuvre correspond à un type précis de vitrail civil désigné par le terme de « rondel »[1]. A l'origine, dès le XIVe siècle, ces rondels étaient appelés « grisets » en raison de leur décor peint à la grisaille, rapidement complété par le jaune d'argent. A partir de la seconde moitié du XVIe siècle, ils sont souvent recouverts d'émaux. Les dimensions modestes, ne dépassant que rarement 0,40 m et l'absence de mise en plomb distinguent les rondels de tout autre vitrail. Généralement de forme circulaire ou quadrangulaire, ils sont destinés à être intégrés dans une vitrerie à losanges ou à bornes, le plus souvent incolore. Celle-ci peut toutefois comporter une décoration variable selon les modes des différents pays. Les rondels ornaient, à l'origine, les fenêtres des hôtels, châteaux et autres bâtiments civils. Ils pouvaient également orner une sacristie, une salle capitulaire ou un cloître. Les peintres-verriers qui n'avaient pas de contraintes iconographiques, ont exercé leur talent dans la représentation de scènes profanes (allégories, scènes de genre, armoiries), mais également bibliques, trouvant dans les gravures des modèles variés.

Les rondels, qui ont toujours connu une grande mobilité, se trouvent actuellement conservés en majorité dans les réserves des musées. Certains sont encore visibles dans nos églises, intégrés dans des verrières à la suite de restaurations ou enchâssés dans des vitreries.

DEUX JEUNES FEMMES
TENANT UN MONOGRAMME
proviendrait d'un hôtel parisien de Laurens Girard, rue de la Verrerie à Paris.
Musée national du Moyen Age.
Thermes de Cluny (inv. Cl. 1037 A).
Vers 1450-60.
Diam : 0,20 m.
Carton attribué à Jean Fouquet[2].

HISTORIQUE

Les initiales figurant dans le monogramme ont été identifiées par Mme Nicole Reynaud comme étant celles de Laurens Girard[3]. Ce personnage a connu une grande réussite sociale : notaire et secrétaire du roi, il devient en 1452 contrôleur de la recette générale des finances et meurt en 1485-86[4]. De ses biens immobiliers nous ne connaissons qu'un hôtel, aujourd'hui détruit, rue de la Verrerie à Paris. Son beau-père, Etienne Chevalier en était propriétaire. A la mort de ce dernier, en 1474, cette demeure fut partagée entre son fils, Jacques Chevalier et Laurens Girard[5]. Nous pouvons donc supposer que ce rondel a pu se trouver pendant un certain temps dans cet hôtel. Toutefois, il faut bien avoir à l'esprit que les rondels étaient des pièces mobiles, leurs propriétaires n'hésitant pas à les emporter dans leurs déplacements, tels des pièces de mobilier. Une provenance assurée de ce type de vitrail reste donc difficile à déterminer, d'autant que cet hôtel ne devait pas être l'unique demeure de Laurens Girard.

Le rondel est entré dans la collection d'Alexandre du Sommerard et a été acquis à sa mort par l'Etat en 1842 : il se trouvait alors intégrer dans un panneau composite comportant quatre Têtes et une Déposition de Croix du XVIe siècle. Il fut pendant un temps exposé dans une des fenêtres de la tour de l'escalier de l'hôtel de Cluny (musée national du Moyen Age). Conservé dans ses réserves jusqu'au 27 juin 1990, il est ensuite transféré dans les réserves du musée national de la Renaissance. Identifié en 1992 au cours d'un travail universitaire, il est alors desserti du panneau composite.

Il a réintégré le musée national du Moyen Age où il sera dorénavant exposé.

CONSERVATION

Quelques usures de la grisaille ainsi que des rayures sur le verre ne viennent que peu altérer la lisibilité de l'ensemble. Cependant le rondel comportait cinq plombs de casse dont un au centre, le traversant de toute sa longueur. De plus, il existait un petit bouche-trou dans l'extrémité inférieure du personnage de droite. Enfin, deux fêlures sont à déplorer dont une plus importante dans le jambage du L[6].

COMPOSITION

Sur un fond dépourvu de décor, un monogramme, composé des initiales L et G subtilement emboîtées, est présenté par deux jeunes femmes assises à même le sol sur une bande de gazon. Elles sont coiffées d'un turban côtelé et orné d'un bijou, d'où s'échappent de fines mèches de cheveux ondulées. Leurs vêtements, de simples robes, se terminent par des plis cassants et l'un d'eux forme un bourrelet au niveau de la ceinture.

La lumière, venant de la gauche, met en évidence le monogramme, véritable travail d'orfèvrerie, et en accentue le relief. Elle façonne également les volumes des corps avec bien entendu le complément de la grisaille.

Offrant à notre regard ces initiales, les jeunes femmes restent effacées et secrètes. Les attitudes et quelques détails permettent toutefois de les différencier apportant douceur et harmonie à cette scène qui trouve ainsi son originalité au regard d'autres représentations semblables souvent statiques et formelles.

TECHNIQUE ET STYLE

Un léger trait de grisaille dessine le contour général des formes tandis qu'un délicat travail au putois affirme le

Paris, musée national du Moyen Age. Deux jeunes femmes tenant un monogramme (vers 1450-1460).

modelé. Les perles qui ornent les turbans ont été travaillées par des enlevés à l'aiguille. L'emploi d'un jaune d'argent très pâle constitue la seule note colorée. Il est utilisé dans les turbans, les cheveux, le monogramme, le gazon, les boutons des manches et dans le liseré qui cerne la scène. Il est appliqué plus légèrement sur les zones frappées par la lumière (en particulier dans les jambages des initiales) afin de mettre en valeur le relief, et est allié à un degradé de grisaille révélant avec force les parties restées dans l'ombre.

Ces deux jeunes femmes sont vêtues d'un type de robe, moulant bustes et bras, que l'on rencontre fréquemment dans l'art français du XVe siècle. Elles ne peuvent donc correspondre à la description qu'en faisait Edmond du Sommerard dans le catalogue de sa collection en 1883 (n° 1984) : « Deux jeunes femmes en costume allemand du XVIe siècle ».

De plus, ces deux personnages offrent de nombreux rapprochements stylistiques avec l'œuvre du peintre Jean Fouquet. La comparaison essentielle doit être faite avec les *Heures de Simon de Varie*[7] (Malibu, The J.P. Getty Museum) dont certaines miniatures furent réalisées par Fouquet vers 1455. La jeune personne, dans le folio 1 *(jeune femme avec des armoiries)*, est coiffée d'un turban côtelé très proche de ceux dont sont parés nos personnages, il s'en échappe de mêmes mèches de cheveux se répandant dans le dos. Son visage ovoïde aux traits juvéniles, avec un haut front dégagé, des joues pleines, un

a et b. Heures de Simon de Varie, fol. 1 r°: Jeune femme portant des armoiries et fol. 1 v°: Vierge à l'enfant, par Jean Fouquet.

petit menton arrondi et une bouche dont la lèvre inférieure est soulignée d'un léger trait ressemble au visage de la jeune femme de droite sur le rondel. Une même douceur alliée à une certaine réserve se dégagent de ces deux visages aux yeux baissés.

Le visage de la Vierge dans le folio 1 verso *(Vierge a l'Enfant)* peut être comparé avec celui de la jeune femme de gauche du rondel. Des yeux plus étirés, un nez légèrement retroussé et des lèvres plus pincées lui donne un caractère plus volontaire.

D'autre part, divers rapprochements avec l'art de Fouquet doivent être relevés dans plusieurs pages des *Heures d'Etienne Chevalier* (avant 1461, conservé au musée Condé de Chantilly) : mains fines et allongées, petit boutons soulignant les manches, même type de plis épais et profonds, mollement cassés. La composition elle-même, reprend celle des petits personnages supportant des cartels qui établissent la transition entre les scènes supérieures et inférieures de plusieurs miniatures. La composition est encore plus frappante dans la seule miniature de la main du maître dans les *Heures de Charles de France* (Paris, Bibliothèque Mazarine) où deux putti ailés portent ses armoiries.

Reconnaître dans ce vitrail l'art de Jean Fouquet apporte un nouvel éclairage sur l'œuvre de l'artiste. Charles Sterling[8] et André Chastel[9] avaient déja eu l'intuition que Fouquet aurait pu être l'auteur de cartons de vitraux. Jean-Jacques Gruber[10] avait également émis l'hypothèse d'une influence de l'art du vitrail sur le tableau de la Vierge à l'Enfant d'Anvers. Peut-être faut-il considérer qu'une influence du vitrail sur les peintures du maître ne se limite pas à cet exemple. Ainsi, la forte lumière découpant nettement les formes des visages des deux jeunes femmes est identique à celle qui éclaire le visage de la Vierge des *Heures de Simon de Varie*. Or, elle se justifie particulièrement dans l'art du vitrail où le travail de la grisaille est l'unique procédé par lequel le peintre-verrier donne modelé et expression aux physionomies. Cette lumière est un parti pris dans l'enluminure où l'emploi de la couleur permettait davantage de liberté à l'artiste.

D'autre part, à côté de la peinture de chevalet et de celle des miniatures, Fouquet a sans doute trouvé un intérêt particulier dans la technique de l'émail. Un seul témoin subsiste actuellement : l'Autoportrait à l'émail doré du Louvre provenant du cadre du Dyptique de Melun.

Si l'origine de ce traitement de l'émail n'est pas véritablement connu, Mme Nicole Reynaud pense cependant « qu'il s'est inspiré d'autres sources que l'émail »[11] pour exécuter cette œuvre. Pourquoi ne pas voir dans une de ces sources l'art du vitrail où Fouquet pourrait notamment avoir appris la technique délicate de l'enlevé à l'aiguille avec laquelle il mit en valeur les caractères essentiels de son autoportrait ?

Enfin, l'application minutieuse et raffinée de la grisaille, modelant avec une extrême délicatesse les formes de ces deux jeunes femmes, est très proche du métier d'un miniaturiste. Il est donc permis de se demander si la grisaille n'aurait pas pu être appliquée par le maître lui-même. Toutefois l'absence de tout document témoignant de sa collaboration avec un maître-verrier et cet exemple unique nous oblige à rester dans le domaine de l'hypothèse.

BIBLIOGRAPHIE

P. Jacky, *Catalogue de vitraux conservés dans les réserves du musée national de la Renaissance,* mémoire universitaire de D.E.A., Université de Paris IV-Sorbonne, juin 1992.

P. Jacky, « Jean Fouquet ? A propos d'une œuvre inconnue », *Revue du louvre,* n° 4, 1992, pp. 45-48.

NOTES

1. Voir à propos des rondels : J. Lafond, « Le vitrail civil français à l'église et au musée », dans *Médecine de France,* n° 77, 1956, pp. 16-33. Y. Vanden Bemden, « Les rondels, cousins mal aimés des vitraux ? », dans *Vitrea,* n° 1, 1988, pp. 22-23.
2. Fouquet a certainement séjourné à Paris entre 1446 (retour d'Italie) et 1461 (préparation de l'entrée officielle de Louis XI à Tours). En effet, la ville de Paris ainsi que Notre-Dame, sont représentées à l'arrière-plan de plusieurs scènes des *Heures d'Etienne Chevalier.* Il ne faut donc pas exclure l'hypothèse de l'exécution du carton à l'occasion de ce séjour.
3. Nous remercions Mme N. Reynaud de nous avoir proposé cette identification. Il faut savoir d'autre part que Laurens Girard commanda à Jean Fouquet les illustrations du Boccace (Munich) dont l'écriture avait été achevée le 24 novembre 1458.
4. Sentence de Saint-Merry contre Me Jacques Chevalier (24 novembre 1480); un extrait est publié dans P. Champion, *La Dame de beauté, Agnès Sorel,* Paris, 1931, p. 182.
5. A. Lapeyre, R. Scheurer, *Les Notaires et secrétaires du roi sous les règnes de Louis XI, Charles VIII et Louis XII (1461-1515),* Paris, 1978, tome 1, p. 152.

Musée du Louvre. Jean Fouquet, Autoportrait à l'émail doré.

6. L'œuvre est reproduite ici avec ses plombs de casse, mais devrait être présentée restaurée, offrant une meilleure lisibilité.
7. A propos des *Heures de Simon de Varie,* voir : J.H. Marrow, « Miniatures inédites de Jean Fouquet : Les Heures de Simon de Varie », *Revue de l'Art,* 1985, n° 67, pp. 7-32.
8. C. Sterling, *La Peinture française, les peintres du Moyen Age,* Paris, 1941, p. 36.
9. A. Chatel, « Histoire de l'Art français, livre III : temps modernes, 1440-1620 », *Revue de l'Art,* n° 93, 1991.
10. J.-J. Gruber, *Le Vitrail français,* Paris, 1958, p. 68.
11. N. Reynaud, *Jean Fouquet,* Les dossiers du département des peintures du Louvre, Paris, 1981, p. 24.

Jean Fouquet (vers 1420-1477/81)

Jean Fouquet, considéré comme le plus grand peintre français du XVe siècle, n'est paradoxalement connu que par quelques rares sources écrites à partir desquelles son œuvre a pu être rassemblée. Une de ses premières œuvres connues, le *Portrait de Charles VII,* ne reflète pas encore l'influence du voyage que Fouquet effectua en Italie (1444-1446), au cours duquel il peignit le portrait du pape Eugène IV dont on a aujourd'hui perdu la trace. Ce voyage, qui lui apporta une certaine notoriété, enrichit son œuvre de tout un vocabulaire ornemental de la première Renaissance mais aussi d'une nouvelle perception d'un espace à trois dimensions où règnent ordre et clarté, au sein duquel s'intègrent des personnages puissamment campés.

Revenu à Tours probablement vers 1448, il mit son art au service de la Couronne et de ses hauts fonctionnaires. Vers 1450-60, il exécute le portrait du Chancelier de France Guillaume Jouvenel des Ursins (Louvre). Dans ces mêmes années Etienne Chevalier, Trésorier de France, lui commande un diptyque votif dont un volet représente Etienne Chevalier avec Saint-Etienne (Berlin-Dahlem) et l'autre la Vierge à l'Enfant entourée de séraphins et de chérubins (Anvers). Le cadre était orné de médaillons en émail doré, dont un seul subsiste, l'Autoportrait du peintre (Louvre). Que ce soit dans ses peintures de chevalet ou dans les miniatures du livre d'*Heures d'Etienne Chevalier*, exécuté avant 1461 (40 feuillets conservés au musée Condé de Chantilly et 2 au Louvre), on retrouve la même influence italienne. Il développe également dans les illustrations de ce manuscrit un sens admirable du réel qu'il traduit aussi bien dans la gestuelle des personnages que dans la représentation de la campagne tourangelle ou dans l'exactitude topographique de certains sites parisiens.

Le grand frontispice représentant le lit de justice tenu à Vendôme en 1458, seule miniature de la main de Fouquet tiré du *Boccace* (Munich), peint vers 1461 pour Laurens Girard, ainsi que le frontispice des *Statuts de l'Ordre de Saint-Michel*, peint pour Louis XI (Paris, Bibl. nat.), révèlent une grande maîtrise dans l'art de rendre l'individualisation des traits et des attitudes tout en exprimant admirablement la solennité des scènes représentées a la fois par la composition et la maîtrise des accords colorés.

Vers la fin de sa vie, il peignit de véritables tableaux d'histoire à échelle réduite. Ce sens de l'histoire qui apparaissait déja dans les *Grandes Chroniques de France*, vers 1460 (Paris, Bibl. nat.) s'affirme pleinement vers 1470-1475 dans les quatre pages de l'Histoire Ancienne (Louvre) mais surtout dans les *Antiquités Judaïques* (Paris, Bibl. nat.) que Fouquet termine pour Jacques d'Armagnac avant 1475. Il représente une foule de petits personnages qui prennent place dans des paysages s'étendant à l'infini avec de remarquables perspectives atmosphériques.

Jean Fouquet eut une influence certaine sur nombre de peintres au premier rang desquels Jean Colombe et Jean Bourdichon; cependant aucun ne put atteindre la profonde harmonie de ses compositions.

P. J.

La première Renaissance (1500-1520)

FRANÇOISE GATOUILLAT - CLAUDINE LAUTIER

Les églises de Paris ont gardé un certain nombre de verrières du premier quart du XVIe siècle. Des œuvres significatives subsistent à Saint-Gervais-Saint-Protais, Saint-Merry, Saint-Germain-l'Auxerrois, Saint-Etienne-du-Mont et Saint-Séverin. Les disparitions enregistrées sont cependant multiples, comme pour les périodes précédentes. La reine Anne de Bretagne avait posé en 1493 la première pierre de l'église des Minimes, dite des Bons-hommes, de Chaillot[1]. Elle y était représentée dans plusieurs des verrières. Alexandre Lenoir, qui avait recueilli certains des panneaux de cette église, cite une scène relative à Noé sortant de l'arche, une « Audience de saint Louis », et un Mariage de la Vierge[2]. Cette dernière scène fait l'objet dans son livre d'une illustration gravée où l'on observe que l'estampe de la Vie de la Vierge de Dürer, diffusée à partir de 1511, était totalement reprise. L'abbatiale de Saint-Victor avait aussi des vitraux peints « dans les ateliers de Paris sous le règne de François Ier, qui devaient être du même dessin et du même coloris que ceux dont il existe encore des exemples dans quelques églises parisiennes »[3]. On pourrait encore, parmi bien d'autres, mentionner à l'église Saint-Paul la verrière offerte en 1517 par Jacques de Genouillac, grand maître de l'artillerie, connue par la collection de dessins faits pour Roger de Gaignières autour de 1700[4]. Toutes ces verrières ont appartenu à des édifices totalement détruits. La fortune des vitraux est-elle plus assurée quand leur cadre architectural a subsisté? Ce serait compter sans les continuelles remises au goût du jour, en particulier les campagnes d'éclaircissement qui détruisirent, principalement à partir de 1730, un grand nombre de vitraux de pleine couleur, de la volonté même du clergé et des fabriques. L'historien Germain Brice témoigne de la défaveur dans laquelle étaient tenus ces vitraux, et l'art « gothique » en général, au début du règne de Louis XV; en parlant de Saint-Gervais, il déplore que l'intérieur de l'église soit « obscur et très mal propre; les vitres peintes en apprêt et les ouvertures étroites et mal proportionnées en sont la principale cause »[5].

Saint-Merry

Les œuvres qui nous sont parvenues sont souvent amputées et transformées. L'église Saint-Merry possède dans sa nef une grande série de huit verrières hautes, victimes en 1741 d'une de ces campagnes d'éclaircissement : elle a fait disparaître le registre inférieur et toute la partie centrale des lancettes de chaque fenêtre. Les panneaux enlevés ont été remplacés par une vitrerie géométrique incolore avec effet de pilastres latéraux organisant un nouveau décor. Les légendes qui étaient peintes dans ces fenêtres ne se développent plus que dans les tympans des baies et dans le haut de leurs lancettes latérales. L'édifice est mal daté, mais la petite crypte située à l'angle du bras nord du transept est datée de 1515, et le bras sud porte une inscription datée de 1526[6]. La nef, bâtie antérieurement, était sans doute en chantier avant 1500, les verrières étant plus précoces qu'on ne l'a supposé jusqu'ici, comme le confirment leur facture, ainsi que des détails vestimentaires et décoratifs. Elles illustrent des scènes de la Vie publique du Christ (*cf.* fig. p. 8), de l'Enfance de la Vierge, et les Vies des saints Jean-Baptiste, Thomas, Marie-Madeleine, Nicolas, Agnès et François d'Assise. Les sujets traités ne constituent pas un programme iconogra-

phique clairement défini, mais la juxtaposition des thèmes est probablement due aux exigences des commanditaires dont toute image (représentations ou armoiries) a disparu avec les panneaux inférieurs. En revanche, l'unité formelle est évidente : les verrières comprenaient, d'après ce que l'on peut restituer à partir de ce qui est en place, deux registres de quatre scènes dans les lancettes, et cinq scènes dans les grands ajours des tympans (au total sept des treize champs figurés sont presque tous conservés). Les importantes niches qui prévalaient encore à la fin de la période précédente ont totalement disparu au profit de la narration en tableaux limités par le réseau de pierre, sans aucune bordure. Cette disposition est une étape décisive avant les grandes fenêtres à composition unifiée. Le style de la figuration pose des questions essentielles qui sont traitées plus loin par M. Hérold.

Saint-Gervais-Saint-Protais

L'église Saint-Gervais présente une série très diversifiée dans les fenêtres basses des chapelles du chœur au côté nord, pour lesquelles on dispose pourtant d'une chronologie relativement étroite et précise[7]. Comme il est

b. Saint-Merry, baie 123. Miracles du Christ (vers 1500), détail : Multiplication des pains.

◀ *a. Saint-Merry, baie 121. Vie de saint Jean-Baptiste (vers 1500).*

Saint-Gervais, baie 15. Vie de sainte Marie-Madeleine (vers 1494-1503).

développé ci-après, la chapelle la plus ancienne est celle de Sainte-Madeleine (ou Notre-Dame-de-Pitié), dont la verrière (baie 15) dédiée à cette sainte ne peut être postérieure à 1504. Un vitrail, consacré au Miracle de l'Hostie, disparu de la chapelle suivante avait été offert en 1510; dans la même chapelle, la Vie de saint Jacques (baie 11), dont seuls subsistent quelques fragments, doit être tout à fait contemporaine. La progression de la construction s'est faite du côté nord depuis la première chapelle citée jusqu'à la chapelle d'axe, datée de 1517 par une inscription sur son extraordinaire clef de voûte pendante. Les deux baies de la chapelle des Trois-Marie (puis Sainte-Geneviève-et-Sainte-Barbe), c'est-à-dire la Vie de sainte Isabelle (baie 9) et la Passion (baie 7), ont probablement été exécutées entre 1510 et 1517. Dans les verrières subsistantes, seuls les tympans ont été conservés — on sait par exemple qu'en 1734 la confrérie de Sainte-Geneviève obtient l'autorisation d'« éclaircir » sa chapelle.

Il n'y pas de véritable dénominateur commun entre le style de ces quatre vitraux. Il semble même que la verrière de la Vie de sainte Isabelle soit en fait le regroupement des restes de deux verrières différentes. Le vitrail de la Légende de sainte Marie-Madeleine, le plus ancien, présente des rapports très étroits avec les vitraux de Saint-

Merry; ils sont discutés plus loin. Les vestiges de la Vie de saint Jacques montrent un art raffiné, traduit avec un luxe de verres gravés, de peinture très délicate, radicalement abandonné dans les séries narratives des deux baies suivantes. Les panneaux de la Passion du Christ sont traités dans un style brillant et coloré; ils se réfèrent en fait à des modèles de la fin du siècle précédent, c'est-à-dire principalement aux xylographies et livres imprimés déjà évoqués à propos du courant artistique lié à la rose occidentale de la Sainte-Chapelle. On y retrouve les schémas iconographiques de tout ce groupe, les compositions très encombrées, certaines attitudes des personnages, et leurs traits parfois caricaturaux. Mais la coloration est ici beaucoup plus contrastée, le trait simplifié et le modelé durci. Le vitrail où se trouvent les scènes de la Vie de sainte Isabelle entourées d'anges, est formé d'un remontage de panneaux dans un réseau renouvelé. Il semble que l'on puisse séparer les panneaux en deux groupes. Les scènes elles-mêmes montrent un style voisin de celui de la Passion, mais on ne peut pour autant les attribuer avec certitude aux mêmes peintres-verriers; on notera néanmoins que l'iconographie exceptionnelle de sainte Isabelle laisse présumer que les artistes ne pouvaient se référer à aucun modèle. La Cour céleste adjointe à la Vie de la bienheureuse appartenait peut-être à une autre fenêtre[8]. Les anges sont d'un style plus souple, plus rond et fluide, d'une coloration plus délicate. Il ne faut pas oublier qu'un percement modernisé au XIXe siècle, situé dans la même chapelle, entre la baie de la Passion et la chapelle d'axe, devait contenir à l'origine une verrière sans doute contemporaine. Est-ce l'emplacement primitif de la Cour céleste ?

b. Saint-Gervais, baie 9. Vie de sainte Isabelle de France (vers 1510-1517), détail : Deuxième enterrement de sainte Isabelle.

a. Saint-Gervais, baie 11. Décollation de saint Jacques le Majeur (vers 1510).

Saint-Séverin

La fenêtre occidentale de Saint-Séverin a été datée des environs de 1500 par J. Lafond[9]. Elle comporte six courtes lancettes coiffées d'un large tympan à trois rangs de fuseaux qui abritent un Arbre de Jessé. L'état de conservation de cette verrière est splendide : seuls la Vierge et un roi semblent avoir été restaurés. La coloration d'ensemble rappelle quelque peu celle de la rose de la Sainte-Chapelle, mais le style des personnages en est extrêmement différent; il ne se rapproche pas davantage des lancettes exécutées peu avant 1496 pour le chevet de l'église. Les visages aux traits ramassés sont élargis par les barbes et les chevelures étalées. Les figures sont vues à mi-corps, leurs drapés sont traités avec une particulière ampleur, encore augmentée par un grand nombre d'accessoires. Il semble que la comparaison la plus probante puisse être trouvée dans les trois panneaux subsistants de l'Arbre de Jessé de la chapelle de la Vierge à Saint-Gervais

a. Saint-Etienne-du-Mont, baie 221. Mise au tombeau (vers 1510-1515).

b. Saint-Germain-l'Auxerrois, baie 115. Passion du Christ (vers 1520), détail : Baiser de Judas.

(baie 3), qui ne peut avoir été exécuté avant 1517. Peut-être faut-il considérer que les deux œuvres sont moins éloignées chronologiquement qu'on ne l'a supposé.

Saint-Étienne-du-Mont

L'église Saint-Étienne-du-Mont a été bâtie à partir des dernières années du XVe siècle. Les réaménagements du chœur autour de 1540 ne doivent pas masquer la présence de verrières exécutées sans doute peu après 1500 : la Vie de la Vierge (baie 105) et la Vie de saint Claude (baie 107). Elles ont été réutilisées après quelques remaniements, à côté de créations de la pleine Renaissance. Mme F. Perrot a déjà signalé leur parenté avec le groupe formé par la rose de la Sainte-Chapelle et la verrière de saint Vincent et saint Sixte de Saint-Germain-l'Auxerrois[10]. Leur place particulière et leur contexte sont étudiés plus loin. Dans les verrières hautes du chœur, majoritairement plus tardives, l'Apparition à sainte Marie-Madeleine (baie 201) pourrait avoir été préparée bien avant sa mise en place. Une verrière haute de la nef (baie 221), dédiée à la Résurrection et exécutée à la fin du XVIe siècle, conserve dans son tympan des panneaux retaillés et remployés, probablement antérieurs à 1520. Les trois scènes sont relatives à la Vie du Christ, la Fuite en Égypte, la Présentation au temple, et la Mise au tombeau. Bien que fragmentaires, ces scènes laissent apparaître une étroite parenté avec les vitraux de la chapelle de la Vierge de Saint-Gervais datés vers 1517.

Saint-Germain-L'Auxerrois

A Saint-Germain-l'Auxerrois il semble que les trois verrières, qui, à côté de la verrière de saint Vincent et saint Sixte, décorent les parois est et ouest du bras nord du transept, appartiennent aux années 1520. Elles sont consacrées à la Vie du Christ, c'est-à-dire aux scènes de sa Vie publique (baie 119) et de sa Passion (baies 115 et 113). Les deux fenêtres qui se font face (baies 115 et 119) ont vraisemblablement été réalisées par le même atelier. On y observe un même encadrement décoratif, avec des motifs de la première Renaissance intégrant beaucoup de verres de couleurs dans les têtes de lancettes et les bandeaux qui limitent les scènes. Les losanges curvilignes qui lient le tympan et les lancettes sont dans les deux cas occupés par quatre prophètes en buste, sans doute exécutés sur des modèles empruntés à un Arbre de Jessé. L'altération profonde des verres et de la peinture se manifeste de la même façon dans les deux verrières. Cependant on observe des différences de composition et même d'échelle, les sujets de la baie de la Passion étant plus petits et plus tassés, s'attachant à décrire le pathétique, ceux de la Vie publique montrant des compositions plus aérées et régulières. Ces différences tiennent peut-être à la seule nature des sources d'inspiration. Il faut isoler la seconde verrière de la Passion (baie 113), dont le style plus graphique est faussé par des remplacements nombreux et des repeints sur les pièces anciennes[11]. Ce qui subsiste de cette baie lourdement restaurée semble pourtant conduire vers de nouvelles tendances picturales qui s'illustreront dans le second quart du XVIe siècle.

L'observation des vitraux des deux premières décennies du XVIe siècle fait apparaître l'extraordinaire diversité des styles qui cœxistent. Elle ne tient pas seulement au nombre des ateliers en présence. Les sources variées, les modèles nombreux, les cartons parfois réutilisés de multiples manières, sont aussi des facteurs importants des disparités qui apparaissent dans les œuvres encore conservées à Paris. L'examen minutieux de quelques-unes de ces verrières conduit à reconsidérer les processus de création, mais aussi la transformation et la diffusion des styles.

NOTES

1. P. et M.-L. Biver, *Abbayes, monastères et couvents de Paris, des origines à la fin du XVIIIe siècle,* Paris, 1970, p. 419.
2. A. Lenoir, *Musée des Monuments français. Histoire de la peinture sur verre et description des vitraux anciens et modernes,* Paris, 1803 (an XII), pp. 28-29, 67, 74-75.
3. P. et M.-L. Biver, *op. cit.,* 1970, p. 153.
4. H. Bouchot, *Inventaire des dessins exécutés pour R. de Gaignières...,* Paris, 1891, n° 889.
5. G. Brice, *Nouvelle description de la ville de Paris et de tout ce qu'elle contient de plus remarquable,* Paris, 1725, vol. II, pp. 143-144.
6. Abbé C. Balloche, *Eglise Saint-Merry de Paris, histoire de la paroisse et de la collégiale,* Paris, 1912.
7. L. Brochard, *Saint-Gervais, histoire du monument d'après de nombreux documents inédits,* Paris, 1938.
8. L. Brochard, *op. cit.,* 1938, p. 255, suggère que ces anges peuvent provenir d'un Jugement dernier; on peut aussi les situer dans le contexte d'un Couronnement de la Vierge.
9. J. Lafond, dans *Le Vitrail français,* Paris, 1958, p. 250.
10. F. Perrot, « Un panneau de la vitrerie de la chapelle de l'Hôtel de Cluny », dans *Revue de l'Art,* n° 10, 1970, p. 72 n. 27.
11. Nous tenons à remercier Mmes Baudoin et Dromigny qui nous ont permis d'observer avec elles le type de ces restaurations.

Saint-Séverin, baie de la façade occidentale (221). Arbre de Jessé (vers 1510-1515), détail : un roi et un prophète.

LE MAGICIEN HERMOGÈNE LISANT (?)
Église Saint-Gervais-Saint-Protais, baie 11.
Vie de saint Jacques le Majeur.
Vers 1510.
H. 0,45 m - L. 0,51 m (dimensions de la baie : H. 4 m - L. 1,80 m).

HISTORIQUE
Ce fragment orne le sommet de la tête de la lancette gauche de la verrière dédiée à la légende de saint Jacques le Majeur. La chapelle Saint-Pierre, remaniée dans le dernier quart du XVIIe siècle, comportait initialement deux verrières, l'une offerte en 1510 par Marie Favart, veuve de Nicolas Le Cler, représentant le Miracle des Billettes dont l'histoire est liée à l'église Saint-Gervais. Si cette verrière a totalement disparu lors de l'aménagement de la chapelle « de Harlay » hors œuvre, sa voisine à l'est, probablement contemporaine, a conservé quelques fragments, presque tous retaillés et regroupés dans la partie supérieure. L'ajour principal accueille maintenant le Martyre de l'apôtre et des fragments de commentaires qui se trouvaient sous les scènes garnissent les ajours latéraux. La tête de lancette de droite de la baie conserve en place son couronnement architectural entier, tandis que celle de gauche montre une partie d'un dais ainsi que la figure d'Hermogène provenant également d'une scène jadis placée plus bas dans une des deux lancettes.

ICONOGRAPHIE
Le panneau supérieur de la baie montre le saint agenouillé et en prière, au moment de son exécution prononcée par Hérode Agrippa entouré de ses conseillers. A gauche, le scribe Josias converti par le saint, s'avance vers le supplice. Le fragment exposé montre Hermogène, l'adversaire de saint Jacques dans la ville de Jérusalem, présenté de profil et lisant, richement vêtu d'une robe damassée bleue couverte d'un manteau de velours rouge à col de fourrure.

CONSERVATION
Le panneau du Martyre de saint Jacques était rectangulaire à l'origine et provient de l'une des lancettes. Il a été fortement retaillé et comporte de nombreux bouche-trous. Jusqu'à sa dépose, le panneau montrant la figure d'Hermogène était monté à l'envers, c'est-à-dire grisaille à l'extérieur, au-dessus d'un fragment de niche d'architecture. C'est pourquoi la grisaille est usée. L'angle inférieur gauche est constitué de plusieurs bouche-trous, dont un fragment de bordure plus tardive. Une pièce provenant du bas du manteau rouge est remontée sous le livre. Le collet et le chapeau ont été recoupés pour s'adapter à la pointe de la lancette.

TECHNIQUE ET STYLE
La composition du panneau supérieur est dense, les personnages formant des groupes compacts. Au loin s'étend un paysage de montagne à droite et des petites fabriques peintes sur le verre bleu du ciel à gauche. La technique est très raffinée, à la fois par l'usage de grisaille de deux couleurs rousse et noire appliquées conjointement — sur le visage du tyran —, et par l'abondance de la gravure sur les verres bleus et rouges, rehaussée de jaune d'argent. Sauval, qui vit la verrière plus complète au milieu du XVIIe siècle, relève cette particularité. La peinture des visages est raffinée mais puissante en même temps, le modelé est posé en touches souples, avec des enlevés à l'aiguille et à la brosse, et des reprises au trait, les volumes sont définis avec maîtrise. Ces techniques sont mises au service d'un style énergique et haut en couleur.

BIBLIOGRAPHIE
H. Sauval, *Histoires et recherches des antiquités de la ville de Paris* (réunion de documents rassemblés de 1650 à 1676), Paris, 1724, vol. 1, p. 453. F. de Guilhermy, *Itinéraire archéologique de Paris,* Paris, 1855, p. 182. L. Brochard, *Saint-Gervais, histoire du monument d'après de nombreux documents inédits,* Paris, 1938, pp. 47, 235, 237.

F. G. et C. L.

Saint-Gervais, baie 11. Vie de saint Jacques le Majeur (vers 1510) détail : le Magicien Hermogène lisant.

MIRACLE DE LA GUÉRISON D'UN ENFANT.
Église Saint-Gervais-Saint-Protais, baie 9.
Vies de sainte Isabelle et de saint Louis.
Entre 1510 et 1517.
H. 0,78 m - L. 0,82 m (dimensions totales de la baie : H. 3,80 m - L. 4,80 m).

HISTORIQUE
Le réseau de la fenêtre qui abrite quatre panneaux de la Vie de sainte Isabelle et de celle de saint Louis, a été refait à une date indéterminée. On peut supposer que des désordres dans la stabilité de cette paroi de la chapelle ont nécessité une reprise des éléments de pierre de la baie. Les panneaux ont dû être adaptés aux nouvelles formes architecturales. Il semblerait, comme le confirme l'analyse du style, que la fenêtre héberge maintenant les restes de deux verrières distinctes. Sauval, qui écrit vers 1650, mentionne dans cette chapelle la présence de la verrière de sainte Isabelle (qu'il croit être sainte Clotilde), décrivant l'abondance d'« habits bleus tout semés de fleurs de lys d'or gravées dans le verre ». Il laisse ainsi présumer que la verrière était plus complète qu'aujourd'hui. Les lancettes et la partie inférieure du tympan, un temps murées, ont été revitrées en 1976 par Mme A. Le Chevallier.

ICONOGRAPHIE
Il semble que la verrière contienne la plus ancienne représentation de la Vie de sainte Isabelle, sœur de saint Louis. Née en 1223, elle avait fondé le monastère des Clarisses de Long-

champ près de Paris et y mourut au début de l'année 1270. Elle fut béatifiée en 1521 seulement, mais apparaît déjà brièvement dans la liturgie au XIVe siècle. Le récit de sa vie a été rédigé par une de ses compagnes, Agnès d'Harcourt, texte édité par Du Cange au XVIIe siècle. Des quatre scènes conservées, trois concernent sainte Isabelle, la quatrième montrant la prise de Damiette. Cette dernière confirme que la Vie de saint Louis, canonisé dès 1297, était à l'origine associée à celle de sa sœur dans la baie. Le premier fuseau montre le second enterrement de la sainte en présence du roi : neuf jours après sa première inhumation, le corps d'Isabelle est transféré dans le chœur de l'église des Clarisses, après qu'on l'eût vêtue d'une robe royale remplaçant son humble costume de religieuse. Sa chemise, devenue une relique, provoque de nombreux miracles posthumes. L'un d'eux est représenté dans le deuxième fuseau. Il s'agit probablement de la guérison du fils d'Agnès la Coffrière, qu'elle voua à la sainte et que les religieuses de Longchamp couchèrent sur la chemise de sparterie d'Isabelle. Deux religieuses sont penchées sur l'enfant, ainsi que sa mère et sa grand'mère, devant deux hommes debout et priant à l'arrière-plan. Le troisième fuseau montre une guérison qu'opère saint Louis devant le tombeau de la sainte. Enfin, à droite, les croisés s'emparent de la ville de Damiette.

Les quatre scènes sont entourées par une représentation de la Cour céleste. Dieu le père entouré de la hiérarchie angélique apparaît en buste au sommet. Il est probable que ces éléments n'appartiennent pas au cycle narratif, ce que confirme l'examen du style des deux séries. Peut-être ces panneaux proviennent-ils d'une représentation d'un Couronnement de la Vierge, ou bien d'un Jugement dernier, qui pouvait avoir sa place primitive dans la même chapelle à côté de la verrière de la Passion (baie 5, actuellement occupée par un vitrail du XIXe siècle).

Saint-Gervais, baie 9. Vie de sainte Isabelle de France (vers 1510-1517), détail : Guérison d'un enfant sur la relique de sainte Isabelle.

CONSERVATION

Les compléments de bouche-trous apportés au pourtour des scènes, primitivement en forme de soufflets transformés en fuseaux, sont des débris de verrières peintes. Les nombreux panneaux figurant des anges entourant les panneaux narratifs, ont été retaillés pour les adapter aux ajours. Les remplacements faits lors des restaurations récentes sont peu nombreux. On notera surtout la tête de saint Louis penché sur le corps de sa sœur dans la première scène, et quelques-uns des anges de la Cour céleste. Sur les pièces d'origine, la grisaille a tendance à s'écailler légèrement.

TECHNIQUE ET STYLE

Dans les parties narratives, les compositions très denses montrent des personnages aux proportions courtes, aux attitudes plutôt raides mais variées. Les détails pittoresques abondent pour renforcer le sens iconographique des scènes. Les touches de couleurs vives viennent ponctuer une dominante assez claire. Le trait est appuyé, les modelés francs, à peine éclaircis par des enlevés à l'aiguille et souvent renforcés par des hachures dans les zones d'ombre. On note deux teintes de grisaille, l'une rousse et l'autre noire, mais plusieurs densités de jaune d'argent. Le verre vénitien à fils rouges est employé très ponctuellement, sur les colonnes du socle du tombeau dans la troisième scène. Le caractère pictural de ces panneaux est à rapprocher de la verrière voisine de la Passion.

En revanche, la Cour céleste est d'un style différent, plus rond et plus souple, au modelé adouci par de délicats enlevés à la brosse et à l'aiguille. Les draperies sont fluides et détaillées par de nombreux plis parallèles, les plumes des ailes des anges et les ornements des orfrois minutieusement peints. La coloration est raffinée, associant les teintes vives et les tons rompus. Des techniques précieuses sont utilisées, gravure sur verre rouge reprise au jaune d'argent dans les rayons qui entourent l'image de Dieu le père, verre vénitien à trois couleurs — rouge, bleu, pourpre clair — dans les ailes de quelques petits anges.

Saint-Gervais, baie 7. Passion du Christ (vers 1510-1517), détail de la Déploration.

BIBLIOGRAPHIE

Ch. du Fresne, sieur du Cange, *Histoire de S. Louis IX, du nom, roy de France, écrite par Jean, sire de Joinville,* Paris, 1668, pp. 169-181. H. Sauval, *Histoires et recherches des antiquités de la ville de Paris* (réunion de documents rassemblés de 1650 à 1676), Paris, 1724, vol. 1, p. 459. Abbé J. Lebeuf, *Histoire de la ville et de tout le diocèse de Paris,* Paris, 1724, t. I., pp. 397-401. F. de Guilhermy, *Itinéraire archéologique de Paris,* Paris, 1855, p. 182. L. Brochard, *Saint-Gervais, histoire du monument d'après de nombreux documents inédits,* Paris, 1938, p. 255. C. Manhès-Deremble, *Notes manuscrites,* 1993.

F. G. et C. L.

DÉPLORATION SUR LE CORPS DU CHRIST.

Église Saint-Gervais-Saint-Protais, baie 7.
La Passion du Christ.
Entre 1510 et 1517.
Dimensions totales de la baie : H. 3,80 m - L. 4 m.

HISTORIQUE

La chapelle des Trois-Maries, plus tard Sainte-Geneviève, a été construite entre la chapelle Saint-Pierre, datée de 1510, et celle de l'axe dédiée à la Vierge, dont la clef de voûte porte le millésime de 1517. Il ne subsiste que le tympan de la baie, car les panneaux des lancettes ont été sans doute détruits en 1734, date à laquelle les marguilliers autorisent les confrères de Sainte-Geneviève à éclaircir leur chapelle. Les vitraux blancs alors créés ont été remplacés par des vitraux de pleine couleur exécutés par Caspar Gsell au milieu du XIXe siècle.

ICONOGRAPHIE

Le tympan est composé de six grands soufflets et de mouchettes latérales. Les compartiments principaux accueillent chacun une scène de la Passion du Christ, depuis l'Agonie au jardin des oliviers, qui occupe le sommet de la baie jusqu'à la Déploration sur le corps du Christ dans l'ajour inférieur droit. L'iconographie de l'ensemble comme de chaque scène est tout à fait traditionnelle. Des anges en buste apparaissent dans les quatre grandes mouchettes latérales, tandis que les huit petits écoinçons abritent des séraphins peints sur des verres de couleurs.

CONSERVATION

L'état de conservation est tout à fait excellent. La presque totalité des pièces est ancienne, à l'exception du corps du Christ en croix et de quelques éléments mineurs ou pièces de fond.

TECHNIQUE ET STYLE

Les compositions des scènes sont très serrées et denses, de nombreux personnages occupant toute la surface disponible. Si l'espace reservé au paysage est très réduit derrière ces compositions aux personnages échelonnés en hauteur, il abonde néanmoins en éléments pittoresques. La coupe, faite de petites pièces, ne cherche cependant pas la virtuosité. On ne relève pas non plus de verres précieux ni de gravures, sauf sur le chapeau d'un personnage de la Flagellation. La coloration est brillante, vive, saturée, contrastée, soutenue par l'emploi d'un jaune d'argent très orangé et d'une grisaille rousse appliquée largement, éventuellement sur le jaune d'argent en complément de la grisaille brune. La peinture est posée en lavis brossés, repris par des hachures et des enlevés à la brosse et au petit bois. Les volumes sont clairement définis, les plis cassés sont ombrés ou éclairés avec netteté.

BIBLIOGRAPHIE

F. de Lasteyrie, *Histoire de la peinture sur verre,* vol. I, *Planches,* Paris, 1853, pl. LXVIII. F. de Guilhermy, *Itinéraire archéologique de Paris,* Paris,1855, p. 182. L. Brochard, *Saint-Gervais, histoire du monument d'après de nombreux documents inédits,* Paris, pp. 50, 251, 258-259.

F. G. et C. L.

Saint-Gervais, baie 7. Passion du Christ (vers 1510-1517), détail : Baiser de Judas.

Le maître de la Vie de saint Jean-Baptiste : un nom de convention

MICHEL HÉROLD

L'ATELIER DE LA VIE DE MARIE-MADELEINE

Saint-Gervais-Saint-Protais

La datation vers 1500, traditionnellement attribuée aux « œuvres » du « Maître de la Vie de saint Jean-Baptiste », se trouve pleinement justifiée pour le vitrail illustrant la Vie de Marie-Madeleine à l'église Saint-Gervais (baie 15). Grâce aux travaux de l'abbé Louis Brochard[1], ce vitrail est fort bien documenté. Les éléments conservés occupent leur emplacement d'origine dans la première chapelle nord du chœur, fondée par Christophe de Carmone, premier marguillier de l'œuvre de la fabrique de 1493 à 1496, maître des requêtes ordinaire de l'Hôtel du Roi, premier président du parlement de Dijon en 1497, etc.

Le décor des quatre lancettes (sauf les têtes de lancettes) est aujourd'hui perdu, mais il ne nous est pas totalement inconnu. Selon L. Brochard, un panneau non retrouvé est conservé au musée du Petit Palais. Par ailleurs, deux dessins du XVIIe siècle à la Bibliothèque nationale, l'un dans la collection Gaignières, l'autre dans les papiers Clairambault, transmettent l'image des donateurs[2]: Christophe de Carmone, primitivement au registre inférieur de la lancette droite, en costume de parlementaire, à genoux devant un prie-Dieu orné de ses armes, était protégé non pas par son saint patron « naturel », mais par saint Jean-Baptiste; sa première femme Radegonde de Nanterre, présentée par l'abbesse sainte Radegonde, occupait le même registre dans la lancette de gauche. Tous deux appartenaient donc à une verrière réalisée au début des travaux de reconstruction de l'église entrepris en 1494, et posée sans aucun doute avant le mariage de Christophe de Carmone avec Hélène de Saveuse le 9 août 1504. En accord avec le vocable de la chapelle, dédiée à sainte Madeleine et à Notre-Dame-de-Pitié, le vitrail illustre l'Histoire de Marie-Madeleine. Le panneau du musée du Petit Palais, qui représente la sainte bénissant le comte et la comtesse de Provence embarquant pour Rome dans le port de Marseille, occupait, semble-t-il, le registre supérieur de la lancette de droite, se raccordant vraisemblablement à la tête de lancette en place, où l'on distingue parfaitement le mât d'un navire. L'Histoire de Marie-Madeleine se poursuit dans le tympan, suivant le récit de la Légende dorée. Ce sont sept scènes bien identifiées : le comte de Provence à son retour de Rome retrouve vivants sa femme et son fils dans l'île où ils avaient été laissés, le Baptême du comte de Provence et de sa famille par saint Maximin, le Ravissement de sainte Marie-Madeleine, la Dernière communion de la sainte, la Mort de Marie-Madeleine bénie par saint Maximin, Apparition à un prisonnier enchaîné, le Père éternel reçoit l'âme de Marie-Madeleine. Les têtes de lancettes et les panneaux des ajours du tympan, bien protégés par le remplage de pierre, sont dans un état de conservation tout à fait satisfaisant. Nous pouvons apprécier la qualité d'une peinture légère et délicate, qui diffère du travail relevé dans les verrières de la Passion, de sainte Isabelle ou de saint Jacques de la même église, précédemment analysées. Pour le visage de Marie-Madeleine dans la scène du Ravissement, par exemple, le verrier utilise une grisaille assez rousse : le lavis de fond, peu chargé et lisse, éclairci à la brosse, est le support des traits souples et fins qui indiquent en détail les lignes du visage; ces traits, parfois en virgule ou en pointillé, sont portés par des plages ombrées

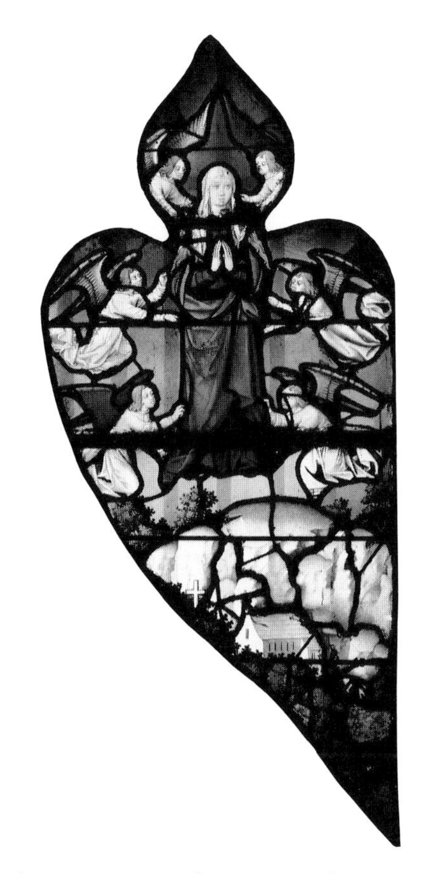

a et b. Saint-Gervais, baie 15. Vie de sainte Marie-Madeleine (vers 1494-1503), détail : Ravissement de Marie-Madeleine; relevé des principaux plombs.

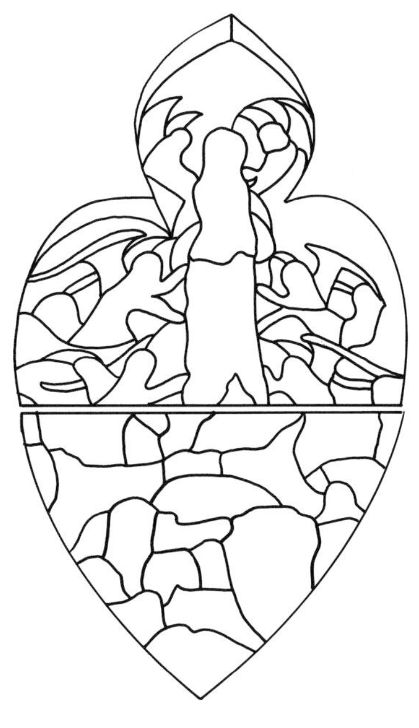

c et d. Saint-Merry, baie 125. Vie de sainte Marie-Madeleine (vers 1500), détail : Ravissement de Marie-Madeleine; relevé des principaux plombs.

faites de hachures parallèles ou entrecroisées. Cette peinture, simplifiée encore pour les costumes, est associée au jaune d'argent couleur or ou citron posé sans fantaisie, mais combiné, comme si souvent à Paris, avec le bleu du fond pour évoquer les arbres des paysages situés au second plan. Avec cela, une palette vive et transparente sans verre précieux ni travail de gravure sert des compositions plus aérées et sereines comparées, par exemple, à celles du vitrail de sainte Isabelle. La scène où le comte de Provence retrouve sa femme et son fils est remarquable par la disposition harmonieuse des personnages et le charme de la marine située à l'arrière-plan.

Les mêmes «patrons» à Saint-Merry

Bien que les types de personnages nous soient maintenant familiers, tout à fait caractéristiques de la manière « Vérard »[3], aucun modèle précis n'a pu être mis en rapport avec les scènes de ce vitrail. En revanche, une évidente parenté existe avec le vitrail de la Madeleine en place dans la première travée nord de la nef de l'église Saint-Merry. Ce vitrail, habituellement daté vers 1500-1520, est lui aussi incomplet, ayant été « éclairci » avec toutes les verrières de la nef en 1741 (?)[4]. Il reste donc deux scènes réparties dans les lancettes gauche et droite et le tympan dans son entier. Malgré ces mutilations, les verrières de Saint-Gervais et de Saint-Merry ont en commun quatre scènes, le Baptême de la famille de Provence, la Dernière communion, la Mort et le Ravissement de Marie-Madeleine, composées de la même manière. Ces ressemblances nous ont amené à relever suivant une échelle constante les réseaux de plomb des scènes communes. Or, malgré les différences de dimensions et de dessin des deux baies, ces relevés se superposent au moins partiellement, prouvant l'utilisation répétée de patrons à échelle d'exécution[5].

Dans le domaine du vitrail, où toute pièce du « puzzle » rigoureusement découpée doit parfaitement correspondre à ses voisines, le plomb qui sertit chacune d'elle nous est un repère sûr. Il reste seulement à préciser les modalités du travail. La scène du Baptême de la lancette de droite de Saint-Merry est trop déformée pour offrir un document d'étude. En revanche, les scènes de la Mort et du Ravissement sont parfaitement comparables à celles de Saint-Gervais. Les soufflets correspondants sont de formes différentes, plus allongés à Saint-Gervais, plus renflés à Saint-Merry et n'ont pas les mêmes dimensions. Il n'y a donc pas reprise du patron tel quel, mais travail d'adaptation par « marcottage », c'est-à-dire par intégration sur un patron de travail, intermédiaire entre le patron de référence et le vitrail, d'éléments d'une œuvre dans l'autre. Pour la scène de la Mort de Marie-Madeleine, il y a utilisation dans les deux cas de toutes les « silhouettes » des personnages, à l'exception des anges portant l'âme de la sainte, absents de Saint-Gervais, où les formes plus avantageuses de la mouchette permettent le développement d'un véritable décor intérieur avec sol dallé et fenêtre dans le fond. En revanche, pour les scènes de Ravissement, le patron n'a subi que de faibles transformations, quelques « décalages » aisés à expliquer en raison des dimensions inégales des ajours. Il n'y a cependant en aucun cas correspondance des couleurs, comme on le voit pour le costume de la sainte du Ravissement : robe blanche mouchetée de jaune d'argent, manteau violet à Saint-Merry — manteau pourpre, robe bleue à Saint-Gervais. Le patron ne portait donc pas les indications pour la couleur, ce que confirme la coloration plus blanche de la verrière de Saint-Merry et la présence de verres à filets colorés rouges dits vénitiens, absents de Saint-Gervais. Ces différences suggèrent-elles qu'il y ait eu emploi des mêmes patrons dans deux ateliers différents ? Il n'en est rien. L'étude comparative des deux écritures picturales permet d'attribuer les deux verrières à un même atelier anonyme.

Les verrières nord de la nef de Saint-Merry : un ensemble homogène

L'observation de la peinture permet également d'attribuer à cet atelier l'ensemble des verrières nord de la nef de Saint-Merry, c'est-à-dire les verrières des Miracles du Christ (baies 123), de saint Jean-Baptiste (baie 121) et de saint Thomas (baie 119). Ces quatre vitraux ont en commun les mêmes principes picturaux et le même type de palette, où revient fréquemment un verre à filets rouges présent surtout pour évoquer le marbre des colonnettes des décors architecturaux ou le riche tissu de certains éléments de costume (coiffe d'une femme dans la Vie de saint Thomas par exemple). On observe cependant une nette différence de qualité entre panneaux des ajours des tympans, moins soignés, et panneaux des lancettes. D'une verrière à l'autre, il y a aussi des variantes, preuve peut-être de l'intervention de plusieurs mains. La scène de la Comparution de saint Jean-Baptiste devant Hérode est assurément l'une des plus réussies de toute la série. Elle est bien conservée et d'une très remarquable qualité: pour ne pas interrompre le dessin qui ne correspond pas à la division des panneaux, une barlotière en fer forgé suit la ligne du cou du saint; le travail virtuose de coupe des verres souligne la ligne extrêmement élé-

Saint-Merry, baie 121. Vie de saint Jean-Baptiste (vers 1500), détail : le roi Hérode.

gante de nombreux éléments de la composition, tels les bras et les mains de saint Jean-Baptiste; le travail de peinture enfin, plus consistant ici, ou mieux conservé que dans les autres verrières de la série, accentue les traits des personnages masculins chevelus et barbus, aux expressions parfois assez vives. L'attention s'arrête aussi sur le très délicat paysage qui clôt la scène de la lancette gauche de ce même vitrail, où grisaille noire et brune rehaussée de jaune d'argent se combinent avec le bleu soutenu du fond. En aucun cas les décors architecturaux ne prennent véritablement d'ampleur. Mais, lorsqu'ils tiennent un rôle important, comme dans la scène montrant saint Thomas en prison (baie 119, lancette gauche), on remarque surtout le curieux décor du faîtage du toit et la richesse des colonnes traitées en verre à filets rouges.

Les sources manquent malheureusement pour dater les quatre verrières nord de l'église Saint-Merry avec autant de précision que leur parente de Saint-Gervais réalisée, rappelons-le, entre 1494 et 1503[6]. En l'absence de datation précise de la nef, nous croyons pouvoir situer ces verrières nord en accord avec leur sœur de la chapelle de la Madeleine de Saint-Gervais, soit vers 1500.

Cette datation vaut aussi selon toute vraisemblance pour les verrières des fenêtres hautes sud de l'église. On n'imagine guère en effet, dans un édifice gothique, mur sud et mur nord élevés à des moments différents, ce que du reste ne contredit pas l'analyse des vitraux, même s'il y a ici absence d'homogénéité. la verrière de saint Nicolas dans la première travée (baie 126) est une curieuse « adaptation » de l'écriture picturale relevée dans les verrières nord à des compositions d'esprit tout à fait autre, fort lourdes avec leurs personnages massifs, aux traits empâtés, enrichis par de nombreuses gravures à l'outil sur verre rouge ou bleu. Dans la baie suivante (baie 124), le vitrail de sainte Agnès tranche nettement sur l'ensemble, d'une inspiration et d'un langage fort différents. En revanche, les verrières consacrées à saint François d'Assise et à la Vierge emploient un vocabulaire formel qui nous est à présent familier, s'inscrivant parfaitement dans le groupe des œuvres rattachées par convention au « Maître de la Vie de saint Jean-Baptiste », « inventé » par Jean Lafond.

L'« AXE » PARIS-NORMANDIE

Quatre Vies de la Vierge : Saint-Merry et Saint-Etienne-du-Mont à Paris, Saint-Godard de Rouen, Saint-Jean d'Elbeuf

La verrière de la Vie de la Vierge, en place dans la dernière travée sud (baie 120) nous intéresse tout particulièrement car elle n'est pas isolée. Elle a son équivalent à Paris dans la troisième travée nord du déambulatoire de Saint-Etienne-du-Mont (baie 105) et aussi à Rouen dans le bas-côté sud de l'église Saint-Godard et encore à Elbeuf, en Seine-Maritime, dans le chœur de l'église Saint-Jean. Ces verrières ont en commun chaque fois plusieurs scènes dont le schéma iconographique et même la composition se ressemblent étrangement. Nous ne sommes pas les premiers à relever ces similitudes. Jean Lafond voit dans la Vie de la Vierge de Saint-Etienne-du-Mont une « réplique » de celle de Saint-Godard; Mme F. Perrot reconnaît dans les deux cas des scènes « identiques » mais indique que les liens entre Paris et la Normandie n'ont encore pu être précisés[7]. Plus « engagée », G. Souchal reconnaît pour les Vies de la Vierge de Saint-Godard de Rouen et de Saint-Etienne-du-Mont l'utilisation de mêmes « schémas » fournis par un atelier parisien qu'elle nomme par convention « Maître de la Chasse à la licorne », constatant par ailleurs un rapport plus net avec les enluminures, qu'avec les gravures attribuées par elle à ce maître[8]. Dans ces observations il y a en germe des réponses au vaste problème de la répétition multiple de mêmes compositions. Ce problème n'est ni particulier à l'art du vitrail ni propre à Paris, ou à la Normandie, il est général. Mais par chance, dans ce cas précis nous disposons de documents permettant d'aller plus loin que de coutume : quatre verrières comparables, des gravures, des enluminures en rapport, plus quelques sources documentaires. Y-a-t-il ici adaptation de modèles communs ? Le ou les ateliers de verriers répètent-ils des patrons à grandeur, comme il a été vu pour les verrières de Marie-Madeleine à Saint-Gervais et à Saint-Merry, cette fois non seulement de Paris à Paris, mais entre Paris et la Normandie, et dans quel sens ?

Sans qu'il soit possible d'être précis à une dizaine d'années près, les quatre verrières concernées sont presque exactement contemporaines. Le vitrail de Saint-Merry a été posé vers 1500 en même temps que les autres verrières de la nef. Comme elles, il a été mutilé lors de la campagne d'éclaircissement entreprise vers 1741 perdant, sauf deux scènes, le décor de ses lancettes remplacé par des vitreries blanches. Les scènes anciennes des lancettes du vitrail de Saint-Etienne-du-Mont sont au nombre de neuf, mais elles ont subi aussi de notables transformations : réalisées vers 1500 (?) pour l'édifice précédant l'église actuelle, les panneaux sont probablement remontés en 1541, là où nous les voyons par le verrier Antoine Roussel, qui les adapte, les répare et les complète, intervenant de la même manière sur le vitrail voisin de la vie de saint Claude[9]. Les panneaux de la Vie de la Vierge sont enfin fort restaurés en 1846-1849 par Prosper Lafaye[10]. L'histoire du vitrail de la Vierge à Saint-Godard de Rouen est fort comparable à celle du vitrail de Saint-Etienne-du-Mont. Comme son célèbre voisin, l'Arbre de Jessé d'Arnoult de Nimègue, et les plus anciennes verrières de l'église, le vitrail est exécuté vers 1506[11], puis déposé et installé en 1534 dans le bas-côté sud (?) de l'édifice nouvellement reconstruit. Vers 1860, enfin, l'atelier Laurent-Gsell de Paris déplace une nouvelle fois ce qu'il reste de la verrière, soit six scènes remontées en désordre avec d'importants compléments neufs[12]. Lui aussi gravement touché par les travaux des restaurateurs du XIXe siècle, le cycle de Saint-Jean d'Elbeuf, réalisé vers 1500 (?), est cependant le plus développé. Il comporte quinze scènes anciennes bien conservées, réparties dans quatre baies du chœur (baies 3, 4, 5 et 6) avec d'importants compléments réalisés en 1874[13].

Des « modèles » gravés ?

Les divers auteurs, J. Lafond, puis Mme F. Perrot, suivis par Geneviève Souchal ont remarqué les liens unissant ces verrières et « les gravures des plus beaux livres d'heures imprimés à Paris »[14]. Il faut entendre par là les gravures souvent répétées ou copiées dans le petit nombre des imprimeurs de la capitale du royaume[15]. Nous intéressent directement le *Missel de Verdun* sorti le 28 novembre 1481 des presses de Jean Du Pré et surtout le livre d'heures achevé d'imprimer le 17 septembre 1496 chez Philippe Pigouchet pour l'éditeur Simon Vostre, véritable chef-d'œuvre, dont les répétitions et copies sont nombreuses. Ces livres, imprimés à Paris, ont aisément pu être connus à Rouen, d'autant que certaines éditions étaient spécifiquement destinées à la Normandie. Citons à titre d'exemple les Heures de Salisbury imprimées en 1497 par Thielman Kerver pour Jean Richard imprimeur libraire à Rouen, ou les Heures à l'usage de Rouen imprimées en 1503 par Antoine Vérard pour Jehan Burges, Pierre Huvin et Jacques Cousin[16] dans lequel on trouve encore, côtoyant des gravures appartenant franchement à la Renaissance, des reprises ou des copies des productions de Pigouchet. Qu'ils soient parisiens ou normands, le ou les auteurs des verrières étudiées ici pouvaient donc connaître ces gravures, dont le rapport avec de nombreuses scènes des vitraux est évident. Qu'en est-il par exemple du vitrail de Saint-Etienne-du-Mont et des gravures des livres d'heures imprimés par Philippe Pigouchet à partir de 1496? Au registre inférieur, la scène de l'Annonce à Joachim, la Rencontre à la porte Dorée et le Mariage mystique de la Vierge trouvent seulement leur équivalent dans les très petites gravures des marges des livres d'heures. En revanche, la Présentation au temple et les scènes du second registre, sauf l'Assomption, du XIXe siècle, et la Mort de la Vierge, refaite en grande partie par Roussel en 1541, puis au XIXe siècle, peuvent être rapprochées des gravures « principales ». L'Adoration des mages, par exemple, a son équivalent gravé au fo d.1. ro des *Heures à l'usage de Rome* par Philippe Pigouchet du 17 septembre 1496. Comme c'est le cas ordinairement pour un modèle, leur confrontation montre que la gravure n'est autre qu'une référence librement transposée dans une technique et à une échelle très différentes. Le schéma de composition général est commun, mais les différences de détail notables : dans le vitrail, disparition du personnage de saint Joseph, gestes différents des trois mages, absence de leur cortège, soit des variantes que ne saurait expliquer la non-correspondance des formats. Dans le détail du décor et des costumes, de même, les

a. Saint-Etienne-du-Mont, baie 105. Vie de la Vierge (vers 1500), registre supérieur.

b. Saint-Merry, baie 120. Vie de la Vierge (vers 1500-1510), détail : Visitation.

c. Très petites Heures d'Anne de Bretagne : Visitation.

a. Rouen, église Saint-Godard, baie 6. Vie de la Vierge (vers 1506), détail : Adoration des mages.

b. Saint-Etienne-du-Mont, baie 105. Vie de la Vierge (vers 1500), détail : Adoration des mages.

points communs sont aussi nombreux que les différences. Ainsi, les types physiques de la Vierge et de Melchior sont-ils semblables au contraire des deux autres mages. Dans ce cas, les liens gravure-vitrail, au-delà de l'habituelle et toujours importante part d'adaptation, n'apparaissent donc pas aussi nettement qu'il semblait. Comparant les scènes de l'Annonciation d'Elbeuf, de Saint-Godard de Rouen et les gravures, G. Souchal en vient à des conclusions semblables, d'où sa perplexité: « On remarque [...] que le sceptre de Gabriel est incliné sur l'épaule gauche comme dans les miniatures des Heures d'Anne de Bretagne et de Le Camus et non presque vertical comme dans les grandes et petites Annonciations gravées et la xylographie du même sujet; est-ce-dû à une modification de l'image par le peintre du vitrail qui retrouve ainsi par hasard le tracé des enluminures ? Ou ne doit-on penser que le verrier normand a demandé spécialement des dessins au grand peintre de la capitale, qui une fois de plus a repris les thèmes de son répertoire... »[17]?

Des « modèles » peints ?

Ce judicieux rapprochement avec les enluminures du livre des Très Petites Heures d'Anne de Bretagne[18] place le débat sur un terrain plus juste, faisant cette fois référence à une œuvre originale, même s'il ne s'agit évidemment pas du modèle directement utilisé par le verrier. Il faut dont reconsidérer la place de la gravure. Le fait qu'elle soit répétée en de nombreux exemplaires, et ainsi plus facilement diffusée et conservée qu'un modèle peint, nous invite trop souvent à lui accorder le rôle déterminant qu'elle n'a pas nécessairement. L'intervention d'un peintre, fournissant un « pourtrait » ou un « patron au petit pied » est un phénomène courant dont témoignent très bien les sources d'archives à Paris[19] comme ailleurs : n'est-ce-pas un phénomène majeur ? Il est en tout cas plus difficile à saisir, le « pourtrait » ayant presque toujours disparu.

Dans le cas présent, où l'on considère la répétition de compositions illustrant des sujets particulièrement répandus, est-il même besoin d'un modèle ? Le modèle a sa place dans le cas d'une commande aux conditions particulières ou prestigieuse, ou du traitement d'un thème iconographique rare. Sous l'aspect technique, toujours, le modèle est-il vraiment le moyen le plus adapté pour reproduire plusieurs fois une même composition ? Il laisse toute liberté d'adaptation mais oblige chaque fois l'exécutant à réaliser un nouveau document, un « grand patron » aux dimensions exactes de la verrière, qui porte toutes les indications indispensables plus ou moins précises pour les couleurs et la peinture.

Comment donc expliquer les similitudes des verrières de la Vierge de Saint-Merry, de Saint-Etienne-du-Mont, de Saint-Godard de Rouen et de Saint-Jean d'Elbeuf ? Y-a-t-il modèles communs, ou utilisation de mêmes patrons à grandeur ?

La première solution vaut peut-être pour la verrière de Saint-Merry (baie 120), dont les scènes ne sont pas sans rappeler les gravures des livres d'heures imprimés. Malgré de nombreux bouche-trous et l'inversion droite-gauche de la composition, on remarque aussi des points communs entre les scènes de l'Annonce à Joachim de Saint-Merry, de Saint-Etienne-du-Mont et d'Elbeuf. Mais, pour les autres scènes de Saint-Merry, il y a tant de différences avec les verrières comparables, que leur lien se réduit peut-être au schéma iconographique et au vocabulaire formel. Le vitrail de Saint-Merry caractérisé par sa palette « froide », par l'absence de gravure et par sa peinture très « appuyée », se distingue très nettement des trois autres verrières considérées.

Emploi répété de patrons à grandeur dans un atelier unique

La seconde solution, en revanche, tient pour les verrières de Saint-Etienne-du-Mont, de Saint-Jean d'Elbeuf et de Saint-Godard de Rouen. Les scènes du vitrail parisien n'ont pas toutes leur équivalent exact, mais nous retrouvons à Elbeuf les scènes de l'Annonce à Joachim, de la Rencontre à la porte Dorée (restaurée à Elbeuf), de la Naissance de la Vierge — cette dernière avec d'importantes variantes —, le Mariage et l'Annonciation (*cf.* calques p. 173). Fort incomplet, le vitrail de Saint-Godard partage cependant avec celui de Paris les scènes de l'Annonciation, de la Nativité, de l'Adoration des mages et de la Mort de la Vierge, mais à Saint-Etienne-du-Mont, cette dernière scène a été recomposée lors du remontage du vitrail en 1541 et très restaurée au XIXe siècle. Comme nous l'avions déjà montré à propos de la Champagne[20] et

Heures à l'usage de Rome, 1496: Adoration des mages.

vérifié à Paris pour plusieurs scènes des verrières de Marie-Madeleine à Saint-Gervais et Saint-Merry, la superposition au moins partielle des relevés des réseaux de plomb atteste l'emploi d'un même patron à grandeur. C'est le cas pour les scènes communes à Saint-Etienne-du-Mont, Elbeuf et Rouen, sauf pour la Naissance et la Mort de la Vierge. Pour l'Annonciation, par exemple, en raison des différences de dimensions (scènes en trois panneaux superposés à Paris, en deux panneaux à Elbeuf et à Rouen), le patron de référence n'a pu être utilisé tel quel, il a été transposé et adapté lors de la mise au point du patron de travail. Les scènes on en commun les « silhouettes » des deux personnages à quelques rares détails près, mais plus ou moins espacées ou décalées suivant la largeur de la lancette, et bien des éléments du décor, comme le prie-Dieu de la Vierge, la banderole portant l'inscription annonciatrice avec la colombe et les colonnettes du fond. Le décor architectural de l'Annonciation de Saint-Etienne-du-Mont est sensiblement différent de ses équivalents normands, mais surtout en raison de la coloration, le pourpre et le vert ayant remplacé le blanc enrichi de jaune d'argent. Le patron commun ne portait donc vraisemblablement pas les indications pour la couleur, comme en témoignent aussi les costumes de la Vierge, bleu et bleu-pâle à Elbeuf, bleu et rouge à Rouen, bleu et violet à Paris. En revanche, les trois verrières sont d'une exécution extrêmement proche : goût pour le travail de gravure réalisé à l'outil sur verre rouge ou bleu, parfois virtuose, même manière très délicate de poser le jaune d'argent très clair, parfois combiné avec le verre bleu (pour de nombreux détails, en particulier les paysages) et surtout la même écriture picturale. La grisaille est mieux conservée dans le vitrail parisien, où l'on relève l'intervention d'au moins deux peintres. La tête de l'ange de

a. Rouen, église Saint-Godard, baie 6. Vie de la Vierge (vers 1506), détail : Annonciation.

b. Elbeuf (Seine-Maritime), église Saint-Jean, baie 6. Vie de la Vierge (vers 1500), détail : Annonciation.

a. Heures à l'usage de Rome, 1498: Annonciation.

b. Très petites Heures d'Anne de Bretagne : Annonciation.

l'Annonciation est d'un modelé délicat avec lavis de fond en grisaille brun-noir fort léger et lisse, largement éclairci à la brosse, portant les traits fins et nets qui marquent les lignes principales du visage, ombrées discrètement à l'aide de quelques hachures assez libres combinées à des enlevés à l'aiguille. Les visages masculins, souvent barbus, sont peints avec plus de vigueur, mais dans tous les cas, suivant les mêmes principes. La répétition de détails ornementaux comme les motifs de galons, mais aussi dans certains cas du moindre détail des visages à la boucle de cheveux près (le relevé du visage de Joachim de l'Annonce à Joachim de Paris et d'Elbeuf se superposent presque exactement) laissent même supposer la présence d'indications pour la peinture sur le patron à grandeur de référence. Elle prouve en tout cas qu'il y a ici comme pour les verrières de Marie-Madeleine répétition du même patron par le même atelier, ce qui n'était pas évident de prime abord.

L'origine de l'atelier : parisienne ou normande ?

La question des rapports entre Paris et Rouen ne se résume donc pas à un échange de patrons entre les deux villes, par ailleurs attesté grâce aux comptes de la fabrique de Saint-Etienne-la-Grande-Eglise à Rouen. Le registre pour 1515-1518 fait état de la fourniture de patrons à grandeur sur toile par un artiste parisien, mais aussi de l'envoi dans la capitale de « pourtraicts » réalisés par un peintre d'après les verrières de l'église Saint-Etienne-des-Tonneliers[21]. L'information est d'importance mais ne concerne pas notre étude. Il s'agit ici de situer l'atelier qui réalisa d'après les mêmes patrons les trois verrières de la Vie de la Vierge d'Elbeuf, de Rouen et de Saint-Etienne-du-Mont. Dans ce cas précis l'atelier est vraisemblablement parisien. Les maîtres de la puissante corporation des verriers de la capitale, la première formée dans le royaume (1467), avant celle de Lyon (1496), toléraient-ils chez eux la concurrence de leurs confrères rouennais ? Or les statuts de la corporation, probablement appliqués vers 1500, ont justement été établis car « ... plusieurs compaignons estrangers et autres qui oncques ne feurent apprentiz dudit mestier et science [...] se sont ingerez et entremis, et encores se ingèrent et entremectent d'icellui mestier et science, et prennent des marchez touchant icellui à plusieurs bourgeois, marchans et habitans des

a et b. Saint-Etienne-du-Mont, baie 105. Vie de la Vierge (vers 1500), détail : Annonce à Joachim. Relevé des principaux plombs.

villes, à gens d'églises et autres... »[22]. Sous prétexte de faire respecter des « normes » de qualité, il s'agit bien ici d'une mesure « protectionniste ». Les verrières de la Vie de la Vierge d'Elbeuf et de Saint-Godard sont très probablement des « exportations » parisiennes en Normandie. Cette conclusion s'applique aussi à la verrière des Apparitions du Christ après la Résurrection de Saint-Godard de Rouen (baie 5) et à son homologue de Louviers (Eure. Eglise Notre-Dame, baie 22), exactement de même facture.

Dans l'état actuel de la recherche, il n'est bien entendu pas question d'étendre ces premières conclusions à l'ensemble des verrières normandes apparentées. Les trois suites de la Vie de saint Jean-Baptiste à Saint-Romain de Rouen (baies 109 à 112), à Conches (Eure. Eglise Sainte-Foy, baie 20) et à Bourg-Achard (Eure. Baie 2), auxquelles Jean Lafond accorde une si grande importance[23],

a et b. Saint-Merry, baie 120. Vie de la Vierge (vers 1500), détail : Annonce à Joachim. Relevé des principaux plombs.

n'ont malheureusement pas, ou plus, leur équivalent à Paris, où le seul vitrail pouvant servir de comparaison, conservé à Saint-Merry, est incomplet depuis son « éclaircissement » au XVIIIe siècle.

La question des liens entre Paris et la Normandie autour de 1500 n'est certainement pas simple. Le nombre des verrières de Normandie qui peuvent avoir un lien avec Paris est vraiment considérable. Toutes, tant s'en faut, ne sont pas d'une exécution semblable, ne seraient-ce que les célèbres verrières de Conches ou de Bourg-Achard réalisées d'après des patrons à grandeur différents et dans un autre atelier que leur équivalent conservé à Saint-Romain de Rouen. Elles apparaissent aussi largement dispersées dans toute la région et ont une véritable « suite » dans la décennie 1510-1520, à Saint-Saëns, à Pont-Audemer et bien ailleurs. Le problème des origines de notre premier groupe (les verrières rattachées au Maître de la Vie de saint Jean-Baptiste) est donc particulièrement complexe. « Bien entendu, il ne s'agit pas de simples exportations de Paris vers Rouen ou vice-versa. Je ne crois pas non plus qu'il suffirait de supposer l'existence d'un grand fabricant de cartons qui aurait approvisionné les ateliers parisiens et les rouennais. On constate, en effet, qu'à partir de modèles absolument comparables (la Légende de saint Sixte à Saint-Germain-l'Auxerrois et la Vie de saint Jean-Baptiste des églises normandes) les deux centres ont évolué vers des œuvres aussi différente que la Vie de la Vierge de Saint-Gervais et l'Annonciation de Pont-Audemer. L'hypothèse la plus vraisemblable est donc qu'un ou deux ateliers parisiens particulièrement nombreux et actifs ont essaimé vers Rouen. Mais peut-être convient-il d'aller plus loin encore, en rattachant ces ateliers à un grand courant de style dont les premiers témoins seraient la rose de la Sainte-

Elbeuf (Seine-Maritime), église Saint-Jean, baie 5.
Vie de la Vierge (vers 1500), détail : Annonce à Joachim.

Chapelle... »[24]. Ce que pressentait très justement Jean Lafond est désormais vérifié. L'ensemble des phénomènes cités existe simultanément. Il y a bien circulation de modèles, mais leur rôle n'est pas déterminant. Il y a bien échanges de patrons à grandeur, mais nous en mesurons mal les conséquences. Il y a bien exportation de vitraux, mais exclusivement dans le sens Paris-Normandie. Il y a sans doute installation à Rouen de verriers parisiens, comme ce Jehan de Paris ou Parisy, mentionné plus tard, en 1535, 1547 et 1549 dans les registres de la fabrique de Saint-Godard[25]. Tout compte fait, « le grand courant de style » dont relèvent ces très nombreuses œuvres à Paris ou en Normandie est bien parisien. Parisien serait aussi le « Maître de la Vie de saint Jean-Baptiste » comme ses « frères en histoire de l'art », les « Maîtres de la Chasse à la licorne », de « la Dame à la licorne » ou des « Petites Heures d'Anne de Bretagne », dont nous discernons mieux à présent les multiples visages.

Le rayonnement de Paris

L'exemple normand n'est pas unique. Paris semble tenir dans l'histoire du vitrail français autour de 1500 une place jusqu'alors sous-estimée. La diversité des verrières des églises, rescapées des destructions, témoigne de l'activité de très nombreux ateliers. En 1467, neuf maîtres sont à l'origine de la formation d'une corporation, « ... représentans la plus grant et seine partie de la communaulté des voiriers, residens et tenant leurs ouvrouers en nostre bonne Ville et cité de Paris »[26]. Ils sont en fait, selon l'avis de G.-M. Leproux, une quinzaine, ce qui est considérable. La production des ateliers parisiens est donc grande, même si la capacité de travail de chacun, où figurent rarement plus d'un apprenti et d'un compagnon aux côtés du maître, semble réduite[27]. De nombreux textes postérieurs au début du XVIe siècle témoignent bien du rayonnement de Paris en Ile-de-France et au-delà[28]. Jean Chastellain, dans les années 1530-1540, est connu pour l'activité qu'il développe à Paris, mais aussi bien plus loin, à Nemours et jusqu'à Bayonne[29].

Le repérage exhaustif des verrières parisiennes hors Paris n'existe pas, mais les quelques exemples relevés montrent une aire de diffusion très étendue. Jean Lafond lui-même mentionne plusieurs séries de verrières apparentées à Paris[30], en particulier les cinq verrières du déambulatoire de l'église Saint-Sulpice de Nogent-le-Roi (Eure-et-Loir)[31], à mi-chemin entre Dreux et Chartres. Cet important ensemble, daté habituellement et sans plus de précision du premier quart du XVIe siècle, comprend cinq verrières légendaires inégalement conservées : une Vie de Marie-Madeleine (baie 5), une suite consacrée à la Vie publique et à la Passion du Christ (baie 7), une verrière des Miracles de l'Eucharistie (baie 9), quelques éléments d'une verrière de l'Enfance du Christ (baie 6) et d'une verrière de la Vie de la Vierge (baie 8). Jean Lafond

a. Bourg-Achard (Eure), église Saint-Lô, baie 2. Vie de saint Jean-Baptiste (vers 1500), détail : Saint Jean-Baptiste donnant le baptême.

b. Rouen, église Saint-Romain, baie 112 (vers 1500), détail : Saint Jean-Baptiste donnant le baptême.

a. Saint-Etienne-du-Mont, baie 107. Vie de la Vierge (vers 1500), détail de la Naissance de la Vierge.

s'attarde sur les Miracles de l'Eucharistie, réalisés selon lui d'après les mêmes modèles utilisés entre 1505 et 1518 pour les tapisseries du Ronceray, et étroitement apparentés au vitrail équivalent de Pont-Audemer (Eure). Cette verrière est-elle normande ou parisienne ? Jean Lafond penche pour une origine normande, que nous croyons pouvoir démentir.

La confrontation du vitrail de Marie-Madeleine (baie 5) avec ses homologues parisiens de Saint-Merry et de Saint-Gervais ne laisse guère subsister de doute, tant il y a de similitudes entre les scènes montrant le comte de Provence à son retour de Rome (à Saint-Gervais), le Baptême du comte de Provence et de sa famille (à Saint-Gervais et à Saint-Merry), ou la Prédication de Marie-Madeleine (à Saint-Merry). Il n'y a pas reprise à Nogent-le-Roi des patrons à grandeur de Saint-Merry et de Saint-Gervais, mais assurément des modèles. Certains détails dans les costumes et l'ornementation, tels les soubassements d'architecture caractéristiques de la première Renaissance suggèrent cependant une datation postérieure à celle proposée pour les verrières parisiennes, soit vers 1510.

b. Château de Lux (Côte-d'Or), baie 0 (vers 1500), détail de la Naissance de la Vierge.

Au nord de Montargis, l'église Saint-Pierre-et-Saint-Paul de Ferrières-en-Gâtinais (Loiret)[32] abrite une série de verrières réalisées vers 1520-1525 que Jean Lafond situe également dans la mouvance parisienne. Pourtant, à notre grande surprise, les liens avec Paris ne sont guère évidents. Qu'y-a-t-il de commun entre les personnages massifs serrés dans leur encadrement architectural des verrières de la vie de la Vierge (baie 3) à Ferrières-en-Gâtinais et leurs homologues parisiens ?

En revanche, la piste, elle aussi donnée par Jean Lafond, qui nous guide à la collégiale de Saint-Martin de Champeaux, en Seine-et-Marne[33], apparaît vraiment probante. Même si nous ne retrouvons pas dans la vie de la Vierge (baie 7, début du XVIe siècle), ou dans le vitrail de saint Nicolas (baie 13. 1508) des modèles attestés à Paris, le langage (type des personnages, architectures) est comparable, avec ici un caractère plus populaire. Il en est autrement pour les rois de l'Arbre de Jessé (baie 3. Début du XVIe siècle). Bien que tassés dans leur baie probablement à la suite d'un regroupement, et fort restaurés, ils ont bien des points communs avec leurs homologues de la gravure des livres d'heures imprimés par Pigouchet[34]: ce sont les mêmes attitudes, les mêmes visages larges et farouches, fortement barbus, les mêmes coiffures avec les couronnes posées sur des chapeaux à larges revers.

Bien plus loin de Paris, en Bourgogne, les travaux du Recensement ont identifié au château de Lux (Côte-d'Or) la partie supérieure d'une scène de la Naissance de la Vierge (?) vraisemblablement d'origine parisienne[35]. La confrontation avec la scène équivalente de Saint-Etienne-du-Mont en donne la quasi-certitude : même schéma de composition, mêmes types de visage, même goût pour le détail du décor, souligné par la présence d'une image pieuse pendue à la courtine du lit. Une évidente parenté technique, surtout avec la verrière de Marie-Madeleine à Saint-Gervais et l'ensemble des verrières nord de Saint-Merry, également nette, précise, comme d'une extrême délicatesse, apporte les éléments décisifs qui prouvent l'origine parisienne de ce panneau; il manque de connaître avec exactitude l'édifice auquel il était primitivement destiné.

L'attribution à Paris du vitrail de Joseph de l'église Saint-Pierre-le-Rond à Sens (Yonne. Baie 7, vers 1510), proposée par F. Gatouillat[36], est beaucoup plus importante. Elle n'est pas sans surprendre à Sens en ce début du XVIe siècle, où rivalisent verriers troyens et verriers sénonais, chargés de très importantes commandes pour la cathédrale Saint-Etienne. Les scènes du vitrail de saint Joseph à Saint-Pierre-le-Rond n'ont pas ou n'ont plus leur équivalent parisien, mais leur origine ne fait pas de doute. Les sols couverts d'une herbe grasse rendue comme un tapis de verdure, la silhouette des arbres cernée de feuilles de contour à la grisaille, les lointains, maisons aux pignons triangulaires, bergers et leurs moutons, haies d'arbustes traitées avec la plus grande délicatesse en grisaille et jaune d'argent sur bleu ont leur équivalent à Saint-Etienne-du-Mont ou à Elbeuf dans la scène de l'Annonce à Joachim. Les costumes et les types de visages sont parisiens aussi. Le Joseph de la scène où il est vendu par ses frères à Sens n'est-il pas le frère du jeune garçon dans le vitrail de saint Jean-Baptiste à Saint-Merry (lancette gauche) ? Plus encore, les visages de Jacob et des frères de Joseph très « carrés », ou allongés avec leurs fortes barbes, sont la marque même d'un « type » parisien, servis par une exécution de haute qualité, avec des coupes hardies et une peinture modelée de main de maître.

A proximité de Paris, en Normandie surtout, mais bien ailleurs aussi dans le Centre, en Bourgogne où nos investigations n'ont été que fort sommaires, se fait sentir le rayonnement de Paris, lieu d'activité majeur dans la France du début de la Renaissance. Une telle production avec d'évidents caractères communs, mais aussi avec de nombreuses variantes ne peut plus se réfugier derrière un masque. Le « Maître de la Vie de saint Jean-Baptiste » a utilement prêté son nom permettant de regrouper des œuvres parentes. Ces œuvres retrouvent aujourd'hui une parcelle de leur véritable identité mais perdent leur nom de convention.

NOTES

1. L. Brochard, *Saint-Gervais. Histoire du monument d'après de nombreux documents inédits,* Paris, 1938, pp. 38-39, 113-117 et 252-254.
2. *Ibid.*, p. 116-117. Biblio. nat., papiers Clairambault, ms. 945, fol. 204 (portrait de Jean de Carmone) et H. Bouchot, *Inventaire des dessins exécutés pour Roger de Gaignières...,* Paris, 1891, n° 4471.
3. Notes mss. de J. Lafond, coll. part.
4. C. Baloche, *Eglise Saint-Merry de Paris. Histoire de la paroisse et de la collégiale 700-1910,* Paris, 1912, t. II, pp. 426-427. *Les vitraux de Paris... CVMA Recensement I,* Paris, 1978, pp. 54-57 et L. de Finance, « L'église Saint-Merry et ses vitraux », dans *Bulletin de l'Association pour le Paris historique,* n° 54, 1984, pp. 1-3.
5. Cette méthode mise au point pour une approche des vitraux troyens du début du XVIe siècle a déjà donné de nombreux et fructueux résultats. Cf. M. Hérold, « Cartons et pratiques d'atelier en Champagne méridionale dans le premier quart du XVIe siècle », dans *Mémoire de verre. Vitraux champenois de la Renaissance,* Châlons-sur-Marne, 1990, p. 60-81 (Cahiers de l'Inventaire, n° 22).
6. *Cf. supra,* p. 62.
7. J. Lafond, « La Renaissance » dans *Le Vitrail français,* Paris, 1958, p. 249 et F. Perrot, *Le Vitrail à Rouen,* Rouen, 1972, p. 30 et note 49.
8. G. Souchal, « Un grand peintre français de la fin du XVe siècle : le Maître de la Chasse à la licorne », dans *Revue de l'art,* n° 22, 1973, p. 37.
9. L'intervention d'Antoine Roussel sur le vitrail de saint Claude (baie 109) est documentée *cf.* G.-M. Leproux, *Recherches sur les peintres-verriers parisiens de la Renaissance,* Genève, 1988, p. 55. Nous observons qu'il a refait à neuf les panneaux du tympan, de même facture que la Pentecôte voisine (baie 111), exécutée par lui. Par analogie avec ces œuvres documentée nous lui attribuons le tympan du vitrail de la Vierge et plusieurs interventions dans les panneaux exécutés vers 1500, en particulier dans la scène de la Mort de la Vierge.
10. Le soubassement d'architecture et la scène de l'Assomption de la Vierge sont entièrement du XIXe siècle.
11. F. Farin, *Histoire de la ville de Rouen,* Rouen, 1738, t. II, pp. 132-153, évoque une importante série de vitraux offerts en 1506-1507 pour le bas-côté sud de l'église; le vitrail de la Vie de la Vierge en fait certainement partie.
12. *Cf.* M. Hérold, Notice manuscrite destinée au *Recensement des vitraux anciens de la France. Haute-Normandie.*
13. *Ibid.*, notice par M. Callias Bey.
14. *Cf.* J. Lafond, dans *Le Vitrail français,* 1958, p. 215 et F. Perrot, 1972, *op. cit.*, p. 37.
15. A. Claudin, *Histoire de l'imprimerie en France au* XVe et au XVIe siècle, Paris, 1900-1914, t. I et II et *Histoire de l'édition française. Le livre conquérant. Du Moyen Age au milieu du* XVIIe siècle, Paris, 1982, pp. 169-215.
16. Biblio. nat., Rés. Imp. Vélins 2862 et Vélins 1547.
17. G. Souchal, « Un grand peintre français de la fin du XVe siècle : le Maître de la Chasse à la licorne », dans *Revue de l'art,* n° 22, 1973, p. 37.
18. Paris, Biblio. nat., Ms. , Nouv. acq. lat. 3120.

19. G.-M. Leproux, *op. cit.*, 1988, pp. 35-40 et pièces justificatives.

20. M. Hérold, *op. cit.*, 1990.

21. Ce texte mentionné par Jean Lafond dans l'une de ses premières études consacrées à Arnoult de Nimègue, « Etudes su l'art du vitrail en Normandie. Arnoult de la Pointe, peintre et verrier de Nimègue... », dans *Bulletin de la Société des amis des monuments rouennais,* 1911, p. 147, mérite d'être cité ici : « Payé à Gaultier de Camyes (?) demeurant à Paris, pour avoir faict les patrons (des verrières) contenant 26 aunes (il s'agit vraisemblablement de grands patrons sur toile), à 40 sous l'aune, 52 livres 13 sous. A ung paintre, pour avoir prins le pourtraict (dessin) des verrières de Saint-Etienne-des-Tonneliers, pour envoyer à Paris, 17 sous 6 deniers ». Arch. dép., Seine-Maritime, G 6558, Comptes de la fabrique de Saint-Etienne-la-Grande-Eglise pour 1515-1518. Cité d'après Ch. de Robillard de Beaurepaire, *Inventaire sommaire des archives départementales antérieures à 1790. Archives ecclésiastiques série G,* T. V, Rouen, 1892, p. 105.

22. R. de Lespinasse, *Les Métiers et corporations de la ville de Paris,* II, 1892, pp. 745-750 et G.-M. Leproux, *op. cit.*, 1988, p. 7. Vers 1500 les verriers rouennais ne disposent d'aucune organisation comparable à celle de Paris ou de Lyon. Ils ne sont pas intégrés à la corporation des peintres et imagiers instituée en 1507. Ch. Ouin-Lacroix, *Histoire des anciennes corporations d'arts et métiers et des confréries religieuses de la capitale de la Normandie,* Rouen, 1850, pp. 257-261 et 712-714.

23. J. Lafond, *Le Vitrail français,* Paris, 1958, pp. 215-216.

24. *Ibid.*, p. 250.

25. Arch. dép. Seine-Maritime, G 6614 et G 6615. Comptes de la fabrique de l'église Saint-Godard de Rouen pour 1527-1538 et pour 1538-1548. Cité d'après Ch. de Beaurepaire, *op. cit.*, t. V, 1892, p. 135.

26. R. de Lespinasse, *Les Métiers et corporations de la ville de Paris,* II, 1892, p. 747.

27. G.-M. Leproux, *op. cit.*, 1988, p. 12.

28. *Ibid.*, pièces justificatives.

29. J. Lafond, « La Cananéenne de la cathédrale de Bayonne et le vitrail parisien aux environs de 1530 », dans *Revue de l'art,* n° 10, pp. 77-84.

30. J. Lafond, « La Renaissance », dans *Le Vitrail français,* Paris, 1958, pp. 249-250.

31. *Les Vitraux du Centre et des Pays de la Loire, Corpus Vitrearum Recensement* II, Paris, 1981, p. 75.

32. *Ibid.*, pp. 90-91.

33. *Les Vitraux de Paris, de la Région parisienne, de la Picardie et du Nord-Pas-de-Calais, Corpus Vitrearum Recensement* I, 1978, pp. 91-94.

34. Reproduit dans G. Souchal, *op. cit.*, 1973, p. 42.

35. *Les Vitraux de Bourgogne, Franche-Comté et Rhône-Alpes, Corpus Vitrearum Recensement* III, pp. 18 et 54-55.

36. *Ibid.*, pp. 18 et 186-188.

VIE DE MARIE-MADELEINE.
Eglise Saint-Gervais, baie 15.
Paris, vers 1494-1503.
Baie à 4 lancettes trilobées, avec tympan à 3 soufflets, 4 mouchettes et 6 écoinçons.
H. 8 m - L. 4 m environ.

ICONOGRAPHIE

Les lancettes sont aujourd'hui en verre blanc à l'exception des trilobes qui conservent la partie supérieure de quatre scènes narratives, deux dans un décor intérieur, deux dans un paysage. Nous remarquons dans la lancette la plus à droite un mât de navire sur fond de ciel bleu, qui se raccordait vraisemblablement à un panneau conservé au musée du Petit Palais à Paris, mais non retrouvé: Marie-Madeleine bénissant le comte et la comtesse de Provence embarquant pour Rome dans le port de Marseille. Les scènes perdues des lancettes illustraient probablement d'autres moments de la vie de la sainte, en rapport avec le vocable de la chapelle, dédiée à Marie-Madeleine et à Notre-Dame-de-Pitié, l'histoire se poursuit dans le tympan. Ce sont sept scènes fidèles au récit de la Légende dorée : le comte de Provence à son retour de Rome retrouve vivants sa femme et son fils dans l'île où ils avaient été laissés (soufflet inférieur gauche); Baptême du comte de Provence et de sa famille par saint Maximin (soufflet inférieur à droite); Ravissement de Marie-Madeleine (2e mouchette en partant de la gauche); Dernière communion de la sainte (1re mouchette); Mort de Marie-Madeleine (3e mouchette); Apparition à un prisonnier enchaîné (4e mouchette); Père éternel reçoit l'âme de

Saint-Gervais, baie 15. Vie de sainte Marie-Madeleine (vers 1494-1503), détail : Mort de la sainte.

Marie-Madeleine (soufflet supérieur). Quatre anges adorateurs et deux anges musiciens occupent les écoinçons.

CONSERVATION
Les lancettes ont perdu l'essentiel de leur décor. En revanche, les panneaux restés en place, bien protégés par le réseau de pierre, apparaissent excellemment conservés. Les pièces de restauration sont ici fort rares et la grisaille en bon état.

HISTORIQUE
Deux dessins de la Bibliothèque nationale, l'un dans les papiers Clairambault, l'autre dans le fonds Gaignières, nous montrent les donateurs de ce vitrail. Il s'agit de Christophe de Carmone (+ 1507), premier marguillier de l'œuvre de la fabrique de 1493 à 1496, maître des requêtes ordinaire de l'Hôtel du Roi, etc., qui s'est assuré la possession de la chapelle dès le début des travaux en 1494, et de sa première épouse Radegonde de Nanterre, morte avant 1504, date du remariage de Christophe de Carmone. La datation vers 1500, habituellement attribuée à cette verrière, demeure ainsi tout à fait valable. En revanche, nous ignorons la date de la disparition des panneaux des lancettes, où l'on trouvait au registre inférieur à gauche Radegonde de Nanterre et sainte Radegonde, au même registre à droite Christophe de Carmone présenté par saint Jean-Baptiste. Ces panneaux furent-ils supprimés en 1740 lors de la transformation de la chapelle, annexée à la grande sacristie ?

TECHNIQUE ET STYLE
Le vitrail de Marie-Madeleine est l'œuvre d'un atelier parisien auquel nous avons pu attribuer aussi l'ensemble des verrières nord de la nef de l'église Saint-Merry. Il y a en effet emploi répété de patrons à grandeur pour les scènes communes aux deux églises, qui partagent aussi les mêmes principes picturaux. Dans l'atelier de la Vie de Marie-Madeleine la grisaille est posée très délicatement : pour les visages un léger lavis de grisaille tirant sur le roux, éclairci encore à la brosse, tient lieu de support aux traits peu appuyés mais nets, parfois en virgule ou en pointillé, et aux hachures parallèles indiquant des ombres discrètes. La palette brillante et vive, mais sans verre précieux, est enrichie encore par le jaune d'argent, posé cependant sans virtuosité particulière, même s'il est souvent associé au verre bleu des fonds. Il est en résulte des compositions claires et harmonieuses, vivement colorées et d'une grande élégance.

BIBLIOGRAPHIE
L. Brochard, *Saint-Gervais. Histoire du monument d'après de nombreux documents inédits*, Paris, 1938, pp. 38-39, 114-117 et 252-254. *Les Vitraux de Paris... C.V.M.A. Recensement* I, Paris, 1978, p. 49.

M. H.

Saint-Merry, baie 121.
Vie de saint Jean-Baptiste (vers 1500), détail : le Festin d'Hérode.

VIE DE SAINT JEAN-BAPTISTE.
Eglise Saint-Merry, baie 121.
Paris, vers 1500.
Baie à 4 lancettes trilobées, avec tympan à 5 soufflets et 6 écoinçons.
H. 9 m - L. 4,60 m.

HISTORIQUE
La nef de l'église Saint-Merry n'est pas datée avec précision : on la suppose seulement achevée en 1520. Par chance l'étroite parenté entre les verrières nord et la verrière de sainte Marie-Madeleine à Saint-Gervais donne un point de repère sûr. D'une exécution semblable, avec emploi de patrons à grandeur repérés aussi dans le vitrail de la Vie de Marie-Madeleine à Saint-Merry, la verrière de Saint-Gervais a pu être située entre 1494 et 1503. Une datation vers 1500 semble donc convenir aussi pour les verrières nord de la nef de Saint-Merry. Comme tous les vitraux de la nef, le vitrail de la Vie de saint Jean-Baptiste est aujourd'hui incomplet. Il a été victime de la campagne d'« éclaircissement » réalisée en 1741 par Pierre Le Vieil à l'initiative du chapitre. Les deuxième et troisième lancettes perdirent alors l'ensemble de leurs panneaux de couleur et les première et deuxième lancettes les panneaux de leur registre inférieur, au profit de simples losanges de verre blanc. Fort heureusement, les campagnes de restauration des XIXᵉ et XXᵉ siècles furent moins catastrophiques. Elles apparaissent en fait assez peu sensibles dans les verrières nord de la nef.

ICONOGRAPHIE
Dans la lancette de droite, le personnage de saint Jean-Baptiste est aisément identifiable à son physique ascétique, mais surtout à son sévère costume de poils de chameau bien caractéristique : il s'agit ici de sa Comparution devant Hérode. En revanche, le personnage est absent de la lancette de gauche. Ces derniers panneaux ont-ils été rapportés d'une autre verrière ou composent-ils seulement la moitié d'une scène conçue sur deux lancettes ? L'histoire de saint Jean-Baptiste se poursuit cependant dans les ajours du tympan, preuve que la verrière lui était bien consacrée, avec les scènes suivantes : saint Jean-Baptiste mis en prison, Décollation, Salomé apporte à Hérode et à Hérodiade la tête du saint, Ensevelissement, les ossements de saint Jean-Baptiste sont brûlés. Quatre anges en prière et deux anges musiciens, occupant traditionnellement les écoinçons du tympan, complètent la verrière.

CONSERVATION
Peu restauré, le vitrail de la Vie de saint Jean-Baptiste est surtout fort incomplet. Il est aussi très dégradé, la grisaille étant dans l'ensemble gravement usée, voire lacunaire.

TECHNIQUE ET STYLE
A la différence de ses voisins, il ne contient aucun verre à filets colorés rouges. En revanche, le vitrail de la Vie de saint Jean-Baptiste partage avec toutes les verrières nord de

Paris, musée national du Moyen Age. Perdrix rouges (vers 1500).

Saint-Merry un même système de coloration claire et éclatante pour les lancettes, très blanche pour les panneaux du tympan, où les verres de couleur sont minoritaires. Il n'en est pas ainsi dans le vitrail de Marie-Madeleine à Saint-Gervais, où les panneaux du tympan présentent une palette soutenue, associée à une peinture de qualité. A Saint-Merry, en revanche, l'exécution est nettement plus soignée dans les lancettes que dans le tympan. La scène de Comparution de saint Jean-Baptiste devant Hérode, bien conservée, frappe par sa haute qualité : barlotière forgée pour ne pas « traverser » la tête de saint Jean-Baptiste, coupe des verres virtuose, par exemple pour les bras et mains du saint, et surtout remarquable travail de peinture. Le lavis de fond brun-roux est nettement plus consistant pour les têtes masculines que pour Salomé, travaillé à la brosse dure et à l'aiguille. Il porte des traits marqués, en grisaille presque noire, et un travail de hachures soutenu pour les ombres. Pour les cheveux, le lavis est plus épais encore; les enlevés au petit bois se combinent alors pour indiquer très fort chaque mèche. Toujours posé sans virtuosité, le jaune d'argent, couleur citron, est associé fréquemment au verre bleu et à la grisaille. Il en est ainsi pour le paysage de la lancette de gauche, d'une grande et subtile poésie. Le vitrail de saint Jean-Baptiste à Saint-Merry est assurément parisien. On y trouve un langage en bien des points équivalent à celui des verrières de Conches ou de Bourg-Achard en Normandie, qui ont valu son nom au « Maître de la Vie de saint Jean-Baptiste ». Peut-être aurions-nous trouvé dans les six scènes de Saint-Merry perdues, des sujets, des schémas, voire des patrons à grandeur communs ? Il nous manque ici des jalons essentiels, et sans équivalents, qui auraient peut-être permis d'attribuer à Paris plus d'une verrière normande.

BIBLIOGRAPHIE

J. Lafond, *Le Vitrail français,* Paris, 1958, pp. 249-250. *Les Vitraux de Paris... CVMA, Recensement* I, Paris, 1978, p. 56.

M. H.

PERDRIX ROUGES.
Paris, musée national du Moyen Age, Thermes de Cluny (inv. CL. 1050).
Paris ou Rouen.
Vers 1500.
H. 0,22 m - L. 0,74 m.

HISTORIQUE

Le panneau aux perdrix est signalé dès 1843 dans la collection du Sommerard; il est alors monté dans une baie de la chapelle de l'hôtel de Cluny. On peut le voir aujourd'hui exposé dans la galerie de vitraux du premier étage du musée. Nous avions cru son origine identique à celle d'autres fragments conservés dans les réserves du musée national de la Renaissance à Ecouen, un lièvre couché dans l'herbe, un lion dans une « forêt » et un chien (inv. Ec. 224 et 226), tant leur parenté iconographique, stylistique et surtout technique est grande. Or, les vitraux d'Ecouen, provenant d'Epinay-sur-Seine (?) (Seine-Saint-Denis), sont entrés dans les collections publiques seulement dans les années 1960. Il s'agit pourtant, comme les perdrix du musée de Cluny, de ces types d'animaux qui peuplent en abondance les tapisseries à « mille fleurs » de la fin du xve siècle. Autour de 1500, perdrix, lièvres et autres animaux disposé dans une herbe épaisse et fleurie, détaillés avec minutie, occupent aussi habituellement le sol des vitraux que J. Lafond regroupe sous le nom de « Maître de la Vie de saint Jean-Baptiste ». Les perdrix du musée de Cluny ont donc leur équivalent, par exemple à Bourg-Achard (Eure) ou à Saint-Romain de Rouen dans les suites de la vie de saint Jean-Baptiste. Il s'agit de véritables « poncifs » souvent répétés et fréquemment d'après les mêmes patrons, comme on l'observe pour deux des perdrix du panneau de Cluny. Ces animaux, perdrix, lièvres, chiens ou autres qui « meublent » les premiers plans de bon nombre de verrières parisiennes ou normandes de la fin du XVe siècle, sont promis à une grande longévité : ne les retrouve-t-on pas encore dans le Baptême du Christ exécuté en 1540 par Jean Chastellain pour le chœur de l'église Saint-Etienne-du-Mont à Paris ?

Paris ou la Normandie ? Avec les perdrix du musée de Cluny, on s'interroge une fois encore sur l'origine des vitraux attribués au groupe dit du « Maître de la Vie de saint Jean-Baptiste ». Une esquisse de réponse est proposée dans le second chapitre du présent ouvrage avec une « option » pour Paris, mais il n'est pas possible de trancher lorsqu'il s'agit seulement d'un fragment d'origine inconnue.

ICONOGRAPHIE

Deux couples de perdrix rouges picorent ou marchent dans l'herbe grasse.

CONSERVATION

Ce petit panneau appartenait primitivement à une verrière monumentale d'où il a été extrait. Il est presque exclusivement composé de pièces anciennes, mais beaucoup d'entre elles, surtout pour le fond de verdure, n'occupent pas leur emplacement d'origine, soit qu'il s'agisse de bouche-trous, ici fort nombreux, soit que les pièces aient été mal remontées. Par exemple, la pièce à l'angle supérieur gauche du panneau, avec ses deux chefs-d'œuvre, est disposée tête en bas. Par ailleurs, de nombreux plombs de casse en compliquent la lecture. La grisaille est ponctuellement dégradée.

TECHNIQUE

Pièces d'origine ou bouche-trous du fond de verdure sont faits de plantes rendues avec beaucoup de détails par enlevés à la brosse et au petit bois dans le lavis de fond blaireauté. Il y a au moins deux nuances de vert pour les pièces du fond qui occupent leur emplacement d'origine. Deux pièces en bouche-trous sont en grisaille et jaune d'argent sur verre bleu. Les deux fleurs, dans l'angle supérieur gauche du panneau, sont montées en chef-d'œuvre. Un même patron retourné a été utilisé pour la deuxième et la quatrième perdrix. Le corps des oiseaux est peint avec beaucoup de soin : lavis de grisaille putoisé brun pour les parties ombrées, ou roux, travaillé à la brosse et au petit bois, larges traits en virgules parallèles de grisaille rousse pour le rendu des plumes, grisaille sur la face externe.

BIBLIOGRAPHIE

F. Perrot, *Catalogue de vitraux religieux du musée de Cluny,* thèse de 3e cycle de l'Université de Dijon, 1972, fasc. IV, pp. 210-211.

M. H.

▲ *b. Sens (Yonne), église Saint-Pierre-le-Rond, baie 7. Histoire de Joseph (vers 1510), détail : Joseph vendu par ses frères.*

◀ *a. Nogent-le-Roi (Eure-et-Loir), église Saint-Sulpice, baie 5. Vie de sainte Marie-Madeleine (vers 1500), détail : Marie-Madeleine distribuant ses bijoux.*

1520-1620

Le Maître de Montmorency

GUY-MICHEL LEPROUX

LE MAÎTRE DE MONTMORENCY, FORTUNE CRITIQUE

ETUDIANT les vitraux de la collégiale Saint-Martin de Montmorency à l'occasion de la restauration qui lui avait été confiée en 1878, Lucien Magne avait estimé à six le nombre d'ateliers ayant participé au vitrage de l'édifice. Celui qui avait réalisé les trois verrières de l'abside se rattachait, selon lui, aux traditions du siècle précédent. Parmi les vitraux du chœur, il isolait le vitrail offert par Charles de Villiers comme une œuvre originale d'Engrand Le Prince, ainsi que le vitrail des Alérions et celui d'Odet de Châtillon, et attribuait les six autres à un même atelier, dirigé par celui que Jean Lafond baptiserait plus tard le « Maître de Montmorency ». Enfin, il donnait les deux verrières de la nef, plus tardives et d'un style bien différent, à un sixième peintre-verrier[1].

Lucien Magne fut le premier à remarquer la ressemblance entre la Marie-Cléophas du vitrail des Alérions et la fausse mère du Jugement de Salomon de l'église Saint-Gervais de Paris, vitrail qui porte le chronogramme de 1531[2]. Cependant, puisqu'il considérait les Alérions comme une œuvre à part sans rapport avec les autres verrières de l'église, il n'avait pas poussé davantage le rapprochement entre ces deux édifices. L'atelier principal de Montmorency restait donc, pour quelque temps encore, dans les limites de la collégiale Saint-Martin.

En 1958, dans le chapitre consacré à la *Renaissance du Vitrail français,* Jean Lafond réexaminait la question. Il définissait, pour le premier quart du XVIe siècle, deux grands ateliers parisiens, celui du « Maître de la Vie de saint Jean-Baptiste », et celui, précisément, du « Maître de Montmorency »[3]. A ce dernier, il attribuait, outre sept verrières de la collégiale Saint-Martin — les six de Lucien Magne plus le vitrail des Alérions — le Repas chez Simon et la Transfiguration de l'église Saint-Martin de Triel (Yvelines), où il avait remarqué le remploi de damas caractéristiques de l'atelier et la ressemblance entre la figure de la Madeleine de la Pietà offerte par François de La Rochepot à Montmorency et celle du Repas chez Simon. Enfin, comme Lucien Magne, il constatait la similitude entre la fausse mère du Jugement de Salomon de l'église Saint-Gervais et la Marie-Cléophas de Montmorency et arrondissait ainsi le lot de l'atelier, puisqu'il reconnaissait aussi à celui-ci la paternité du vitrail des Alérions. Entretemps, N. Beets avait d'ailleurs retrouvé au British Museum un dessin dont s'était partiellement inspiré l'auteur des deux vitraux[4]; attribué un temps à Dirck Vellert, ce dessin fut par la suite rendu à Jan de Beer par Friedländer[5]. On pouvait ainsi « suivre pendant près de dix ans la carrière d'un grand peintre-verrier dont le séjour à Paris n'est certainement pas demeuré sans conséquence » comme l'écrivait Jean Lafond qui semblait donc envisager l'hypothèse d'une origine étrangère du Maître de Montmorency[6].

LA VIE DE LA VIERGE DE SAINT-GERVAIS

En fait, c'est sur une bien plus longue période que l'on peut suivre la production de cet atelier. Le premier jalon précisément daté se situe à Paris, dans l'église Saint-Gervais : près de quinze ans avant de peindre le Jugement de Salomon, le Maître de Montmorency avait en effet vitré les cinq baies de la chapelle d'axe de l'église, dédiée à la

◀ *Bayonne, cathédrale. La Prière de la Cananéenne (1531), détail.*

Saint-Gervais, baie 1: Rencontre à la porte Dorée (1517).

Vierge, dont la clef de voûte porte la date de 1517, date qui s'applique selon toute vraisemblance aux parties anciennes des verrières conservées.

Deux d'entre elles, qui éclairent la travée droite de l'abside, sont presque entièrement modernes : leurs lancettes sont garnies de décors géométriques exécutés dans la manufacture de Choisy-le-Roy entre 1840 et 1845. Le tympan de la fenêtre nord (baie 3) contient les fragments d'un Arbre de Jessé ancien (La Vierge et deux rois) complété en 1841 par trois rois de Caspar Gsell (David, Salomon, Jacob), tandis qu'au sud (baie 4) on trouve un Couronnement de la Vierge également très restauré[7]. En revanche, les trois vitraux du fond de la chapelle, quoique n'ayant pas non plus été épargnés par Gsell et son successeur Henri Carot, présentent un aspect homogène et plus harmonieux.

La première fenêtre est consacrée à Anne et Joachim (baie 1). On y voit aujourd'hui, de gauche à droite et de bas en haut : l'Offrande d'Anne et Joachim, Anne et Joachim sortant du Temple, l'Annonce à sainte Anne et enfin la Naissance de la Vierge. Cette dernière scène est entièrement moderne, et l'on peut suivre le chanoine Brochard[8] lorsqu'il suggère que la scène primitive devait être l'Annonce à Joachim, qui effectivement serait mieux venue, d'autant que la Rencontre à la porte dorée est figurée dans les ajours du tympan.

Plus encore que celle de sa voisine, l'iconographie de la verrière d'axe a été modifiée de façon absurde par les restaurateurs du XIXe siècle (baie 0). Le registre supérieur, qui représente Marie au Temple et le Mariage de la Vierge, est correctement conservé[9], mais les deux scènes sont inversées. Au registre inférieur, la Déposition et la Dormition de la Vierge ont été fabriquées en 1845 d'après des cartons de Gsell. Elles remplacent certainement une ancienne Nativité de la Vierge et une Présentation au Temple, et sont masquées aujourd'hui par un retable néo-gothique. Dans le tympan, seule l'Annonciation, en partie ancienne, est à sa place : les autres soufflets, notamment la Vierge à l'Enfant, sont des extrapolations modernes.

La fenêtre suivante, au sud, est la mieux conservée (baie 2). Elle contient, dans la lancette de gauche, la Visitation et le Doute de saint Joseph, cette dernière scène étant scindée en deux épisodes : au premier plan un ange rassure Joseph, qui, dans le lointain, présente ses excuses à Marie. Dans la lancette de droite, une Nativité surmonte la présentation des donateurs — un couple et ses deux enfants — par la sainte Vierge. Une Annonce aux bergers, d'excellente facture, occupe les ajours du tympan.

Les liens avec Montmorency sont évidents : on observe le remploi de plusieurs modèles, notamment dans les architectures et les éléments décoratifs, et même d'un carton à échelle d'exécution, celui de l'ange de l'Annonce aux Bergers : le peintre-verrier l'a réutilisé sept ans plus tard dans le vitrail offert par Gaspard de Coligny et Louise de Montmorency à la collégiale Saint-Martin. Deux modèles de damas sont aussi communs aux deux édifices : l'un, formé d'un tortil de roses héraldiques et de guirlandes de fruits et l'autre de grotesques — chimères et dauphins affrontés — que l'on trouve respectivement dans la Vierge au Temple et dans le Mariage de la Vierge, sont parfaitement superposables à ceux de Montmorency dans le vitrail de François de La Rochepot et de Gaspard de Coligny pour le premier, des Gouffier et de François de Dinteville pour le second. Cette identité parfaite suppose l'emploi de mêmes modèles, calqués ou reproduits à l'aide de poncifes. On retrouve d'ailleurs ces damas dans des œuvres plus tardives de l'atelier.

On distingue déjà, dans l'abside de Saint-Gervais, les principales caractéristiques de l'atelier du Maître de Montmorency : nombreux enlevés au petit bois pour éclaircir les chevelures, utilisation abondante du jaune d'argent pour créer des rehauts de lumière, dessin très appuyé de la paupière, variété des expressions. En revanche, on ne trouve pas, dans la Vie de la Vierge, de ces gros traits de grisaille de plusieurs millimètres d'épaisseur qui se substituent aux plombs pour marquer un profil, comme celui de la Madeleine dans la Pietà de François de Montmorency, et les influences flamandes s'y font moins sentir que dans les œuvres postérieures, sans doute en raison du caractère traditionnel du sujet traité : des modèles anciens de la Vie de la Vierge existaient certainement dans le fonds de l'atelier, et la compo-

Saint-Gervais, baie 0, Vie de la Vierge (1517), détail : Mariage de la Vierge; la Vierge au Temple. ▶

sition de la plupart des scènes ne diffère guère, dans son esprit, de celle des autres verrières exécutées à Paris sur le même sujet au début du siècle.

LA VIE DE SAINTE AGNÈS DE SAINT-MERRY

Peut-être est-il possible de remonter plus haut encore dans la production de l'atelier. Dans la nef de Saint-Merry, certainement vitrée avant la chapelle d'axe de Saint-Gervais[10], le vitrail de sainte Agnès présente en effet de nombreux points communs avec certaines œuvres du Maître de Montmorency. C'est du reste une verrière assez curieuse, traditionnellemnt datée de 1520 mais certainement plus ancienne, qui, parmi nombre d'archaïsmes qui la rattachent à la production parisienne des premières années du siècle, laisse apercevoir çà et là l'influence de modèles flamands d'un style plus avancé.

Du vitrail primitif, il ne subsiste, dans les lancettes, que deux scènes sur huit : les quatre premiers épisodes de la vie de la jeune vierge ont disparu. Ils étaient certainement inspirés, comme les suivants, de la Légende dorée : le fils du préfet Symphronius aperçoit Agnès et s'en éprend. Il lui offre des bijoux, qu'elle refuse. Sommée par le préfet de choisir entre un sacrifice aux dieux et le déshonneur, Agnès refuse d'abjurer sa foi. Dans la première scène conservée, la cinquième du vitrail primitif, Symphronius ordonne de conduire la sainte, dépouillée de ses vêtements, dans un lupanar. Aussitôt, le Seigneur protège la nudité d'Agnès en couvrant son corps d'une épaisse chevelure. Les deux scènes suivantes, sans doute la sainte en prière dans le lieu de débauche et le diable étranglant le fils du préfet, font partie des panneaux supprimés[11]. En revanche, la résurrection du jeune homme en présence de son père est encore visible dans le registre supérieur de la lancette de droite. Dans le tympan, trois scènes complètes sur six sont conservées : Aspasius, suppléant du préfet, tente de faire périr la sainte sur un bûcher, mais les flammes se séparent pour épargner Agnès et brûler la foule hostile; puis Aspasius fait trancher la gorge de la sainte; au registre supérieur, on trouve un fragment de la Lapidation d'Erémentienne, sœur de lait d'Agnès, qui seule avait eu le courage d'assister à ses obsèques, et, dans le soufflet voisin, sainte Agnès, entourée d'un chœur de vierges étincelant d'habits d'or, apparaît à ses parents qui veillaient son tombeau : « gardez-vous de pleurer ma mort, réjouissez vous au contraire avec moi et me félicitez de ce que j'occupe un trône de lumière avec toutes celles qui sont ici », leur dit-elle. La scène serait d'un bel effet si elle n'était gâchée par l'adjonction d'une moitié d'ange en bouche-trou au milieu du chœur des vierges.

Ces quelques fragments suffisent à mesurer ce que ce vitrail doit à l'influence de modèles flamands, influence qu'on ne retrouve pas ailleurs dans la nef de Saint-Merry et qui est particulièrement sensible dans le traitement des vêtements, enrichis de damas, de cols et revers de fourrure, et dans le dessin de certaines figures, comme Aspasius ou le préfet Symphronius; le visage de ce dernier est très proche, par exemple, du roi Hérode d'un dessin du Louvre attribué à Jan de Beer (Hérodiade touchant de son couteau le tête de saint Jean-Baptiste, inv. 18 874, *cf.* fig. p. 116). Certains types humains, propres à l'atelier, apparaissent dès cette époque et seront repris, avec davantage d'assurance, dans des œuvres postérieures : c'est le cas du préfet traité comme le sera, une quinzaine d'années plus tard, le roi Salomon vieux à Saint-Gervais. Les types féminins, représentés à Saint-Merry par les parentes de la sainte, à Montmorency par les saintes femmes de la Pietà et à Saint-Gervais par les suivantes de la Reine de Saba, sont aussi comparables. On notera encore l'autonomie acquise par certains personnages secondaires : l'un des assistants au meurtre de sainte Agnès, représenté de trois-quarts dos, la tête tournée vers son interlocuteur, aurait pu être placé à n'importe quel autre endroit du vitrail : seule compte ici la virtuosité du dessin, ce qui est nouveau dans la peinture sur verre parisienne. On retrouve d'ailleurs la même attitude, à peine plus travaillée, dans le tympan du vitrail de la Sagesse de Salomon. Les rapprochements sont plus convaincants encore lorsqu'ils concernent des scènes d'échelle comparable : ainsi dans les ajours de la Vie de la Vierge de Saint-Gervais, deux bergers barbus sont-ils peints de la même façon que le soldat casqué conduisant Agnès au lupanar, tandis qu'un troisième troque sa cornemuse contre une épée dans la Résurrection du fils du préfet (*cf.* fig. p. 171).

Enfin, c'est également dans la Vie de sainte Agnès qu'apparaît pour la première fois, sur le manteau du préfet et sur celui de son fils ressuscité, un modèle de damas composé d'un tortil de roses et de guirlandes de fruits, que le Maître de Montmorency a utilisé par la suite à la collégiale Saint-Martin, à Saint-Gervais, aussi bien dans la chapelle de la Vierge que dans le vitrail de Salomon, et à Triel dans le Repas chez Simon[12].

SAINT-MARTIN DE MONTMORENCY

Comme Lucien Magne et Jean Lafond, nous distinguerons plusieurs ateliers à Montmorency : la manière bien particulière d'Engrand le Prince ne se retrouve que dans la verrière de Charles de Villiers (baie 7). En revanche, malgré des restaurations qui les ont souvent dénaturées[13], au moins six verrières du chœur proviennent certainement d'un même atelier, comme le montrent, outre l'unité de facture, l'utilisation de mêmes poncifs et le remploi d'esquisses et même de cartons de l'une à l'autre : ce sont celles offertes par Anne de Montmorency (baie 3), par François de La Rochepot (baie 4), par Guy de Laval (baie 5), par Gaspard de Coligny et Louise

a. Saint-Merry, baie 124. Vie de sainte Agnès (vers 1510), détail du tympan : sainte Agnès, entourée d'un chœur de vierges, apparaît à ses parents qui veillaient son tombeau.

b. Saint-Merry, baie 124. Vie de sainte Agnès (vers 1510), détails des lancettes : Agnès conduite au lupanar; Agnès ressuscite le fils du préfet.

de Montmorency (baie 6), par les Gouffier (baie 8) et par François de Dinteville (baie 9). On peut conserver à l'atelier le vitrail des Alérions (baie 11), en considérant qu'il a pu être exécuté à une époque un peu plus tardive : en effet, seule, parmi les verrières de ce groupe, celle offerte par Anne de Montmorency peut être datée avec une certaine précision, puisque le donateur porte le collier de l'ordre de Saint-Michel, reçu en 1522, et qu'il n'est pas encore marié — il le sera en 1524. Les autres vitraux ont certainement suivi la progression des travaux du chœur, achevé en 1525, et celui des Alérions, situé au dessus de la porte latérale, dans la quatrième travée du bas-côté nord, peut avoir quelques années de moins : la verrière d'Odet de Châtillon (baie 10), qui lui fait face, est postérieure à 1533, date à laquelle le donateur, qui porte la

a et b. Montmorency, collégiale Saint-Martin, baie 4. Vitrail offert par François de La Rochepot, (vers 1524), détails : Marie-Madeleine et donateur présenté par sainte Françoise d'Amboise.

pourpre cardinalice, fut élevé à cette dignité. Il s'agit cependant d'une œuvre de moindre qualité qui ne peut être rattachée à la production du Maître de Montmorency.

L'autre groupe, constitué des trois fenêtres de l'abside, semble nettement plus archaïsant et se situerait plutôt dans la lignée des vitraux des fenêtres sud de la nef de Saint-Merry. L'exécution des grandes figures de saints est moins soignée que celle des vitraux des travées droites du chœur, même si, compte tenu de l'éloignement et de la différence d'échelle, certaines d'entre elles, ne sont pas d'un type très éloigné[14]. Il faut également remarquer que les portraits anciens des donateurs, notamment celui de Guillaume de Montmorency, sont remarquables et ne cèdent en rien par l'expression et la qualité technique à ceux des autres verrières.

SAINT-MARTIN DE TRIEL

A Triel, aux deux verrières attribuées par Jean Lafond à l'atelier, la Transfiguration et le Repas chez Simon, il convient d'en ajouter une troisième, l'Entrée du Christ à Jérusalem, d'une facture identique : certaines figures d'apôtres du Repas chez Simon s'y reconnaissent aisément et si, contrairement aux deux autres, elle ne comporte aucun des damas utilisés à Saint-Martin de Montmorency, on y retrouve en revanche deux petits personnages penchés par dessus une muraille, qui figuraient déjà dans l'architecture garnissant la tête de lancette du vitrail de Guy de Laval. Très librement inspirée de l'estampe de Dürer, qui a été utilisée ici davantage comme documentation iconographique que comme modèle proprement dit — seul le Christ et deux disciples sont encore reconnaissables — cette verrière annonce à plus d'un titre l'évolution future de l'atelier : pour la première fois, les lancettes ne sont pas traitées séparément, mais une seule scène couvre l'ensemble de la fenêtre, sans tenir compte des meneaux. La perspective est encore rudimentaire, seulement rendue par des différences d'échelle entre les personnages, mais on voit apparaître des compositions plus travaillées, avec des tentatives pour créer des liens entre les différents protagonistes par des gestes ou des regards, et la recherche de physionomies variées, facilitée par l'emploi de plusieurs teintes de grisaille. On observe également, comme à Saint-Gervais et à Montmorency, un emploi massif et raffiné de jaune d'argent. La Transfiguration et le Repas chez Simon présentent les mêmes caractéristiques, qui conduisent à dater les vitraux de Triel assez près de ceux de Montmorency, soit vers 1525, le vitrail de la Sagesse de Salomon daté de 1531 étant d'un style nettement plus avancé.

LA SAGESSE DE SALOMON DE SAINT-GERVAIS

Ce vitrail, exécuté en 1531 et placé dans l'une des chapelles sud du chœur de l'église Saint-Gervais, est le plus tardif attribué jusqu'ici au Maître de Montmorency. C'est aussi sans conteste le chef-d'œuvre de l'atelier, et il fera l'objet d'une étude particulière : sans doute en raison de sa situation, dans une fenêtre basse à portée des regards — et peut-être aussi des exigences de son donateur, qui demeure inconnu — c'est une verrière exécutée avec un soin exceptionnel. Certains visages sont peints avec une telle minutie que, jusqu'à leur examen en atelier à l'occasion de la récente restauration, plusieurs d'entre eux passaient pour des réfections du XIXe siècle[15]. C'est aussi la plus « flamande » des œuvres du Maître de Montmorency : plusieurs modèles ont pu être identifiés, et, comme on le verra, presque tous nous ramènent au maniérisme anversois des années 1520.

QUI ÉTAIT LE MAÎTRE DE MONTMORENCY ?

Ce sont ainsi quinze verrières que l'on peut attribuer à cet atelier, certainement le plus important de la région parisienne dans les années 1520-1530. Est-il possible de mettre un nom sur le peintre-verrier qui le dirigeait ? Plusieurs indices nous permettent d'avancer dans cette direction. Tout d'abord, on peut tenir pour certain qu'il s'agit d'un atelier parisien. En effet, si, pour les dernières années du XVe siècle, il est permis de s'interroger sur le degré d'application des statuts de 1467, dans le deuxième quart de XVIe siècle la question ne se pose plus. Tous les documents d'archives concordent : seul un ouvrier reçu maître « à Paris » est autorisé à exercer dans les limites de

Triel (Yvelines), église Saint-Martin, baie 14. Le Repas chez Simon (vers 1525), détail.

l'enceinte de la ville, conformément au premier article des statuts[16]. Le fait d'avoir travaillé pour les églises Saint-Merry et Saint-Gervais exclut donc toute implantation provinciale ou suburbaine de l'atelier.

Nous possédons par ailleurs des indications sur les peintres-verriers ayant travaillé à cette époque pour les Montmorency; l'un des vitraux de la collégiale Saint-Martin est signé d'un monogramme et daté: il s'agit d'une œuvre d'Engrand le Prince, peinte en 1524. C'est là, on l'a vu, la seule verrière que l'on puisse attribuer à cet artiste, dont le style est bien connu par ailleurs. Les archives des Montmorency, conservées au musée Condé, nous livrent deux autres noms, ceux de Jean Chastellain et de Jean de La Hamée. Le second est à exclure : il n'a été reçu à la maîtrise qu'en 1526, trop tard pour avoir participé aux travaux de Montmorency et à plus forte raison à ceux de la chapelle de la Vierge à Saint-Gervais[17]. En revanche, il existe une quittance donnée à Chastellain en 1528, relative certes à des ouvrages destinés au château de Chantilly, et non à la collégiale elle-même, mais qui permet au moins de savoir que Jean Chastellain travaillait pour Anne de Montmorency à une époque où le vitrage des fenêtres du chœur de l'église Saint-Martin devait être en voie d'achèvement, sinon déjà achevé[18]. Cet artiste, plus âgé que Jean de La Hamée, travaillait pour le Roi dès 1527, mais est connu essentiellement pour des réalisations postérieures à 1530, c'est-à-dire après que son passage sur les chantiers royaux, notamment à Fontainebleau, a infléchi son style au point de rendre difficilement reconnaissables ses œuvres antérieures, non documentées. Il faut donc, avant de pousser plus avant cette piste, étudier attentivement la production parisienne du deuxième quart du XVIe siècle pour la comparer à la dernière œuvre attribuée jusqu'ici à l'atelier, le vitrail de la Sagesse de Salomon de l'église Saint-Gervais, dont une récente restauration a permis l'examen minutieux en atelier.

Triel (Yvelines), église Saint-Martin, baie 14.
Le Repas chez Simon (vers 1525), détail : Marie-Madeleine.

NOTES

1. L. Magne, *Les Vitraux de Montmorency et d'Ecouen,* Paris, 1888, pp. 27-30.
2. *Ibid.* p. 39.
3. J. Lafond, « La Renaissance », dans *Le Vitrail français,* Paris, 1958, pp. 213-256, à la p. 250. Sur le Maître de la Vie de saint Jean-Baptiste, voir supra, pp. 62-81).
4. N. Beets, « Le peintre-verrier anversois Dirick Vellert et une verrière de l'église Saint-Gervais à Paris », dans la *Revue de l'Art ancien et moderne,* 1907, pp. 393-396.
5. M.J. Friedländer, *Die Alterniederländische Malerei,* t. XI, 1933, p. 26.
6. Jean Lafond donnait encore à cet atelier une Nativité conservée dans une collection particulière à Garches, qu'il datait des environs de 1525 (*op. cit.* à la note 3, p. 250 et p. 324 n. 115).
7. L'Arbre de Jessé du Maître de Montmorency était encore admiré dans la deuxième moitié du XVIe siècle : en 1564, les gouverneurs de la confrérie de la Conception Notre-Dame commandèrent au peintre-verrier Quentin Turquier pour leur chapelle de l'église Saint-Paul un Arbre de Jessé « selon le dessin et enrichy des coulleurs et le champ d'azur comme celui qui est faict en l'eglise Saint-Gervais » (Arch. nat., Min. cent, XIX, 229; 1564, 4 janvier (n. st.)).
8. L. Brochard, *Saint-Gervais,* Paris, 1938, p. 263.
9. Plusieurs têtes, néanmoins, sont modernes.
10. *Cf. supra,* p. 65.
11. Il subsiste un fragment de la première de ces scènes, remonté en bouche-trou dans le tympan du vitrail de la Vie de la Vierge, dans la quatrième travée de la nef.
12. Sur des photos à l'échelle, tous ces damas se superposent parfaitement. Toutefois, dans le vitrail de sainte Agnès, les poncifs sont employés de façon moins élaborée, sans peindre de hachures entre les différents motifs. On retrouve le même modèle, sans hachures, dans le vitrail de la Parenté de la Vierge provenant de l'ancienne église Saint-Vincent de Rouen (aujourd'hui à sainte-Jeanne d'Arc).
13. Ils ont reçu les soins successifs de Maréchal de Metz (1845), Lucien Magne (1878), Steinheil et Leprévost (1885), et P. Gaudin (1947).
14. Par exemple sainte Madeleine, à comparer avec la sainte Françoise du vitrail de François de La Rochepot.
15. Ainsi, Jean Lafond écrivait, dans *le Vitrail français,* p. 250 : « une restauration radicale, qui a remplacé par des copies les têtes des principaux personnages, n'est pas sans avoir refroidi l'effet de cette magnifique composition ».
16. *Cf.* annexe 2.
17. La quittance le concernant se rapporte à des travaux à Villiers-le-Bel et est datée de 1534 (G. Macon, *Chantilly, les archives, le cabinet des titres,* t. I, Paris, 1926, p. 2). Il pourrait donc fort bien avoir travaillé à Ecouen dans les années 1540-1545, date de plusieurs vitraux conservés. Il est mort en 1564. Cf. G.M. Leproux, *Recherches sur les peintres-verriers de la Renaissance,* Genève, 1988, pp. 15-19 et p. j. 1.
18. G. Macon, « Les architectes de Chantilly au XVIe siècle », dans *Comptes-rendus et mémoires du Comité archéologique de senlis,* t. III, 1899, p. 31).

Triel (Yvelines), église Saint-Martin, baie 14. L'Entrée du Christ à Jérusalem ▶ (vers 1525).

Un chef-d'œuvre de la Renaissance : la verrière de la Sagesse de Salomon à Saint-Gervais

FRANÇOISE GATOUILLAT - CLAUDINE LAUTIER - GUY-MICHEL LEPROUX

La qualité exceptionnelle de la verrière de Salomon, datée de 1531, située dans la chapelle Saint-Jean-Baptiste au sud du déambulatoire de l'église Saint-Gervais-Saint-Protais, est telle qu'aucun historien n'a négligé d'en parler[1]. Le vitrail vient de faire l'objet d'une restauration dans l'atelier de Mme Anne Pinto, qui nous a permis de l'examiner de près. Cette analyse nous a conduit à remettre en question les diverses opinions des anciens auteurs, sur l'attribution au mythique Robert Pinaigrier ou à Jean Cousin, sur l'état de conservation du vitrail qui s'est avéré étonnamment préservé des restaurations, sur l'interprétation iconographique qui nous conduit à préférer la dénomination de « Sagesse de Salomon » plutôt que celle de « Jugement de Salomon » habituellement admise, et sur les sources stylistiques de ce chef-d'œuvre d'inspiration essentiellement nordique.

COMPOSITION ET ICONOGRAPHIE

La baie est divisée en quatre hautes lancettes, à têtes trilobées, couronnées d'un tympan composé de quatre grands ajours oblongs coiffés d'un cinquième en soufflet. La liaison entre les lancettes et les ajours du tympan se fait par de grands losanges incurvés, ou demi-losanges latéraux. Sa hauteur atteint huit mètres pour une largeur de quatre mètres vingt.

Les lancettes sont occupées par une grande composition unifiée au-dessus d'un haut socle moderne qui a pris la place de panneaux disparus de longue date. En revanche, les ajours du tympan abritent des tableaux séparés, à l'échelle un peu plus réduite que celle des lancettes.

Contrairement à ce qui se voit très usuellement dans le vitrail, le sens de la lecture des scènes n'est pas immédiat, mais il peut être décelé par la modification de l'aspect physique de Salomon, tout d'abord jeune et imberbe, puis dans la force de l'âge, et enfin vieillard. Le récit débute en effet par les deux ajours à gauche du tympan, avec le Sacrifice et le Songe de Salomon à Gabaon. Il se poursuit par le Jugement développé dans les lancettes, pour s'achever avec la Visite de la reine de Saba dans les deux ajours de droite.

Dans le premier ajour à gauche du tympan, le roi Salomon, nu-tête, sacrifie deux béliers à Yahvé (1er Livre des Rois, III, 4). Trois hommes observent la scène. Dans l'ajour voisin, Salomon, étendu sur un lit à baldaquin, dialogue en songe avec Dieu (1er Livre des Rois, III, 5-15) : « Demande ce que tu veux que Je te donne ». Salomon ne demande ni la richesse, ni la puissance, ni la longévité, mais « l'intelligence pour exercer la justice ».

Les versets suivants du même chapitre sont illustrés par la grand scène des lancettes : le Jugement de Salomon (1er Livre des Rois, III, 16-28). Deux femmes de mauvaise vie viennent soumettre au roi le différend qui les oppose : toutes deux ayant accouché à quelques jours d'intervalle, l'un des enfants vint à mourir. Chacune revendique l'enfant survivant comme son propre enfant. Le roi décide que celui-ci sera équitablement partagé entre les deux femmes. Déjà, un soldat saisit l'enfant et tire son épée. La vraie mère se prosterne alors aux pieds du roi et dit : « Ah, mon seigneur, donnez lui l'enfant qui vit et qu'on ne le tue pas » tandis que la fausse mère s'écrie : « Qu'il ne soit ni à moi ni à toi, partagez-le ». Salomon rend alors sa sentence : « Donnez à la première l'enfant qui vit, et qu'on ne le tue pas; c'est elle qui est sa mère ».

a, b et c. Saint-Gervais, baie 16. La Sagesse de Salomon (1531), détails : Salomon jeune, à l'âge mûr et vieux.

Saint-Gervais, baie 16.
La Sagesse de Salomon
(1531).

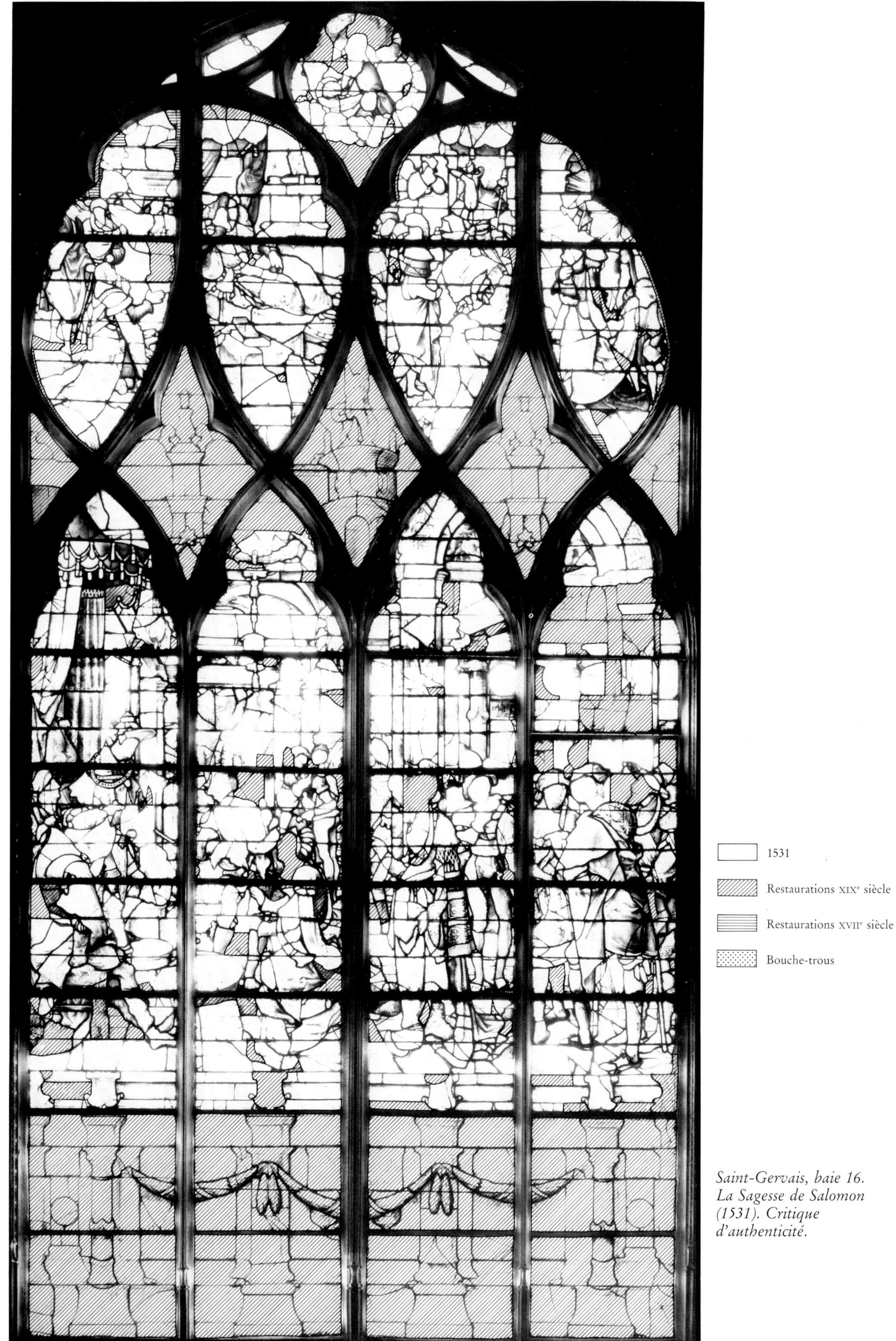

Saint-Gervais, baie 16. La Sagesse de Salomon (1531). Critique d'authenticité.

Les deux ajours de droite sont consacrés à la rencontre de Salomon et de la reine de Saba. La scène se déroule vingt ans après les précédentes et le roi porte désormais une longue barbe. Salomon, assis sur son trône et toujours inspiré par la sagesse divine, s'adresse à ses conseillers tandis que le cortège de la reine de Saba s'avance vers lui (1er Livre des Rois, X, 1-10). Elle va s'adresser au roi : « Tu surpasses en sagesse et en biens ce que m'avait appris la renommée... C'est parce que Yahvé aime Israël à jamais qu'il t'a établi roi pour pratiquer droit et justice ». Dans l'ajour supérieur, apparaît Dieu bénissant, dans une gloire rayonnante, entouré d'anges.

Ainsi, le thème de la verrière est celui de la sagesse légendaire du roi Salomon. Si une place privilégiée est accordée au Jugement, les deux scènes rarement représentées du Sacrifice à Gabaon et du Songe confirment les intentions iconographiques des commanditaires du vitrail.

CONSERVATION

Contrairement à ce qui a été rapporté fréquemment, le vitrail est dans un admirable état de conservation, à l'exception du socle architectural et des grands écoinçons losangés qui lient les lancettes et le tympan. On ne sait rien des panneaux d'origine à ces emplacements. Ni Sauval ni Le Vieil ne les décrivent, tout en commentant les qualités de la verrière. On pourrait néanmoins supposer que des armoiries prenaient place dans le soubassement (sa hauteur paraît trop réduite pour avoir accueilli des donateurs agenouillés), que d'autres armoiries occupaient les losanges, et que ces éléments ont été détruits à la Révolution et peut-être remplacés par des vitreries incolores.

L'histoire des restaurations de l'œuvre est brève. Les archives anciennes ne donnent aucune mention : celles de Paris ont brûlé en 1870 et les archives nationales ne révèlent rien. Pourtant une intervention, d'ailleurs mineure, eut lieu en 1641 : un verrier nommé Dutot (ou Dutoit) a laissé sa signature et cette date au bord de l'ajour gauche, entre deux pièces de sa main. On observe aussi des pièces numérotées à la pointe sur la face externe, qui correspondent peut-être à une remise en plombs ancienne.

L'unique grande restauration est celle de Joseph Félon en 1868. C'est à lui que revient la réfection du soubassement, composé d'un socle à colonnes et pilastres (peint en grande partie à froid !) orné d'une guirlande de lauriers. Dans deux cartouches à enroulements de cuirs, le peintre-verrier a laissé sa propre signature, à côté de celle de Robert Pinaigrier, le prétendu auteur du vitrail. Il a également remplacé les écoinçons losangés par un entablement de type Renaissance, plus ou moins inspiré du décor architectural des lancettes. En ce qui concerne ses interventions sur les panneaux anciens, ses remplacements furent limités. Les plus notables sont les têtes des deux mères et de l'homme au chapeau à larges bords de la lancette de droite.

Le vitrail est déposé pendant la Première Guerre mondiale, en raison du rapprochement des combats. C'est ce qui le sauve, car un obus de la « grosse Bertha » atteint l'église en 1918, provoquant des destructions importantes. Après la guerre, tous les vitraux anciens de la Ville de Paris ont été transportés au Petit Palais où ils ont été remis en état par les peintres-verriers restaurateurs qui ont travaillé côte à côte dans les salles. A l'issue de cette restauration est organisée dans les mêmes lieux, en 1919, une exposition où figure le vitrail bientôt reposé dans l'église par Albert Gsell. La verrière doit à nouveau être mise à l'abri en 1939. Sa dernière repose date de 1947.

L'observation rapprochée de la verrière en atelier a montré que seules des pièces mineures ont été remplacées, sans que cela n'altère nullement le caractère original de l'œuvre. Toutes les têtes sont anciennes, hormis les trois têtes déjà citées, ainsi que la très grande majorité des drapés, des accessoires des vêtements, des décors architecturaux. Les historiens, qui se sont montrés sévères, ont été trompés par la très bonne conservation de la peinture, par l'absence de corrosion externe, et par le caractère inhabituel de certains types physiques dans l'art français, comme celui du soldat qui tient l'enfant vivant, ou celui d'un spectateur de type mauresque dans la lancette de droite. Le tympan est pratiquement indemne de restaurations, sauf quelques pièces en contact avec le réseau de pierre.

LEGENDES DES PHOTOS COULEURS

p. 97 : *Sainte-Chapelle, rose ouest, détail: Décollation des témoins, La Femme vêtue de soleil, Sonnerie de la septième trompette.*

p. 98 : *Saint-Germain-l'Auxerrois, baie 121, détail: le corps de saint Vincent jeté aux bêtes sauvages.*

p. 99 : *Saint-Gervais, baie 15, détail: le comte de Provence retrouve vivants sa femme et son fils.*

p. 100 : *Saint-Merry, baie 121, détail: comparution de saint Jean-Baptiste devant Hérode.*

p. 101 : *Montmorency, collégiale Saint-Martin, baie 4 (vers 1524), détail: Vierge de Pitié; François de la Rochepot présenté par sainte Françoise d'Amboise.*

p. 102 : *Montmorency, collégiale Saint-Martin, baie 5, (vers 1524), détail: sainte Madeleine au pied de la Croix.*

p. 103 : *Saint-Gervais, baie 16, détail: Singe du roi Salomon.*

p. 104-105 : *Saint-Gervais, baie 16, détail: Sacrifice et Songe de Salomon à Gabaon.*

p. 106-107 : *Saint-Gervais, baie 16, détail: Arrivée de la reine de Saba.*

p. 108 : *Triel, ég. Saint-Martin, baie 4 (vers 1525), détail: Moïse.*

p. 109 : *Saint-Etienne-du-Mont, baie 101. Lapidation de saint Etienne (1540), détail.*

p. 110 : *Musée Carnavalet. Hébreux recueillant la manne (1541).*

p. 111 : *Saint-Gervais, baie 103. La Piscine de Béthesda (vers 1545-1550), détail.*

p. 112 : *Musée nat. du Moyen Age. Deux jeunes femmes tenant un monogramme.*

I N R I

TECHNIQUE

La technique mise en œuvre est éblouissante, tant par le choix et la coupe des verres, que par leur traitement peint et gravé.

La gamme des verres colorés est très étendue, la coloration très brillante et contrastée. On note de nombreuses nuances de bleu, allant du plus clair au plus dense, différentes teintes de verts-émeraude, olive, vert pâle — des violets virant sur une seule pièce du violet-rose au violet-bleu sombre, des roses tantôt pourpre clair ou mauve, tantôt rose-thé, un seul jaune teint dans la masse (le jaune d'argent lui est souvent préféré), un rouge éclatant d'intensité variable. On remarquera l'emploi d'une pièce de verre vénitien et de plusieurs pièces de verre aspergés, si prisés autour de 1500 et dont l'usage tend à disparaître autour de 1550. Cette polychromie lumineuse éclipse l'importante proportion des verres blancs, qui est masquée par les techniques de la peinture.

Ces verres de grand qualité, comme le montrent l'abondance des couleurs ainsi que l'absence de corrosion, sont coupés avec une grande maîtrise. Si l'on fait abstraction des plombs de casse en recherchant les contours primitifs, on dénombre de nombreuses pièces de très grandes dimensions. On observe également une évidente recherche de virtuosité dans des coupes savantes, associant courbes et contre-courbes, mettant en plomb des éléments qui pourraient simplement être définis par la grisaille et le jaune d'argent, emboîtant des pièces de formes complexes (comme la pente ornée du pavillon du trône royal dans la scène du Jugement). Une grande pièce ovale est montée en chef-d'œuvre, définissant un oculus dans la deuxième lancette.

Le peintre-verrier dispose de trois teintes de grisailles, l'une noire, la deuxième brune, la troisième franchement rousse, peut-être mêlée de sanguine. Le jaune d'argent est employé d'abondance, avec toutes ses nuances du très orangé au jaune pâle. Il en est de même pour la gravure faite à l'outil, sur verres rouges et bleus. Sa présence n'est ici pas anecdotique, mais devient un complément majeur dans la description des formes.

La mise en œuvre de la peinture se fait sans système, avec une infinie variété de moyens et une précision extrême. L'artiste sait prévoir les effets monumentaux sans négliger les détails les plus minutieux dans toutes les parties de la verrière. On peut supposer que le carton grandeur d'exécution était d'une définition très poussée.

Les traits des visages sont peints à la grisaille noire, tantôt nettement appuyés, tantôt à peine esquissés, en fonction du type physique du personnage ou de sa position dans l'espace. Les modelés sont obtenus par des putoisés sur lesquels se superposent des hachures, ou bien, à l'inverse, repris par des enlevés à la brosse ou à la pointe. Le contour de quelques têtes est précisé par un cerne qui les distingue d'un fond où la grisaille est employée en ton local. Les carnations sont toutes rendues sur verre blanc à la grisaille brune sur la face interne, rehaussée de grisaille rousse sur la face externe. Une tête, volontairement traitée sur un verre teinté, dans la lancette de droite, distingue le personnage porteur d'un message comme un observateur étranger. De minuscules enlevés à l'aiguille dans les carnations, perceptibles seulement à l'examen très rapproché, servent à rendre la texture de la peau de la plupart des personnages. Les chevelures sont décrites au gré des types humains, tantôt par la grisaille posée au trait, tantôt en enlevés sur des lavis, éventuellement rehaussées de jaune d'argent, comme du reste le pelage du singe et les fourrures qui doublent les vêtements.

Les drapés ne comportent ni traits ni hachures, mais seulement des ombres brossées jusqu'à laisser à nu certaines surfaces des verres. Leurs lisières, lorsqu'elles sont en pleine lumière, sont suivies d'éclaircis au petit bois. La gamme des plis est extraordinairement variée, traduisant à la fois les jeux capricieux de l'éclairage, et le rendu des matières des différents tissus : soieries, velours, brochés. Les damas, sans être omniprésents, sont de modèles multiples. Ils répondent principalement à deux techniques. Une première série, à motifs complexes très peints se dégageant sur un fond de hachures entrecroisées, apparaît le plus souvent sur des verres blancs teintés sur toute leur surface au jaune d'argent, mais aussi sur un verre rose. L'autre série comporte des dessins plus larges et plus géométriques, finement tracés sur verre blanc, jaune ou bleu clair, les motifs seuls étant repris au jaune d'argent. Enfin, le grand rideau vert du trône monumental de la lancette gauche, ainsi que le vêtement du fou du roi, est rendu par un damas exécuté au moyen d'un pochoir posé sur un lavis de grisaille rousse sur la face externe des verres, la face interne ne comportant que le tracé des plis.

COMPOSITION ET STYLE

La composition de la scène majeure est organisée en frise sur toute la largeur des quatre lancettes, sans tenir compte de la division structurelle par les meneaux de pierre. C'est en 1531, un des tout premiers exemples parisiens de ce type de verrières unifiées.

L'espace s'organise dans un grand décor architectural

Saint-Gervais, baie 16.
Jugement de Salomon, détail.

pleinement Renaissance, où tout élément du gothique tardif est banni. La grande profondeur de l'espace, marquée au sol par le tracé en perspective des carrelages, est appuyée par la succession de plans échelonnés d'une architecture presque irréaliste, qui s'ouvre sur des lointains bleutés aux fabriques estompées. Si les formes très verticales des grands ajours du tympan ont contraint le peintre-verrier à des espaces plus resserrés, il a su toujours y conserver un bel effet de profondeur. Les nombreux acteurs sont disposés en groupes animés qui créent une dynamique dans les scènes. L'artiste a eu l'audace de ne pas toujours placer au premier plan l'acteur principal. Ainsi Salomon jugeant apparaît derrière ses conseillers, de même Salomon donnant ses ordres à ses intendants dans le tympan.

La mise en scène savante concourt à donner l'impression de l'instantané : Salomon s'adresse à ses intendants pendant que surgit le cortège de la reine de Saba, la vraie mère se jette aux pieds du roi tandis que le soldat saisit l'enfant qui se débat, la fausse mère reste impassible sous l'œil narquois du fou du roi, trois spectateurs commentent la sagesse du roi, dont l'un tout à fait à l'avant-plan, mais audacieusement vu de dos.

L'un des charmes de la verrière tient aux proportions élancées des personnages, dépeints dans des attitudes nobles et souples, animés de gestes discrets. Leurs costumes reflètent tout le luxe de la cour royale. Chacun des protagonistes, quelque soit son rang social, porte des vêtements superposés de couleurs contrastées, tous faits de riches matières. Chaque toilette est composée d'une multitude d'éléments raffinés. Les surmanches galonnées s'entr'ouvrent sur des chemises brodées. Le mantelet de Salomon, orné de lambrequins, recouvre une robe damassée d'or. Le premier conseiller est coiffé d'un somptueux turban de soie rayée, et porte un long manteau à col brodé, lui-même partiellement couvert d'un grand drapé jaune. Les accessoires sont multiples, ceintures, bijoux, bourses à pampilles, armes dans leurs fourreaux ornés. Les chapeaux presque extravagants, souvent posés sur des bonnets, sont ornés de rubans noués et de panaches. Ces détails sont l'occasion de multiplier la gravure des verres, reprise ou non au jaune d'argent et à la grisaille, pour souligner la bordure d'un manteau, décrire des crevés, festonner un col, dégager un bijou d'or. Le raffinement est tel que la broche du corsage de la fausse

a. Saint-Gervais, baie 16. La Sagesse de Salomon (1531), détail : Dieu le Père.

b. Saint-Gervais, baie 16. Jugement de Salomon, détail. ▶

SOURCES

La source principale du vitrail de la Sagesse de Salomon a été identifiée au début du siècle par N. Beets[2]: il s'agit d'un dessin conservé au British Museum, attribué autrefois à Cornelis Engebrechtsz, puis à Dirck Vellert et enfin rendu à Jan de Beer par Friedländer et Popham[3]. L'auteur du carton a certainement eu entre les mains l'original ou une copie de cette composition, qu'il a adaptée aux dimensions du vitrail, pour lequel elle n'était manifestement pas destinée à l'origine.

La lancette de gauche reprend presque textuellement la partie correspondante du dessin de Jan de Beer, notamment les figures de Salomon et des deux conseillers qui se tiennent à la droite du roi. En revanche, à la gauche de celui-ci, deux personnages ont été supprimés et remplacés par un petit singe. Le reste de la scène a subi davantage de modifications, qui répondent à une double préoccupation : élargir la composition aux dimensions de la baie mais aussi la rendre plus explicite. Ainsi, l'enfant

mère est faite d'un verre blanc aspergé d'une touche de rouge, ou que le médaillon du grand collier de Salomon est peint d'une tête à l'antique.

A la richesse des costumes répond la somptuosité du palais de Salomon. De grands pilastres de marbre blanc cantonnés de demi-colonnes, sculptés de trophées, portent une grande arcade à décor de palmettes, sous laquelle apparaît un tympan sculpté de lutteurs nus. Les pilastres alternent avec des colonnes de porphyre à chapiteau doré. Au fond apparaît un portique traité en contre-jour, où trois statues d'or figurant Moïse et deux prophètes sont disposées autour d'une colonne.

Dans le tympan, le décor des trois scènes est simplifié, si ce n'est la présence des dais festonnés créant une symétrie dans la composition. L'épisode du Songe se déroule dans une chambre où sont dépeints des éléments pittoresques du mobilier et des objets familiers du roi.

a. Jan de Beer, Le Jugement de Salomon (vers 1520).

b. Paris, musée du Louvre. Hérodiade touchant d'un couteau la tête de saint Jean-Baptiste.

mort, qui n'apparaît pas dans le dessin de Jan de Beer, est-il placé au premier plan du vitrail, tandis que l'enfant vivant est représenté non plus folâtrant aux pieds de sa mère, mais saisi par un soldat qui déjà tire son épée pour le fendre en deux. En revanche, tous les éléments du décor, les architectures, la figure de la vraie mère et le groupe de trois personnages à l'arrière plan sont repris sans autre changement[4], si ce n'est que le visage de la mère n'est plus tourné vers son enfant mais vers le roi Salomon.

Toujours dans un souci de plus grande clarté, la fausse mère, dont le buste est redessiné à partir d'une étude qui a déjà servi pour la Marie-Cléophas du vitrail des Alérions de Montmorency, passe au premier plan. Tandis que l'un des soldats de droite est copié avec soin, le dessin de l'autre est simplifié, mais son aspect étrange conservé grâce à l'utilisation d'un verre légèrement teinté pour peindre le visage, ce qui tendrait à prouver que l'auteur du carton est bien le peintre-verrier lui-même.

Plusieurs personnages ont été rajoutés dans le vitrail : le soldat moustachu qui tient l'enfant, type rare dans l'art français, mais plus courant dans l'œuvre de Dürer ou de Lucas de Leyde; le fou appuyé contre une colonne, dont on trouve un équivalent dans un dessin de Jan Gossaert[5]; deux jeunes gens dont l'un est copié d'un dessin du Louvre attribué à l'école anversoise, Hérodiade touchant d'un couteau la tête de saint-Jean-Baptiste, où l'on retrouve également, inversée, la figure de la fausse mère[6], enfin, à droite, un soldat coiffé d'un large chapeau qui a les traits du saint Joachim d'une Présentation de la Vierge au Temple donnée aussi par Friedländer à Jan de Beer[7].

A droite du pilastre qui porte un cartouche avec la date de 1531 — au lieu d'une inscription en hébreu — les architectures du vitrail ne sont plus celles du dessin du British Museum, et il en résulte quelques maladresses, accentuées encore par les interventions du restaurateur[8]. Dans les têtes de lancettes, le peintre-verrier a placé un bas-relief représentant des lutteurs selon un procédé qu'il avait déjà utilisé, avec un motif différent, dans le Repas chez Simon de Triel, mais qui n'est pas en contradiction avec ses modèles flamands[9].

Dans le tympan, les sources semblent plus diffuses et l'auteur du carton a sans doute davantage de responsabilité dans la composition. On peut toutefois relever que

a. Saint-Gervais, baie 16. La Sagesse de Salomon (1531), détail : la fausse mère.

b. Montmorency, collégiale Saint-Martin, baie 11. Vitrail des Alérions (vers 1525-1530), détail : Marie-Cléophas.

Paris, musée du Louvre. Déploration sur le corps du Christ. Ecole anversoise, vers 1520.

les costumes et les décors, notamment les meubles, restent très proches de ceux que l'on trouve dans les modèles déjà cités, quoique certains éléments du Songe de Salomon semblent empruntés directement à la série de la Vie de Marie gravée par Dürer : le drapé du ciel de lit est identique dans la Dormition de la Vierge, et la petite nature morte du fond est manifestement copiée de celle de l'Adoration de Marie par les anges et les saints. Quant au lévrier que Jan de Beer avait placé au premier plan de son dessin, il a été transporté dans le troisième ajour, mais dans une attitude différente, plus proche de celle d'un chien peint par Jan Gossaert dans un diptyque conservé à Rome, au palais Doria[10]. Enfin, le Dieu le Père reproduit un type classique que l'on trouvait déjà à Montmorency.

Ainsi, hormis quelques emprunts à Dürer, la plupart des ajouts sont puisés à des sources proches du milieu dans lequel évoluait Jan de Beer, sources qu'il est difficile d'identifier avec certitude tant les remplois sont nombreux dans les dessins attribués à cette école, mais qui indiquent assez clairement que l'auteur du carton avait à sa disposition une quantité non négligeable de modèles provenant d'Anvers. Une exception, toutefois, est à noter : l'enfant mort, emprunté non plus à un dessin flamand, mais au Massacre des innocents gravé par Marc-Antoine d'après Raphaël.

BIBLIOGRAPHIE

H. Sauval, *Histoire et recherches des antiquités de la ville de Paris,* Paris, 1724, rééd 1973, vol. I, p. 453. P. Le Vieil, *L'Art de la peinture sur verre,* Paris, 1774, p. 49. F. de Guilhermy, *Itinéraire archéologique de Paris,* Paris, 1855, p. 181. L. Magne, *L'Œuvre des peintres-verriers français,* Paris, 1885, p. XXVI et fig. 16. O. Merson, *Les Vitraux,* Paris, 1895, p. 200. L. Ottin, *Le Vitrail,* Paris, s. d. (1896), p. 305. P. Gsell, « Les vitraux anciens de la ville de Paris », dans *La Renaissance de l'art français et des industries de luxe,* n° 11, 1919, pp. 473-474. J. Lafond, dans *Le Vitrail français,* Paris, 1958, p. 250.

NOTES

1. Sauval, Félibien, Le Vieil, Guilhermy, Magne, Merson, Ottin, Brochard, Lafond.
2. N. Beets, « Le peintre-verrier anversois Dirick Vellert et une verrière de l'église Saint-Gervais à Paris », dans la *Revue de l'art ancien et moderne,* 1907, p. 393-396.
3. M.-J. Friedländer, *Die Altniederländische Malerei,* t. XI, 1933, p. 26; A. E. Pohpham, *Catalogue of Dutch and Flemish Drawings,* Londres, 1932, n° 2.
4. L'un des trois personnages de l'arrière-plan, coiffé d'un bonnet à plumes, se retrouve dans un retable du musée d'Anvers (Friedländer, *op. cit.,* t. XI, n° 46) tandis que la vraie mère et le conseiller barbu du roi Salomon se reconnaissent dans une Déploration sur le corps du Christ conservée au cabinet des dessins du Louvre et également attribuée à un maniériste anversois (Paris, Louvre, inv. 18860).
5. L'Adoration des Mages (Paris, Louvre, inv. 20 000).
6. Paris, Louvre, inv. 18 874.
7. Friedländer, *op. cit.,* t. XI, n° 68.

a. Marc-Antoine Raimondi, d'après Raphaël : le Massacre des Innocents, détail.

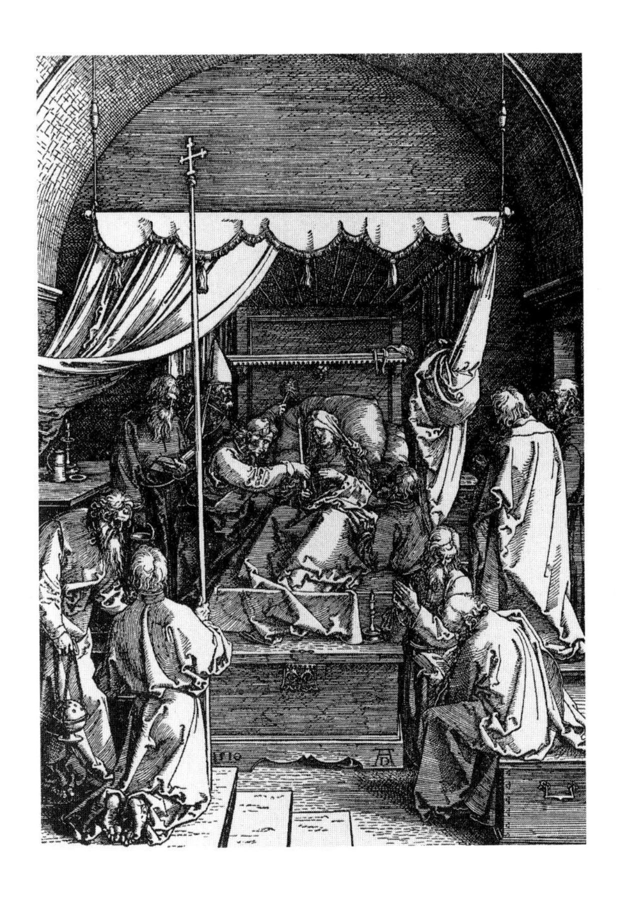

c. Dürer, la Vie de la Vierge : La Dormition de la Vierge. ▼

d. Dürer, la Vie de la Vierge : Adoration de Marie par les anges et les saints. ▶

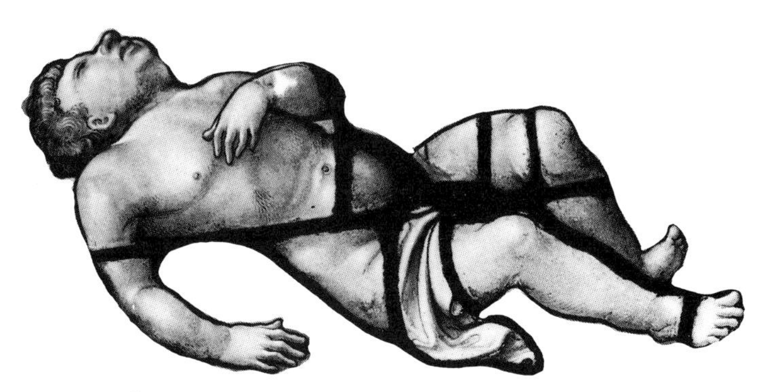

b. Saint-Gervais, baie 16. Jugement de Salomon, détail : l'enfant mort.

8. Il faut noter en outre que les deux têtes de lancettes avaient été inversées lors de la repose qui a suivi la Seconde Guerre mondiale, et qu'elles sont restées ainsi pendant plus de quarante ans. Un autre panneau de la quatrième lancette avait également été placé à l'envers.
9. Ce type de lutteurs, mis à la mode par Barthel Beham au début du XVIe siècle, avait été depuis très largement diffusé par la gravure, comme nous l'a aimablement signalé M. Sénéchal.
10. Reproduit dans Friedländer, *op. cit.*, t. VIII, n° 3.

BUSTE D'HOMME DE PROFIL
(panneau constitué de fragments de la verrière de Salomon).
UN PANNEAU ISSU DE LA RESTAURATION DU XIXe SIÈCLE
Musée des Arts décoratifs (inv. D 858).
1531 et vers 1870.
H. 0,49 m - L. 0,42 m.

HISTORIQUE
Ce panneau d'antiquaire a été offert en 1882 par Joseph Félon, restaurateur en 1868 de la verrière de la Sagesse de Salomon à l'église Saint-Gervais. Il est constitué d'éléments du XVIe siècle largement complétés par des pièces du XIXe siècle. Attribué à Jean Cousin par son donateur, le panneau était exposé dans l'escalier du musée sans doute avec cette étiquette avant la fin du XIXe siècle. Il est maintenant conservé en réserves.

ICONOGRAPHIE
Le panneau est composé autour d'une tête barbue coiffée d'un imposant turban à pans drapés, tournée vers la gauche. En 1856, L. Ottin identifiait la figure comme l'un des mages d'une Adoration. Son buste est engoncé dans un lourd manteau bleu couvrant une robe à haut col damassé ouvrant sur une chemise blanche. Le profil se découpe sur un fond de paysage arboré, une fabrique occupant l'angle supérieur droit. Un arc plein-cintre au décor antiquisant simplifié et timbré d'un petit cartouche où s'inscrit la date de 1531 abrite l'ensemble.

CONSERVATION
Le panneau comporte six pièces anciennes, le visage, trois pièces de paysage situées l'une à gauche à la hauteur de la bouche du personnage, deux autres plus petites s'adaptant à l'arrière du turban, enfin deux pièces de damas jaune constituant la partie visible de la robe. La face externe du panneau est couverte d'une patine à froid légère, destinée à unifier l'effet des différents verres anciens et celui produit par les verres modernes.

TECHNIQUE ET STYLE
La pièce du visage est exécutée sur un verre bleu clair plaqué de blanc, gravé pour dégager la zone du front, du nez, de l'œil et de la pommette, ainsi que la bouche reprise en grisaille rousse, et le lobe de l'oreille. La teinte bleue a en revanche été conservée dans toute la surface de la barbe et sur la tempe où le verre est retouché de jaune d'argent destiné à décrire l'amorce d'un tissu drapé se raccordant à la coiffure du personnage. Le verre bleu clair utilisé pour rendre des chevelures apparaît notamment dans la verrière de l'Incrédulité de saint Thomas exécutée en 1532 par Jean Chastellain pour Saint-Germain-l'Auxerrois, mais ici son traitement à la gravure apparaît comme une particularité. La grisaille de couleur brune, a été appliquée des deux côtés de la pièce — modelé est renforcé de hachures, les enlevés étant réservés au traitement de la barbe où la peinture est très dense. Les très petits enlevés en virgule effectués à l'aiguille s'observent sur la joue à la naissance de la barbe. Sur les verres bleutés du paysage, les arbres ont été peints rapidement en traits et enlevés courbes sur un lavis léger et quelques traces de jaune d'argent. Ces éléments appartiennent au deuxième quart du XVIe siècle. Les deux pièces damassées obtenues par un jaune d'argent vif appliqué sur verre blanc peint de motifs végétaux à la grisaille noire doivent être des fragments d'une verrière un peu plus ancienne.

La configuration générale de la silhouette, son échelle d'exécution, celle des pièces du fond, ainsi que la date apocryphe tracée au sommet de l'arc ont conduit à confronter le panneau avec la verrière de Salomon de Saint-Gervais datée de 1531. On constate que la découpe du visage se superpose exactement à celle du personnage de l'extrême droite de la grande scène du Jugement remplacée par J. Félon en 1868, et que la technique des trois petites pièces anciennes du paysage correspond précisément à celle des lointains de la verrière, dont quelques éléments ont été refaits. On peut admettre l'hypothèse que ces pièces, éliminées par le restaurateur et conservées par lui, ont servi de base au présent montage, complétées par des pièces de damas d'une autre origine et par les éléments modernes de sa main. Dans le riche turban, le vêtement bleu et ses ornements, le complément du paysage et l'architecture, J. Félon s'est efforcé de se conformer à l'esprit de la verrière de Salomon. On peut noter que le visage, levé dans la verrière a été redressé dans le panneau d'antiquaire. Il reste à s'interroger sur les motivation qui ont présidé au retrait de l'œuvre primitive d'un visage qui ne comportait ni plombs de casse ni altérations spécifiques. La technique particulière de l'exécution de la pièce, isolée dans la composition, qui du reste comprend bien d'autres effets variés, a pu sembler douteuse au restaurateur qui a préféré en donner une copie affadie, plus discrète. L'attribution à « Jean Cousin » dont fait état Joseph Félon lorsque l'œuvre entre au musée, après l'attribution à « Robert Pinaigrier » inscrite par lui sur la verrière de Salomon en 1868, ne doit pas étonner après la parution en 1872 des *Etudes sur Jean Cousin* d'Ambroise Firmin-Didot.

F. G.

Joseph Félon

Joseph Félon, né à Bordeaux en 1818, mort à Nice en 1896, fut un prolifique sculpteur, peintre, dessinateur et lithographe avant d'aborder le domaine de la peinture sur verre. Appelé en 1857 comme sculpteur et décorateur sur le chantier de l'église Sainte-Perpétue de Nîmes, il dessina pour le chœur de l'édifice vingt-deux cartons de vitraux.

L'exécution des verrières retint l'artiste jusqu'en 1861 dans l'atelier avignonnais de Frédéric Martin, avec lequel « il finit par travailler » (J. Carrouges dans *Travaux de l'église Sainte-Perpétue de Nîmes par M. Joseph Félon,* 1861). En 1864, l'administration de la Ville de Paris lui confia la restauration de la rose occidentale du XVIIe siècle de l'église Saint-Etienne-du-Mont. Dans la même église, il réalisa en 1866 une nouvelle verrière avec des sujets relatifs à l'Enfance du Christ, et fut chargé en 1868 de restaurer et de réinsérer dans la chapelle d'axe des personnages de la seconde moitié du XVIe siècle provenant d'une autre église. La même année, il obtenait la restauration de la verrière de la Sagesse de Salomon à l'église Saint-Gervais. En 1876, il exécuta un vitrail sur le thème de la Rédemption pour la chapelle de la Réparation dans le collatéral sud de Saint-Séverin. Il achevait la même année la série des verrières commandées dix ans plus tôt par la famille Gatteaux pour l'église de Neauphle-le-Vieux où sont repris l'un des cartons de J.-D. Ingres pour la chapelle Saint-Ferdinand de Paris et l'un de ses propres cartons de Nîmes. On ne sait rien de la structure et de l'implantation de l'atelier de ce peintre-verrier « dilettante ».

F. G.

Paris, musée des Arts décoratifs. Tête d'homme barbu, retiré du vitrail de la Sagesse de Salomon par Joseph Félon. ▶

1531

Jean Chastellain
et le vitrail parisien sous le règne de François Ier

GUY-MICHEL LEPROUX

LE CHŒUR DE SAINT-ÉTIENNE-DU-MONT

Sous le règne de François Ier, les peintres-verriers parisiens deviennent mieux connus grâce à l'existence d'archives notariales qui nous renseignent sur leurs œuvres. Le chœur de l'église Saint-Etienne-du-Mont, entièrement vitré entre l'été 1540 et le printemps 1542, fournit à cet égard des jalons essentiels. Les marguilliers souhaitaient mettre un terme rapide à cette partie du chantier. Ils firent donc appel, directement ou par l'intermédiaire de donateurs, à plusieurs ateliers, confiant les grandes verrières du déambulatoire aux maîtres les plus renommés, tandis qu'ils s'adressaient à des artisans de la paroisse pour des travaux moins prestigieux. Le 4 juin 1540, la confrérie du Saint-Sacrement commanda à Jean Vigant, peintre-verrier demeurant rue de la Vieille-Tisseranderie, la verrière d'axe de l'abside, qui n'existe plus. En juin de l'année suivante, la baie était vitrée et Vigant entièrement payé des 46 livres initialement promises. Entre-temps, il avait livré à la confrérie une autre verrière, destinée cette fois à la chapelle Notre-Dame, qui ne nous a pas davantage été conservée.

La fenêtre d'axe, de petites dimensions, était entourée de part et d'autre de deux grandes verrières de cinq lancettes. La réalisation de l'une, au nord, fut confiée le 2 août 1540 à Jean Chastellain. Elle est toujours en place (baie 101). L'autre fut réservée, sans doute pour être donnée plus tard au même artiste, auquel on commanda auparavant la fenêtre suivante, du côté nord, et deux vitraux destinés à l'une des chapelles. Mais Chastellain mourut à la fin de l'année 1541. Aussi, le 29 décembre de cette même année, la première verrière du déambulatoire du côté sud (baie 102) fut-elle confiée à un autre peintre-verrier à la réputation solidement établie, Nicolas Beaurain. Elle a subi de nombreux dommages, mais subsiste encore partiellement. La commande concernant la deuxième verrière au sud n'a pas été retrouvée.

Dans les travées droites du déambulatoire, moins visibles, la fabrique fit remonter par un peintre-verrier de la paroisse, Jacques Rousseau, des vitraux datant de la première campagne de reconstruction du chœur[1]: les verrières de la Vie de la Vierge et de l'Histoire de saint Claude, au nord, sont encore en place (baies 105 et 107), mais celles de la Passion, au sud, ont disparu[2]. La chapelle Notre-Dame fut complétée par un vitrail de Robert Roussel, peintre-verrier demeurant place Maubert, tandis que Chastellain plaçait quatre images de saints dans l'une des chapelles du côté nord, et deux vitraux de la Vie de saint Claude dans la chapelle du même nom, au sud[3].

Un seul marché a été retrouvé pour les fenêtres hautes de l'âbside; il concerne l'Apparition aux trois Marie, commandée à Guillaume Rondel en décembre 1541[4]. Ce vitrail est le dernier d'une série de cinq, consacrée aux apparitions du Christ après la Résurrection. Les quatre autres sont d'un style moins avancé que celui de Rondel, mais rien n'indique qu'il s'agisse de remplois : ils semblent, au contraire, à leur place dans les nouvelles fenêtres et deux d'entre eux portent les marques de marguilliers en exercice en 1541 : les armoiries de Jean Malingre et de sa femme Marie Crozon figurent sur le *Noli me tangere,* et Godefroy Moreau fit placer ses initiales, accompagnées d'une tête de mort, sous les Disciples d'Emmaüs. Enfin, les six travées droites du chœur furent garnies de verre blanc et de bordures « à l'antique » par Robert Roussel.

JACQUES ROUSSEAU ET ROBERT ROUSSEL

Les archives notariales nous livrent donc les noms de six peintres-verriers, entre lesquels la chronologie des commandes, l'analyse de la disposition et du prix des verrières permettent d'établir une hiérarchie : Jean Rousseau, qui demeure rue Galande, est certainement le peintre-verrier habituel de la fabrique, chargé ordinairement de l'entretien des vitraux de l'église. Son intervention dans le nouveau chœur consiste à replacer dans les travées droites quatre grandes verrières plus anciennes, en y ajoutant les compléments nécessaires. L'Histoire de saint Claude et la Vie de la Vierge, qui sont conservées du côté nord, permettent de constater l'habileté avec laquelle a travaillé Rousseau : à l'exception du soubassement et du tympan, où les reprises s'avéraient plus délicates, son intervention a su rester discrète et conserver aux deux vitraux un aspect homogène. Il est possible qu'il soit, en outre, l'auteur de la verrière de la Pentecôte, toujours dans les travées droites du chœur (baie 109) : si l'on fait abstraction des restaurations de Prosper Lafaye — près de la moitié des têtes sont de sa main — ce vitrail, quoique fortement inspiré de l'Incrédulité de saint Thomas de Saint-Germain-l'Auxerrois, antérieure de près de huit ans, présente des qualités certaines. La perspective reste un peu maladroite, mais le dessin des figures ne manque pas de personnalité. Il est en tous cas très proche, par son style et sa technique, des parties complétées en 1540 dans les deux tympans voisins[5].

La Nativité, de Robert Roussel, a disparu, comme toutes les verrières placées initialement dans la chapelle Notre-Dame, reconstruite en 1661. Toutefois, les six fenêtres hautes des travées droites du chœur, commandées au même verrier, sont toujours en place. D'élégantes bordures peintes au jaune d'argent, comprenant grotesques, masques, cartouches, rinceaux et autres éléments empruntés au répertoire décoratif de l'Ecole de Fontainebleau y encadrent des vitreries de losanges[6].

JEAN VIGANT

Jean Vigant, à qui furent commandées deux verrières, dont celle surmontant la chapelle d'axe, était certainement un artiste renommé. En 1539, il avait travaillé pour le Roi, vitrant le bâtiment élevé à Saint-Antoine-des-Champs pour l'entrée de Charles Quint[7]. Des vitraux qu'il exécuta pour les églises de Saint-Martin-du-Cloître, Créteil et Saint-Germain de Nozay, aucun n'est conservé[8]. Quant à la Circoncision qu'en 1542 il plaça dans l'église Sainte-Geneviève d'Héricy (Seine-et-Marne)[9], elle

Saint-Etienne-du-Mont, baie 109. Pentecôte (vers 1540), détail.

a également disparu et, en l'absence de tout échantillon de son art, il est impossible de savoir si les deux autres verrières anciennes de l'édifice, ainsi que l'Adoration des Mages de Féricy, manifestement sortie du même atelier, peuvent lui être attribuées.

GUILLAUME RONDEL

Une œuvre de Guillaume Rondel, en revanche, nous est parvenue : l'Apparition aux trois Marie, sans conteste la plus belle des verrières hautes de l'abside, avec ses couleurs délibérément éteintes laissant une place importante au verre blanc et au travail à la grisaille et au jaune d'argent, son Christ dansant et sa robuste figure féminine obéissant aux canons maniéristes (*cf.* fig. p. 30). La carrière de l'artiste explique cette prédilection pour le dessin : dès 1544, il se présente comme maître peintre lors du baptême de sa fille Jacqueline[10]. En 1547, c'est également à ce titre qu'il s'associe avec son frère Jean et avec François Clouet à l'occasion des funérailles de François Ier, et il apparaît encore dans les comptes royaux en 1556 pour avoir doré la grande cheminée de la salle de bal du château de Fontainebleau et en 1558 pour la peinture de deux crucifix des chapelles de La Muette et Saint-Germain[11].

JEAN CHASTELLAIN : ŒUVRES DOCUMENTÉES ET ATTRIBUTIONS ANCIENNES

Le plus considéré de tous les peintres-verriers employés à Saint-Etienne-du-Mont, et en tout cas le mieux rémunéré[12], était sans conteste Jean Chastellain. La chronologie des commandes laisse penser, on l'a vu, qu'on lui avait réservé les quatres grandes verrières encadrant la chapelle d'axe, sans compter plusieurs chapelles où l'influence des commanditaires s'exerçait sans doute davantage.

Son nom apparaît en 1527 dans les comptes royaux[13]; les paiements concernent à la fois des vitraux civils et des vitraux destinés aux chapelles des châteaux de Fontainebleau et Villers-Cotterêts. Deux verrières des années 1530 ont pu lui être attribuées grâce aux archives notariales : la rose sud de Saint-Germain-l'Auxerrois et, dans le transept de la même église, l'Incrédulité de saint Thomas, ainsi datées respectivement de 1532 et 1533[14]. Un peintre, Noël Bellemare, a fourni les modèles de la rose du Saint-Esprit. L'année suivante, pour l'Incrédulité de saint Thomas, le marché précise que Chastellain, qui a montré un dessin à son commanditaire, le général des finances Antoine Bohier, « sera tenu de faire faire les cartons de papier a ses coustz et despens ». Il a donc eu, semble-t-il, plus grande liberté, sinon pour dessiner lui-même la composition, du moins pour la faire dessiner par l'artiste de son choix.

b. Melun, église Saint-Aspais, baie 0. Incrédulité de saint Thomas, détail.

c. Melun, église Saint-Aspais, baie 0. Incrédulité de saint Thomas (vers 1530), détail.

a. Saint-Germain-l'Auxerrois, baie 120. Incrédulité de saint Thomas (1533), détail.

Au même titre que la Sagesse de Salomon de Saint-Gervais, exécuté deux ans plus tôt, l'Incrédulité de saint Thomas marque l'apparition dans le vitrail parisien d'une perspective plus savante, qui ne joue plus seulement sur l'échelle des personnages, mais également sur les lignes de fuite de l'architecture et les ouvertures à l'arrière plan. Le dessin de certaines figures dénote en outre une connaissance au moins superficielle des maîtres italiens, et notamment de Raphaël : la robuste figure d'un des Evangélistes, à droite, est, par exemple, très directement inspirée de la Dispute du Saint-Sacrement. Le souci d'individualiser chaque personnage, appris aux mêmes sources, conduit parfois à d'étranges déformations mais contribue aussi à l'élégance de la composition. Du point de vue de la technique, on constate que Chastellain emploie abondamment le jaune d'argent, n'hésite pas à affranchir son dessin de la mise en plombs et à regrouper plusieurs têtes sur une même pièce de verre, recourant alors pour dessiner les profils à un trait de grisaille d'une épaisseur étonnante; il utilise assez largement le verre vénitien et, quoique le caractère monumental de la composition ne l'impose pas, ne néglige pas de graver certains verres.

A partir de cette base sûre, Jean Lafond, en procédant à des rapprochements très convaincants, lui a donné la Prière de la Cananéenne de la cathédrale de Bayonne, qui porte le chronogramme de 1531, et l'Incrédulité de saint Thomas qui occupe le registre supérieur d'une verrière de l'église Saint-Aspais de Melun et qu'une fondation daterait de 1532[15]. Enfin, trois fragments de vitraux conservés au musée d'Ecouen, dont l'origine semble être une église indéterminée de Provins, sont certainement de sa main : la manche de l'un des personnages porte l'inscription CHASTELLA, le modelé des figures est assez proche de celui des œuvres citées et l'un des personnages au visage allongé entouré d'un collier de barbe est, malgré la différence d'échelle, pratiquement le sosie de l'un des apôtres de Saint-Germain-l'Auxerrois[16].

Le nom de Jean Chastellain continue d'être mentionné sans interruption dans les comptes royaux jusqu'à sa mort, mais aucune autre commande religieuse n'a été retrouvée dans les archives avant celles de Saint-Etienne-du-Mont en 1540.

LE VITRAIL DE SAINT-NOM DE JÉSUS A SAINT-ÉTIENNE-DU-MONT

Le vitrail du Saint-Nom de Jésus, commandé en août 1540 par l'évêque d'Avranches Robert de Sénat pour l'église Saint-Etienne-du-Mont semble donc être la dernière œuvre de Chastellain à nous être parvenue. Le programme iconographique imposé par le donateur était complexe : dans le tympan, une Trinité entourée d'anges; dans la moitié supérieure des lancettes, les deux épisodes du Nouveau Testament où le Père a glorifié le Fils, le Baptême du Christ et la Transfiguration, ainsi que neuf anges portant des banderolles et des cartouches célébrant le nom de Jésus; au registre inférieur, la Lapidation de saint Etienne et le portrait du donateur. De modèles, il n'est pas question dans le marché, et la composition, harmonieuse et équilibrée malgré le nombre de scènes à représenter, peut être mise au crédit de Chastellain. Par rapport à l'Incrédulité de saint Thomas, la tonalité s'est éclaircie, mais les couleurs restent vives et franches. Toutefois, le contraste est assez frappant entre le registre supérieur, plutôt archaïque avec les petits animaux au premier plan du Baptême du Christ, les figures figées de la Transfiguration et les anges porteurs de phylactères, et la Lapidation de saint Etienne du registre inférieur, dont l'exécution rapide et aisée, les poses contournées et les raccourcis audacieux évoquent immédiatement l'art de Fontainebleau. Les sources employées par Chastellain expliquent cette différence : comme on le verra, des figures anciennes, dessins ou cartons, appartenant au fonds de l'atelier ont été reprises pour le Baptême du Christ, certains anges et probablement aussi pour la Transfiguration[17]; en revanche la Lapidation est inspirée d'une gravure contemporaine de Domenico del Barbiere — elle-même dérivée d'une peinture de Jules Romain[18] — que Chastellain a interprétée librement, reprenant la plupart des figures de Domenico pour les redessiner dans une composition nouvelle.

Saint-Etienne-du-Mont, baie 101. La Trinité (1540).

a. Domenico del Barbiere : Lapidation de saint Etienne.

b. Saint-Etienne-du-Mont, baie 101. Lapidation de saint Etienne (1540), détail.

JEAN CHASTELLAIN : NOUVELLES ATTRIBUTIONS

Jean Lafond, lorsqu'il mit en évidence le rôle de Chastellain dans la peinture sur verre parisienne des années 1530, ne connaissait pas le marché concernant le vitrail du Saint-Nom de Jésus, vitrail que, dans un article antérieur, il rattachait au groupe du « Maître de la Vie de saint Jean-Baptiste », tout en lui reconnaissant « une légèreté toute nouvelle »[19]. Le style de Chastellain, en effet, n'est pas facile à appréhender tant il a évolué, en fonction des progrès de son art et de l'origine des modèles qui lui servaient de source d'inspiration. Le vitrail de Saint-Etienne-du-Mont nous permet, par bonheur, de lui attribuer d'autres œuvres contemporaines, dans le chœur de Saint-Merry, mais également, le sujet l'ayant conduit à reprendre une scène traitée auparavant à Nemours, de remonter bien au delà dans la production de l'atelier.

LES VERRIÈRES DE LA VIE DE SAINT PIERRE A SAINT-MERRY

Au XVIIe siècle, l'église Saint-Merry était réputée pour avoir l'un des plus beaux ensembles de vitraux de Paris. Il n'en reste aujourd'hui que des épaves. Au XVIIIe siècle, pour avoir plus de lumière, les fabriciens firent supprimer la plus grande partie des vitraux des fenêtres hautes de la nef, ne conservant dans chaque fenêtre, outre le tympan, que deux sujets sur huit, et dans le chœur, le sculpteur Slodtz et le peintre Carl Van Loo, qui avaient participé à la nouvelle décoration, exigèrent que l'on remplaçât les vitraux des fenêtres orientales par des vitres blanches[20]. Entre-temps, la plupart des vitraux des fenêtres basses, qui faisaient l'admiration de Sauval, avaient été supprimés. Le visiteur peu attentif pourrait penser que les verrières des travées droites du chœur, au moins, ont été épargnées. Ce n'est malheureusement pas le cas. Si toutes les fenêtres sont aujourd'hui garnies de verre de couleur, elles ne le doivent qu'à une restauration, au demeurant très

a. Saint-Merry, baie 114. Guérison d'un boîteux par saint Pierre (vers 1540).

b. Raphaël, La Guérison du boiteux, détail.

maladroite, de Prosper Lafaye au XIXe siècle : seules deux lancettes sur trois avaient été conservées au siècle précédent, la lancette centrale étant garnie de vitres blanches, de même, semble-t-il, que les ajours des tympans[21].

Du côté sud, on peut cependant voir encore de fort beaux vestiges d'une série consacrée à la vie de saint Pierre. De 1847 à 1870, Prosper Lafaye a tenté de reconstituer les scènes dans leur intégralité. Sans doute ne faut-il pas lui imputer la responsabilité de toutes les incohérences, dont la plupart datent bien plus probablement du XVIIIe siècle : les marguilliers sélectionnaient les panneaux en fonction de leur état et le vitrier chargé de l'opération a donc déjà pu intervertir des scènes, voire les mélanger.

Aucune description ancienne précise n'existant, le mauvais état des panneaux conservés et les adjonctions fantaisistes de Prosper Lafaye rendent parfois délicates l'interprétation iconographique. On reconnaît toutefois, dans le transept, la Guérison d'un boiteux (Actes des apôtres, III, 7), et saint Pierre bénissant deux jeunes femmes; les deux autres scènes, ôtées de leur contexte, sont difficilement identifiables, et seule celle de droite contient des fragments provenant de cette série. Dans les travées droites du chœur, la lecture semble devoir se faire d'est en ouest[22], avec trois scènes tirées du chapitre V des Actes des apôtres : Châtiment d'Ananias, Baptême des nouveaux croyants et Arrestation des apôtres.

Plutôt que d'énumérer les restaurations qui ont dénaturé cet ensemble, certainement à l'origine l'un des plus beaux que la Renaissance ait produit à Paris, il sera plus rapide d'isoler les parties anciennes : dans le transept, la Guérison du boiteux est relativement bien conservée, ainsi que deux des donateurs (baie 114). Le peintre-verrier s'est librement inspiré de la partie centrale de la composition que Marc-Antoine Raimondi a gravée sur le même sujet d'après le carton de Raphaël. La figure de l'estropié, notamment, est tirée directement de l'estampe. Les quatre têtes d'apôtres sont anciennes et caractéristiques de la manière de Chastellain, de même que les architectures qui s'ouvrent sur de petites fabriques peintes sur un verre bleu.

Dans la lancette suivante, l'intervention de Prosper Lafaye a été plus brutale, et seul le visage de la jeune femme paraît ancien, ainsi que l'enfant au premier plan, lui aussi inspiré de la gravure de Marc-Antoine. Les deux dernières scènes sont difficiles à identifier, car on ne peut faire confiance aux compléments de Lafaye. L'une n'a rien de commun avec la vie de saint Pierre. L'autre, en

a. Raphaël, La Messe de Bolsène, détail.

b. Saint-Merry, baie 110. Baptême des nouveaux croyants (vers 1540).

revanche, a conservé trois têtes anciennes, qui sont parmi les plus belles de la série : le personnage barbu, à droite, n'est pas sans rappeler l'un des conseillers du roi dans le Jugement de Salomon de Saint-Gervais; celui qui, vêtu d'une tunique rayée taillée dans un verre vénitien, est assis et se tient le menton dans la main, est inspiré d'un des assistants de la Prédication de saint Paul de Raphaël. Les donateurs appartiendraient, d'après leurs armoiries — qui sont à interpréter avec précaution car aucune n'est ancienne — aux familles Baillet et Hennequin, le premier représenté étant Oudard Hennequin, fils de Jean Hennequin et de Jeanne Baillet, évêque de Troyes de 1527 à 1544.

Dans le chœur, en partant de l'est, le vitrail censé représenter le Châtiment d'Ananias (baie 108), a été le premier et le plus radicalement restauré par Prosper Lafaye, dès 1847 comme l'indique l'inscription rédigée par le restaurateur. Noyées dans une composition que l'on peut considérer comme entièrement moderne, on trouve quelques rares pièces anciennes, principalement dans la lancette centrale, dont les panneaux, à l'origine, devaient se trouver à gauche, tandis que saint Pierre faisant emporter le cadavre d'Ananias occupait vraisemblablement la lancette de droite.

En progressant vers l'ouest, on trouve dans la baie suivante un vitrail bien plus intéressant (baie 110). Sa partie centrale est une réfection totale, et sans doute n'y avait-il à l'origine qu'une seule scène, occupant les trois

a et b. Saint-Merry, baie 114. Prédication de saint Pierre (vers 1540), détails.

c. Marc-Antoine Raimondi, Prédication de saint Paul à Athènes, d'après Raphaël.

lancettes. Malgré cette mutilation, on devine encore le soin avec lequel le peintre-verrier avait construit sa composition : les belles figures féminines du premier plan forment une diagonale pour rejoindre les autres personnages alignés sur un même registre, les jeux de regards et les gestes donnant une unité à l'ensemble. On retrouve, avec un maîtrise bien supérieure, l'aboutissement de recherches ébauchées à Triel, dans l'Entrée à Jérusalem notamment.

Les deux lancettes conservées suffisent à révéler à quel point les dernières œuvres de Chastellain sont marquées par l'influence des gravures de Marc-Antoine : comme dans la Cananéenne de Bayonne, la plupart des visages, notamment celui de saint Pierre, sont des types issus de Raphaël[23]. Mais, ici, les emprunts se font plus précis : le groupe formé d'une femme et d'un enfant, au premier plan à gauche, vient de la Messe de Bolsène; au-dessus, le personnage nonchalamment appuyé sur son bâton est emprunté, lui, à la Prédication de saint Paul à Athènes; quand au saint Pierre de la lancette de droite, il n'est pas sans rapport avec celui de l'Aveuglement d'Elymas.

Les similitudes de ce vitrail avec celui du Saint-Nom de Jésus sont évidentes : à l'exception de saint Jean-Baptiste, tous les assistants au Baptême du Christ du vitrail de Saint-Etienne-du-Mont se retrouvent à Saint-Merry, souvent dans des attitudes très proches : l'un, coiffé d'un casque orné d'un mufle de lion, un autre la tête légèrement penchée vers la droite, un troisième, barbu, de profil (*cf.* fig. p. 131). De plus, un même carton à échelle d'exécution a servi pour peindre l'enfant qui se trouve au premier plan de chacune des deux scènes. Ce remploi est une indication intéressante pour la datation des verrières de l'histoire de saint Pierre : à Saint-Merry, l'enfant s'intègre parfaitement à la composition et paraît bien avoir été dessiné pour elle; en revanche, à Saint-Etienne-du-Mont, il ne se justifie que pour combler un vide créé par la réutilisation de cartons dans une fenêtre plus grande : la série de la Vie de saint Pierre est donc certainement antérieure à la verrière du Saint-Nom de Jésus. On peut également noter, tout à fait à gauche, le groupe formé de deux personnages de profil encadrant un troisième, peints sur une même pièce de verre, qui retrouve un schéma déjà utilisé dans l'Incrédulité de saint Thomas de Saint-Germain-l'Auxerrois et plus anciennement dans l'Entrée à Jérusalem de Triel.

Dans la première travée du chœur, l'Arrestation des apôtres (baie 112) comporte elle aussi de bons morceaux anciens dans deux des lancettes. La composition théâtrale, avec les gestes brusques et les réactions variées des assistants, témoigne comme celle du vitrail voisin, d'une bonne pratique de l'œuvre de Raphaël. On peut, là encore, relever des emprunts très précis : la figure de Caïphe appuyé sur une balustrade reprend l'attitude de Bramante dans la Dispute du Saint Sacrement. D'autres sont plus diffus et traduisent d'une connaissance suffisante du modèle pour s'en inspirer sans le copier : ainsi, le geste du soldat, au premier plan, pourrait venir de l'Aveuglement d'Elymas mais aussi d'un des bourreaux du Portement de Croix ou encore de la Transfiguration. A gauche, la tête du personnage aux mèches flottantes qui tente de fendre la foule ressemble à celle d'un des anges vengeurs qui poursuivent Héliodore dans la fresque du Vatican. Quant aux similitudes avec d'autres œuvres de Chastellain, outre les visages caractéristiques, citons, dans la lancette de

a. Saint-Merry, baie 112. Arrestation des apôtres (vers 1540), détail.

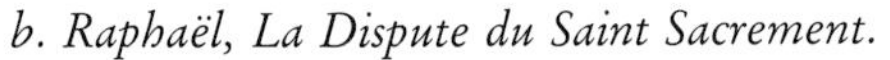

b. Raphaël, La Dispute du Saint Sacrement.

c. Saint-Merry, baie 112. Arrestation des apôtres (vers 1540), détail.

droite — la mieux conservée — le bouclier peint au jaune d'argent avec des rivets réservés en blanc et orné d'un soleil, identique dans la Lapidation de saint Etienne, et le damas orné de cercles imbriqués du soldat au premier plan, également réservé sur un fond peint au jaune d'argent, que l'on retrouve non seulement derrière l'un des donateurs du vitrail, mais aussi sur le manteau de saint Jean-Baptiste à Saint-Etienne-du-Mont (*cf.* fig. p. 131).

Ainsi, s'il ne subsiste de la Vie de saint Pierre que des ruines, ce sont des ruines bien séduisantes, que l'on peut donner sans hésiter à Jean Chastellain par comparaison avec le vitrail du Saint-Nom de Jésus, qui doit être légèrement plus récent.

L'ÉGLISE SAINT-JEAN-BAPTISTE DE NEMOURS

La découverte des marchés concernant Saint-Etienne-du-Mont permet donc de mieux mesurer l'importance de l'atelier de Chastellain dans les dernières années de sa vie : aucun des deux grands chantiers qui s'achevaient vers 1540, Saint-Etienne-du-Mont et Saint-Merry, ne s'est fait sans lui, pas plus que le transept de Saint-Germain-l'Auxerrois quelques années auparavant. La question de son activité antérieure s'en pose avec d'autant plus d'acuité : comment n'aurait-elle laissé aucune trace à Paris avant 1532, alors que la réputation du peintre-verrier était déjà solidement établie dès 1527, date à laquelle on le trouve sur les chantiers royaux ?

Le vitrail du Saint-Nom de Jésus, en ne renvoyant pas seulement à des œuvres contemporaines, mais aussi à d'autres plus anciennes, apporte la réponse : si la scène du Baptême du Christ paraît, par certains côtés, si ar-

a. Saint-Etienne-du-Mont, baie 101. Baptême du Christ (1540), détail.

b. Nemours (Seine-et-Marne), église Saint-Jean-Baptiste, baie 2. Le Baptême du Christ (vers 1530-1535).

chaïque, comparée notamment à la Lapidation de saint Etienne du registre inférieur, c'est que Chastellain, sans doute pressé par les nombreuses commandes en cours, a repris dans sa nouvelle composition des cartons à échelle d'exécution conservés dans son fonds d'atelier et qui

a. Bayonne, cathédrale. La Prière de la Cananéenne (1531), détail du tympan.

avaient déjà servi quelques années plus tôt non seulement à Saint-Merry, comme on l'a vu, mais aussi plus anciennement à Nemours[24].

L'église Saint-Jean-Baptiste de Nemours possédait autrefois cinq vitraux anciens, mais il n'en subsiste que deux. Le Baptême du Christ se trouve dans la première fenêtre haute du chœur, du côté sud. Trois figures, saint Jean-Baptiste, le Christ et, au premier plan, une genette, sont réalisés selon les mêmes cartons qu'à Saint-Etienne-du-Mont, tandis que le soldat représenté de dos au premier plan est repris textuellement dans l'Arrestation des apôtres de Saint-Merry, de même que son voisin immédiat et qu'une figure féminine à gauche. L'un des apôtres de l'Incrédulité de saint Thomas de Melun est également

b. Saint-Etienne-du-Mont, baie 101. Anges célébrant le Nom de Jésus (1540), détail.

présent (*cf.* fig. p. 124). L'attribution de ce vitrail à Chastellain ne peut donc faire de doute. Autre carton remployé, dans le tympan, celui qui a servi à faire les deux anges qui portent le grand écu fleurdelisé de la Prière de la Cananéenne de Bayonne, ainsi que l'un de ceux qui célèbrent le Saint-Nom de Jésus à Saint-Etienne-du-Mont. Or, ces anges nous conduisent une première fois vers le chœur de Saint-Gervais : si ceux de Nemours ont des ailes qui paraissent rognées, c'est qu'ils ont dû être adaptés aux dimensions d'une baie pour laquelle ils n'étaient pas conçus : le carton original a été dessiné soit pour Bayonne, soit pour l'une des chapelles sud du déambulatoire de Saint-Gervais (baie 18), où l'on retrouve les mêmes anges, mais les ailes largement déployées cette fois, et munis de larges manches flottantes. Le reste du vitrail a disparu et a été remplacé en 1864 par une Condamnation de saint Gervais et saint Protais provenant, comme le Couronnement de la Vierge de l'ajour central, d'une autre fenêtre de l'édifice[25].

Situé dans la fenêtre d'axe, le second vitrail ancien conservé à Nemours, qui lui aussi nous ramènera à Saint-Gervais, n'a jamais été étudié. Son sujet même n'est pas bien identifié, puisqu'il est généralement décrit sous le titre François Ier (ou le duc de Nemours) offrant un reliquaire à un évêque. Or, plutôt qu'un événement contemporain, il commémore l'arrivée à Nemours d'une relique insigne, une partie du chef de saint Jean-Baptiste, ramenée de Terre sainte par Louis VII. Dom Morin, dans son *Histoire du Gâtinais*, rapporte le fait :

> « *Le Roy Louys septiesme estant descendu en la terre saincte pour visiter les saints lieux, parvenu en Samarie, visita l'église consacrée à monsieur sainct Jean Baptiste, où estoit encore de ce temps soigneusement gardé le tombeau de monsieur sainct Jean, celui qui baptiza nostre Seigneur dans le Jourdain, et une partie de ses reliques et ossements à demy brulez par la barbarie de Julian l'Apostat (...). Quand doncques le Roy fut prest de partir de là, il supplia Rodolphe, evesque de Sebaste, de luy eslargir du precieux reliquaire de monsieur sainct Jean qui estoit en leur église et de luy vouloir donner quatre de ses religieux pour fonder en France un monastère de leur ordre* »[26]

Cette fondation est à l'origine du prieuré Saint-Jean-Baptiste de Nemours et de l'église actuelle. Le vitrail représente donc Louis VII, ou plus probablement son chambellan Gautier, comte de Nemours, qui a financé la construction de l'édifice, offrant à l'archevêque de Sens le reliquaire contenant la mâchoire de saint Jean-Baptiste[27].

Le soubassement a été entièrement refait en 1860, mais le tympan, en revanche, porte bien la marque de Chastellain : l'ange de l'ajour central est inspiré de la rose sud de Saint-Germain-l'Auxerrois; quant aux deux petits anges de profil, leur silhouette, copiée là encore sur un même carton à échelle d'exécution, se retrouve à plusieurs reprises autour de la Trinité du vitrail du Saint-Nom de Jésus et encore, dans le même vitrail, parmi les anges célébrant le nom de Christ. De plus, le motif floral réservé sur une étoffe peinte au jaune d'argent de l'un des clercs sera réutilisé à Saint-Merry, derrière l'un des donateurs de la Vie de saint Pierre, et à Saint-Etienne-du-Mont sur la robe du saint Jean de la Transfiguration, tandis que le même damas orne le manteau de Gautier de Nemours et celui de Robert de Sénat, donateur du vitrail du Saint-Nom de Jésus. Notons également la façon de peindre au jaune d'argent les bordures inférieures des robes, qui n'est pas différente dans l'Incrédulité de saint Thomas.

Cependant, ce ne sont pas là les remplois les plus surprenants de ce vitrail : pour la scène principale, très particulière, le peintre-verrier s'est certainement fait re-

a. Saint-Gervais, baie 18 (vers 1531-1532), détail du tympan.

b. Nemours (Seine-et-Marne), église Saint-Jean-Baptiste, baie 0. Offrande des reliques de saint Jean-Baptiste (vers 1530-1535).

mettre un modèle par ses commanditaires; puis, pour équilibrer sa composition et l'adapter aux dimensions de la baie, il a rajouté des architectures, un groupe de personnages derrière le donateur du reliquaire, ainsi que quelques touffes d'herbe et deux chiens pour occuper l'avant-scène. L'un de ceux-ci est emprunté à la Visitation de Dürer (*cf.* fig. p. 176), mais le lévrier de gauche et l'un des personnages du fond sont exécutés d'après des cartons qui ont déjà servi à Saint-Gervais dans le troisième ajour du tympan du vitrail de la Sagesse de Salomon, chef-d'œuvre du « Maître de Montmorency ».

JEAN CHASTELLAIN EST-IL LE "MAÎTRE DE MONTMORENCY"?

Doit-on pour autant en conclure que les œuvres de Chastellain antérieures à 1531, que l'on n'a pu identifier jusqu'ici, sont précisément celles que l'on attribue traditionnellement au mystérieux Maître de Montmorency ? Le remploi de cartons à échelle d'exécution constitue une indication sérieuse, qui confirme celle donnée par les archives de Chantilly, mais il n'est pas à lui seul un argument suffisant : si l'on n'a aucun témoignage de la circulation de cartons entre différents ateliers[28], une telle possibilité n'est pas à exclure totalement. Cependant, autre indice troublant, un modèle de damas utilisé à Montmorency sur la robe de sainte Madeleine se retrouve dans un panneau du musée d'Ecouen appartenant à la série signée Chastellain. Les dessins, mis à la même échelle, se superposent parfaitement. Le trait du panneau d'Ecouen est certes plus hésitant et légèrement tremblé, mais cela signifie seulement qu'il a été tracé par un compagnon moins habile que le maître, lequel s'est réservé le dessin des têtes, qui sont, elles, d'une excellente facture et ne cèdent en rien à celles de Montmorency ou à celles, sans doute plus proches par la date mais d'une échelle très différente, de l'Incrédulité de saint Thomas de Saint-Germain-l'Auxerrois. Il faudrait donc admettre la circulation non seulement de cartons, mais également de poncifs, qui, eux aussi, sont propres à chaque atelier, circulation dont on ne retrouverait la trace, précisément, qu'entre l'atelier du Maître de Montmorency et celui de Chastellain, puisqu'aucun autre exemple n'en est connu à Paris. Cela est peu vraisemblable et amène à envisager une autre hypothèse, que l'on ne peut non plus exclure a priori : le rachat du fonds d'atelier du Maître de Montmorency par Chastellain, qui expliquerait le remploi de cartons, de poncifs et de modèles plus anciens par celui-ci. Mais à quelle date situer l'arrêt de l'activité du Maître de Montmorency ? La filiation entre la Vie de la Vierge de Saint-Gervais, la collégiale Saint-Martin, Triel et la Sagesse de Salomon est trop nette pour le placer avant 1531. Or, 1531 est également la date de la Cananéenne de Bayonne, œuvre indiscutable de Chastellain, dont les anges se retrouvent, on l'a vu, dans un vitrail de Saint-Gervais postérieur à la Sagesse de Salomon, puisque situé dans la chapelle suivante dans le sens de la construction du déambulatoire. L'hypothèse d'une succession se heurte donc à des difficultés chronologiques. De plus, la méthode employée pour la réutilisation des cartons ou des esquisses — remplois de figures isolées au milieu d'une composition nouvelle — est la même à Montmorency et Triel que dans des œuvres plus tardives de Chastellain. De même, l'emprunt d'éléments secondaires à la suite de la Vie de la Vierge gravée par Dürer, se retrouve à Nemours — le chien de la lancette centrale — et à Saint-Gervais — le décor du Songe de Salomon. Il ne s'agit plus là uniquement de modèles communs, mais de procédés de composition analogues. De plus, il est possible de suivre, de la vie de sainte Agnès au vitrail du Saint-Nom de Jésus, l'évolution de certains types physiques, qui restent fondamentalement les mêmes mais que l'on voit s'affiner au fil des ans, ce que ne pourrait expliquer non plus la simple transmission de modèles.

Surtout la peinture du lévrier et du groupe de trois personnages, dans les deux vitraux, est non pas rigoureusement identique, mais extrêmement proche et exécutée selon une technique semblable. Il est donc indispensable de comparer plus précisément la production des deux ateliers considérés jusqu'ici comme distincts.

Le Maître de Montmorency, on l'a vu, travaillait surtout à partir de modèles flamands, tandis que les œuvres documentées de Chastellain, à partir de 1533, date de l'Incrédulité de saint Thomas de Saint-Germain-l'Auxerrois, sont influencées par Raphaël. Toutefois, cette dichotomie est à nuancer : à Saint-Germain-l'Auxerrois comme à Melun, on trouve encore trace d'influences flamandes, notamment dans les architectures, et même des rémininiscences de modèles parisiens du début du siècle. Dans le vitrail de la Cananéenne de la cathédrale de Bayonne, daté de 1531, l'artiste a placé plusieurs personnages italianisants — dont certains seront réutilisés deux ans plus tard dans le vitrail de Saint-Germain-l'Auxerrois — au sein d'un grand paysage très nettement inspiré des écoles du Nord. Plusieurs éléments décoratifs, comme les petits médaillons sculptés sur les architectures, sont identiques à Saint-Gervais. Saint Pierre a certes le même visage que dans le Repas chez Simon gravé par Marc-Antoine, mais il ressemble plus encore au saint Philippe de Dürer. Le col de fourrure de l'un des apôtres est

a. Saint-Gervais, baie 16. La Sagesse de Salomon (1531), détail.

b. Saint-Germain-l'Auxerrois, baie 120. Incrédulité de saint Thomas (1533), détail.

également très proche de ceux que l'on trouve à Saint-Gervais, dans le vitrail de Salomon, où, inversement, les modèles anversois n'ont pas seuls servi : rien de moins flamand, par exemple, que l'enfant mort allongé au premier plan, qui n'est pas, comme on pouvait le croire à première vue, une invention du restaurateur, puisque seul le pagne est refait; c'est au contraire une copie presque parfaite — la position du bras a été modifiée pour tenir compte du meneau — d'une figure du Massacre des Innocents gravé par Marc-Antoine (*cf.* fig. p. 119). L'auteur du vitrail avait donc déjà eu connaissance d'une partie de l'œuvre de Raphaël, mais cette influence est peu sensible en raison de l'utilisation massive de modèles venus d'Anvers. Ceux-ci expliquent également l'abondance et la richesse des damas, qui s'apauvrissent par la suite, les modèles italiens privilégiant les études de drapés.

Plusieurs panneaux de l'Incrédulité de saint Thomas et la totalité de la Sagesse de Salomon ont pu être examinés de près à l'occasion de cette exposition. A deux ans près, ce sont des œuvres contemporaines que l'on peut utilement comparer à condition de ne pas perdre de vue que des modèles très différents ont été utilisés pour chacune des deux compositions, et surtout que l'une a été conçue pour une fenêtre haute tandis que l'autre était destinée à être vue de près dans une chapelle. A Saint-Germain-l'Auxerrois, la volonté d'individualiser chaque personnage a conduit le peintre-verrier à peindre des visages parfois étranges. L'un se distingue particulièrement par

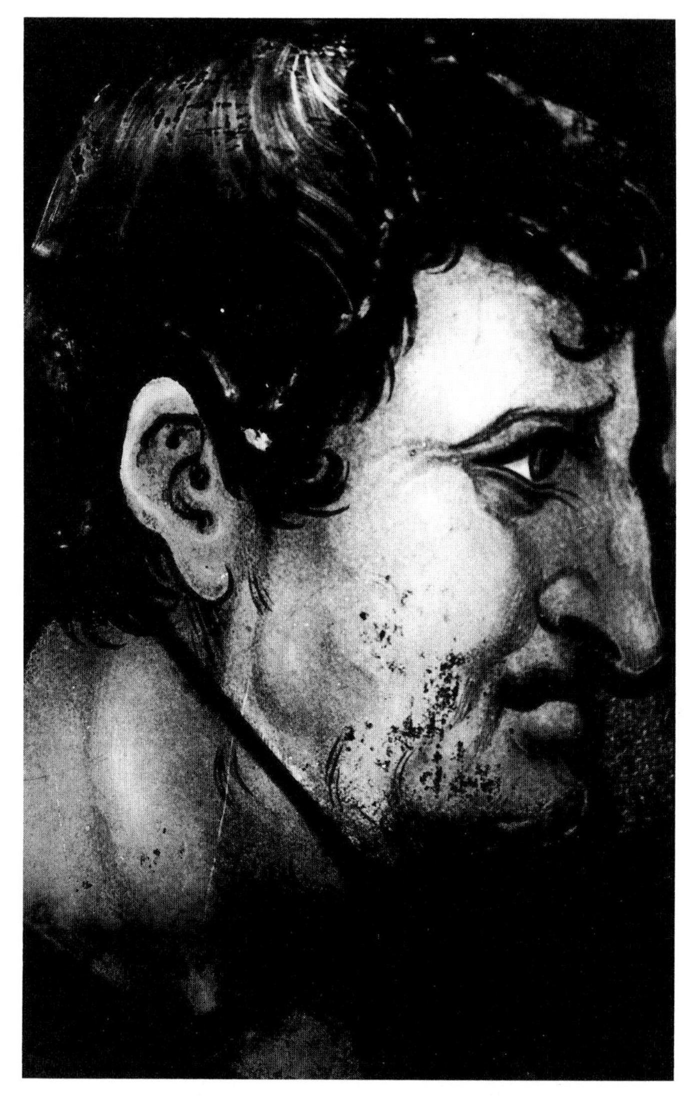

a. Saint-Germain-l'Auxerrois, baie 120. Incrédulité de saint Thomas (1533), détail.

b. Saint-Gervais, baie 16. La Sagesse de Salomon (1531), détail.

le réalisme de ses traits, à tel point que l'on ne peut exclure qu'il s'agisse d'un portrait. Or, du fait de la plus grande précision recherchée, la technique de peinture utilisée devient très proche de celle employée pour plusieurs têtes du Jugement de Salomon, notamment celles du roi lui-même et du fou qui apparaît derrière une colonne. On trouve en particulier la même façon d'ajouter, sur le modelé putoisé, de petits pointillés pour indiquer une pilosité naissante ou de fines hachures de grisaille pour souligner les pommettes. Deux profils peuvent également être confrontés : celui du soldat moustachu de Saint-Gervais et celui de l'apôtre de gauche de l'Incrédulité; on note la même façon de peindre les yeux, les mêmes rides enlevées au petit bois, la même façon de « viriliser » les visages par l'adjonction de petits traits de grisaille. Enfin, la bouche et les yeux si caractéristiques du fou de la cour de Salomon se retrouvent dans les traits grimaçants d'un apôtre de Saint-Germain-l'Auxerrois, dans la quatrième lancette, et l'on remarque aussi une certaine ressemblance entre saint Jean et le page qui accompagne la reine de Saba.

Dans les deux vitraux, les chevelures sont souvent traitées de façon comparable, avec des mèches éclaircies au petit bois puis reprises au pinceau, et l'on retrouve les minuscules enlevés à l'aiguille sur les visages pour rendre le grain de la peau et la même grisaille rousse appliquée sur la face externe. Enfin, les paupières très soulignées et les deux traits parallèles des lèvres qui ne se rejoignent

a. Saint-Gervais, baie 16. La Sagesse de Salomon (1531), détail.

b. Saint-Germain-l'Auxerrois, baie 120. Incrédulité de saint Thomas (1533), détail.

pas toujours aux commissures sont souvent semblables d'une église à l'autre. Les gros traits de grisaille marquant les profils qui ne suivent pas un plomb sont certes plus épais dans l'Incrédulité, destinée à être vue de plus loin, mais ils existent aussi à Saint-Gervais, autour de la barbe du conseiller assis à la droite du Roi ou pour marquer le profil du soldat qui s'est saisi de l'enfant. C'était, d'ailleurs, l'une des caractéristiques appliquée par Lucien Magne et Jean Lafond au Maître de Montmorency, le trait dessinant le visage de la Madeleine de la Pietà offerte par François de La Rochepot à la collégiale Saint-Martin ou celui de l'apôtre de gauche du Repas chez Simon à Triel n'étant guère moins large qu'à Saint-Germain-l'Auxerrois.

Ainsi, une fois faite la part des modèles, figures raphaëliennes de l'Incrédulité, personnages et décor flamands de Salomon, les différences entre les deux vitraux s'estompent et rien ne s'oppose à ce que la Sagesse de Salomon et l'Incrédulité de saint Thomas soient sortis du même atelier, celui de Jean Chastellain, dont on peut ainsi retracer l'activité sur une période de près de trente ans, des années 1510 à sa mort en 1541, en établissant une première chronologie de ses œuvres[29]: les fragments de la Vie de saint Agnès conservés à Saint-Merry se situeraient vers 1510, quelques années avant les cinq vitraux de la Vie de la Vierge de Saint-Gervais, datés de 1517 — entre 1523 et 1525, l'atelier aurait fabriqué les vitraux du chœur de la collégiale Saint-Martin de Montmorency, et,

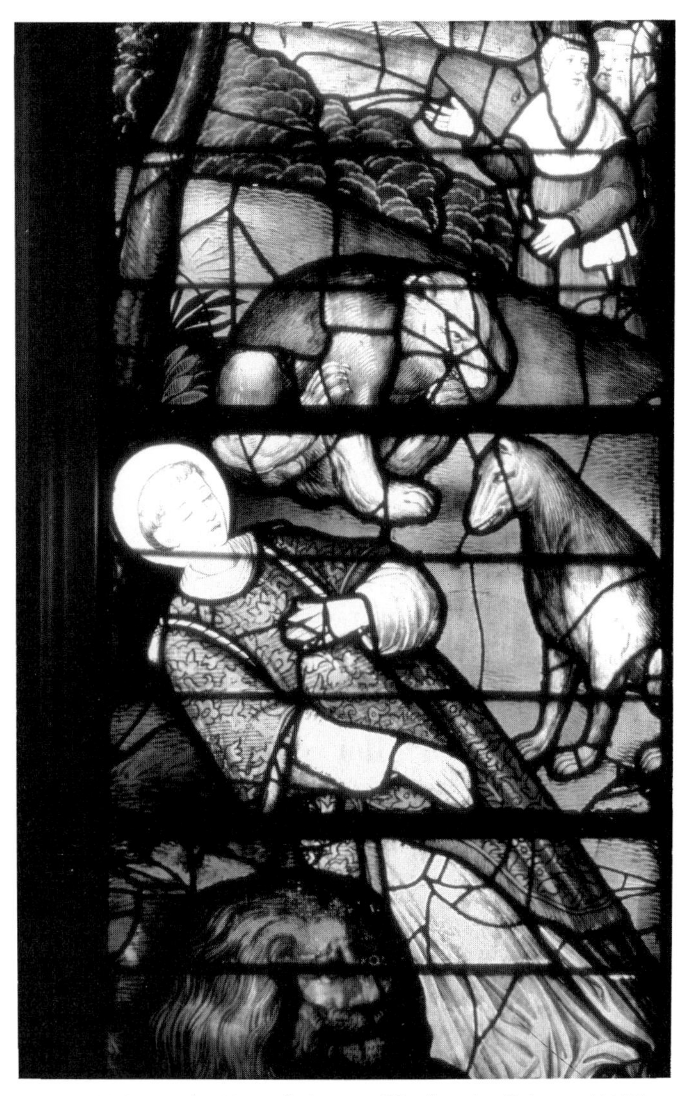

Saint-Etienne-du-Mont, baie 102. Vie de saint Etienne (1541), détail : le corps de saint Etienne gardé par les bêtes sauvages.

à une date proche, le Repas chez Simon, la Transfiguration et l'Entrée à Jérusalem de Triel. La date de 1531 figure sur la Sagesse de Salomon à Saint-Gervais et sur la Prière de la Cananéenne de la cathédrale de Bayonne; des documents d'archive permettent de dater de 1532 le vitrail d'axe de Saint-Aspais de Melun et la rose sud de Saint-Germain-l'Auxerrois, et de 1533 l'Incrédulité de saint Thomas; la verrière de Saint-Gervais dont il ne subsiste plus que deux anges dans les ajours du tympan et les deux vitraux de Nemours pourraient être situés dans la même période. Enfin, la Vie de saint Pierre de Saint-Merry doit être de peu antérieure au vitrail du Saint-Nom de Jésus de Saint-Etienne-du-Mont, précisément daté de 1541 et dernière œuvre de Chastellain, si l'on excepte les fragments des Hébreux recevant la manne conservés au musée Carnavalet[30].

JEAN DE LA HAMÉE ET NICOLAS BEAURAIN

Outre Jean Chastellain, deux peintres-verriers parisiens ont travaillé sur les chantiers royaux avant 1550 : Jean de La Hamée et Nicolas Beaurain[31]. Le premier, reçu maître en 1526, reçoit une première commande pour Fontainebleau et Villers-Cotterets dès 1538. Il figure ensuite sans discontinuer dans les comptes jusqu'à sa mort, survenue en 1562[32]. En 1541, il est élu juré de la corporation, et le sera de nouveau en 1552. En 1549, il intente une action pour obtenir le paiement d'une verrière de la Crucifixion que lui avait commandé Pierre Gragneau, clerc payeur des œuvres du Roi, décédé depuis, pour l'église de Colombes[33]; en 1555, il vitre l'hôtel du cardinal de Meudon[34]; à sa mort, ses créanciers sont le Roi, le duc de Guise et le connétable de Montmorency. Parmi les nombreux vitraux offerts par le connétable et sa famille qui nous sont parvenus, certains sont certainement de sa main, mais, jusqu'à présent, aucun document n'a permis de les identifier précisément.

Jean de La Hamée avait travaillé en concurrence avec Jean Chastellain sur les chantiers royaux. Nicolas Beaurain, en revanche, fut le successeur de celui-ci, aussi bien dans la faveur royale que dans celle des marguilliers de Saint-Etienne-du-Mont : dès la mort de Chastellain, on l'a vu, on fit appel à lui pour la grande verrière de saint Etienne dans la première fenêtre sud du déambulatoire. La main de Beaurain est aujourd'hui bien difficile à déceler dans cette œuvre, remaniée au moins à trois époques différentes : en 1622 eut lieu une intervention suffisamment importante pour qu'on la signalât par deux petits chronogrammes, l'un sur une arcature, à gauche du registre inférieur, l'autre, à droite, sous une pierre. La plus grande partie des pièces peintes à l'émail sont des ajouts pouvant dater de cette époque, qui voyait parallèlement l'achèvement des vitres émaillées des charniers. Une nouvelle restauration importante fut confiée à Le Vieil à la fin du XVIIIe siècle[35]. Elle consistait à remplacer les meneaux de la fenêtre par des armatures métalliques et de substituer à la pierre du verre blanc, afin d'éclaircir l'édifice. Cette opération entraîna également le remplacement de plusieurs pièces de verre peint. Enfin, au XIXe siècle, Prosper Lafaye intervint à son tour avec brutalité, en remplaçant notamment toutes les têtes fêlées par des substituts modernes[36]. Le vitrail de Saint-Etienne-du-Mont n'est donc pas le meilleur moyen de juger de la manière de Nicolas Beaurain, d'autant que sa structure narrative archaïque est due essentiellement aux modèles que lui ont imposés ses commanditaires, les gouverneurs de la confrérie Saint-Etienne. Plus intéressants sont les vitraux de

Saint-Gervais, baie 103. La Piscine de Béthesda (vers 1545-1550), registre supérieur des lancettes.

la Sainte-Chapelle de Vincennes, très restaurés eux-aussi[37] mais qui comportent suffisamment de parties anciennes pour que l'on puisse noter sa façon bien particulière de multiplier les enlevés au petit bois reproduisant les tailles croisées des graveurs.

LE CHŒUR DE SAINT-GERVAIS

Paradoxalement, les vitraux parisiens du milieu du XVIe siècle sont moins bien documentés que ceux des décennies précédentes. Le chœur de Saint-Merry et celui de Saint-Etienne-du-Mont construits, c'est à Saint-Gervais qu'il faut chercher les travaux les plus importants[38]. La clé de voûte qui surmonte l'autel porte la date de 1540. L'ensemble du chœur fut sans doute achevé et vitré au cours de la décennie suivante. Cinq verrières furent alors placées dans les fenêtres hautes des travées droites[39]. Deux ont entièrement disparu, mais ont été décrites par Sauval : elles représentaient la Transfiguration et l'Histoire de la Samaritaine[40]. Les trois autres sont toujours en place, quoi qu'ayant été plus qu'à moitié détruites : en 1872, avant même la désastreuse campagne de restauration de la fin du siècle, Firmin-Didot, recherchant ces vitraux à partir de la description pourtant correcte qu'en donnait Sauval, n'en reconnut aucun[41].

La Résurrection de Lazare (baie 105), quoique conforme au sujet décrit par les auteurs de l'Ancien Régime, est une composition presque entièrement moderne. Les deux lancettes de gauche sont rendues pratiquement invisibles par l'ombre créée par la tour du clocher, dont l'angle sud-est se trouve à moins d'un mètre des meneaux. Dans le reste du vitrail, les rares pièces anciennes se trouvent dans les parties supérieures des lancettes — quelques éléments d'architectures — et surtout dans le tympan, où les quatre évangélistes et la colombe du Saint-Esprit ne semblent pas avoir été trop remaniés.

Dans la fenêtre suivante, le vitrail du Paralytique comporte davantage de pièces authentiques. Certes, toute la moitié inférieure de la composition est moderne, mais les parties hautes sont mieux conservées et permettent de reconstituer l'iconographie originale, modifiée par le restaurateur : la Guérison du paralytique à Béthesda (Jean, 5, 1-9). L'eau de la piscine de Béthesda, à Jérusalem, était régulièrement agitée par un ange. Parmi les nombreux malades et infirmes qui se pressaient à ses bords, le premier qui parvenait alors à s'y plonger ou à s'y faire porter était instantanément guéri. Jésus aperçut un paralytique qui attendait depuis trente-huit ans qu'on voulût bien l'aider à atteindre l'eau miraculeuse. « Lève toi », lui dit-il, « prend ton lit, et marche ». Dans le vitrail, la scène, sans doute fort mutilée déjà, a été mal interprétée par Prosper Lafaye qui a placé dans la partie inférieure un autre épisode des Evangiles, la Guérison d'un paralytique à Capharnaüm, d'après le récit de saint Marc : empêchés par la foule de s'approcher de la maison où se trouve Jésus, les amis d'un infirme font pénétrer celui-ci par le toit (Marc, 2, 1-12).

Les parties hautes, moins restaurées, montrent un paysage fort bien venu, où cohabitent ruines, pyramides, rotondes et portiques dans une composition peinte dans une gamme très claire où l'érudition archéologique ne nuit pas à la clarté de l'ensemble. De nombreux assistants se pressent autour de la piscine, dont l'eau affleure à la limite de la partie restaurée par Lafaye, et guettent le moment de s'y précipiter lorsque l'ange agitera les eaux[42].

La facture étonnamment rapide et aisée de ces panneaux, qui fait d'autant plus regretter la perte complète du registre inférieur, se retrouve dans la seule verrière conservée du côté sud, celle du Martyre de saint Laurent. Les restaurations de Prosper Lafaye et de ses successeurs n'y sont pas moins nombreuses, mais elles sont plus également réparties et n'ont pas modifié l'iconographie. Les parties anciennes sont à rechercher plutôt dans le registre inférieur, à partir du deuxième panneau de chaque lancette, notamment le groupe des bourreaux qui cherche à

a. Saint-Gervais, baie 108. Le Martyre de saint Laurent (vers 1545-1550), détail.

b. Le Martyre de saint Laurent. Gravure de Marc-Antoine d'après Bandinelli.

attiser le feu. La figure principale, celle du saint martyr léché par les flammes, est empruntée à une estampe de Marc-Antoine d'après Bandinelli, mais la composition a été entièrement redessinée par le peintre-verrier — ou l'auteur du modèle — qui a encore glané çà et là quelques figures secondaires dans la gravure et s'en est inspiré librement : c'est le cas, notamment pour les deux bourreaux du premier plan. Il n'est pas douteux que le Martyre de saint Laurent et la Piscine de Béthesda sont sortis du même atelier. A l'exception de Le Vieil, qui, au XVIIIe siècle, les attribuait au mythique Robert Pinaigrier, la plupart des auteurs anciens, notamment Félibien et Sauval, s'accordent sur le nom de Jean Cousin. Si l'on entend par là que le peintre aurait exécuté lui-même ces vitraux, l'affirmation est bien évidemment à rejeter. Certes, la biographie de Jean Cousin — il s'agirait ici du père — est assez mal connue, mais il est tout à fait exclu qu'il ait pratiqué lui-même la peinture sur verre, ne serait-ce qu'en raison des règles corporatives contraignantes en usage dans la capitale. En revanche, il est établi que Cousin a quelquefois fourni des modèles aux peintres-verriers, aussi bien à Sens qu'à Paris. L'un d'entre eux, représentant saint François et saint Jérôme dans un paysage antique, a même été identifié par Mmes Bacou et Béguin et présenté à l'exposition l'Ecole de Fontainebleau[43]. Un autre — la Vierge et saint Jean au pied de la croix — est conservé au musée d'Angers[44]. Dans les deux cas, les paysages développés à l'arrière plan sont d'un esprit très proche de celui du vitrail de Saint-Gervais. Des textes contribuent à rendre plausibles ces attributions : en 1557, le peintre-verrier Jacques Aubry s'engageait à peindre pour la chapelle des orfèvres une Crucifixion et un sacrifice d'Abraham « le tout selon et ensuyvant le portraict qui sera faict par maistre Jean Cousin ou autre, tel qu'il plaira ausd. maistres [de la corporation des orfèvres] »[45]. Cousin n'était en effet pas le seul peintre à fournir des modèles aux peintres-verriers : on connaît de semblables projets de Léonard Thiry ou encore de Geoffroy Dumoustier.

Le nom de Jean Cousin peut encore être évoqué à propos d'une autre œuvre, conservée cette fois à Saint-Etienne-du-Mont. Il s'agit du vitrail du Serpent d'airain, peint en grisaille rehaussée de jaune d'argent et de quelques touches d'émail bleu, qui se trouve depuis le XIXe siècle remonté parmi les vitres émaillées des anciens charniers. Son style et sa technique, peu différents de ceux des verrières du chœur de Saint-Gervais, évoquent les années 1545-1550. Le Vieil l'attribuait à Jean Cousin. Or, s'il n'est pas impossible que, dans ce cas aussi, le peintre ait fourni un modèle, il est plus vraisemblable de considérer que le peintre-verrier a utilisé, parmi d'autres sources d'inspiration, la gravure d'Etienne Delaune, exécutée précisément d'après un dessin de Cousin[46]. La composition du vitrail est inversée par rapport à celle de l'estampe, et n'en reprend que des éléments isolés : le serpent enroulé autour d'un tronc désséché qui se détache sur un ciel illuminé par la présence divine, la robuste figure de Moïse et l'hébreu coiffé d'un bonnet qui s'approche de lui[47]; dans le paysage, le pic rocheux et l'arche de pierre semblent puisés à la même source.

NOTES

1. Celle-ci commença en 1492; sur la chronologie des travaux à Saint-Etienne-du-Mont, voir Ivan Christ, *Saint-Etienne-du-Mont,* Paris, 1946.
2. Ils sont remplacés aujourd'hui par des vitraux du XIXe siècle.
3. Tous ces marchés ont été publiés par Mme C. Grodecki, *Documents du Minutier central des notaires de Paris. Histoire de l'art au XVIe siècle (1540-1600),* Paris, 1985, t. 1, pp. 169-174.
4. *Ibid.* p. 173.
5. Jacques Rousseau est également connu pour avoir fait une verrière dans l'église du monastère des Filles-Dieu en 1552. Arch. nat., Min. cent. LXXIII, 46; 1552, 12 mai.
6. Ce type de bordure était à la mode en 1540 : les marguilliers avaient demandé à Robert Roussel de peindre ses bordures « de bonnes couleurs et facons convenans à celles qui ont esté faictes neufves à l'eglise Saint-Victor ». C. Grodecki, *op. cit.,* à la note 3, p. 172.
7. Arch. nat, Min. cent. III, 18; 1539, 27 novembre.
8. C. Grodecki, *op. cit.,*. à la note 3, p. 246.
9. G.-M. Leproux, *Recherches sur les peintres-verriers parisiens de la Renaissance,* Genève, 1988, p. 58 et p. j. 8.
10. Fichier Laborde, Bibl. nat., nouv. acq. fr. 12181.
11. L. de Laborde, *Les Comptes des bâtiments du Roi (1528-1571),* Paris, 1880, 2 vol. t. I pp. 284 et 375.
12. 50 livres pour les verrières de trois lancettes des chapelles, contre 35 livres à Vigant et Rondel.
13. L. de Laborde, *op. cit.,* t.I, p. 85.
14. Le premier de ces marchés a été copié par Germain Bapst, *Documents sur les artistes,* III (vitraux et émaux). Bibl. nat, nouv. acq. fr. 23 301, f° 8; le second, découvert par Mme Grodecki, a été publié par Jean Lafond, « La Cananéenne de Bayonne et le vitrail parisien aux environs de 1530 », dans *Revue de l'Art,* n° 10, 1970, pp. 77-84.
15. Jean Lafond, art. cit. Il semble en fait que ce ne soit pas uniquement l'Incrédulité, mais l'ensemble de la verrière, avec les autres apparitions du Christ, qui soit l'œuvre de Chastellain.
16. F. Perrot, « La signature des peintres-verriers », dans *Revue de l'Art,* n°26, 1974, pp. 40-45.
17. *Cf. infra* p. 132.
18. H. Zerner, *Ecole de Fontainebleau, gravure,* Paris, 1969, D.B. 2. Notons, quoiqu'il puisse s'agir d'une coïncidence, que dans la gravure, saint Etienne porte les armes des Dinteville; un tableau peint pour cette famille pourrait donc être à l'origine de l'estampe. Or Chastellain, comme on le verra, a travaillé à Montmorency pour François de Dinteville vers 1525.
19. J. Lafond, art. cit. à la note 14.
20. Elles sont aujourd'hui garnies de vitraux du XIXe siècle.
21. Guilhermy, qui a décrit les vitraux de Saint-Merry en 1855 avant les plus grosses restaurations, note dans son *Itinéraire archéologique de Paris :* « la fabrique fit enlever systématiquement à chaque fenêtre les panneaux de la division centrale » (Bibl.nat., nouv. acq. fr. 6118).
22. Ce qui suppose un programme iconographique établi dès l'origine de la construction du chœur, qui s'est faite en sens opposé, ou plus probablement signifie que toutes les verrières ont été exécutées après l'achèvement des travaux.
23. Le visage d'un des assistants à gauche notamment est celui de Simon de Cyrène dans le Portement de croix gravé par Marc-Antoine.
24. J. Lafond, « La Renaissance », dans le *Vitrail français,* p. 253, avait déjà noté la similitude entre les deux vitraux, mais, on l'a vu, ne soupçonnait la main de Chastellain dans aucun des deux.
25. L. Brochard, *Saint-Gervais,* Paris, 1938, p. 276.
26. Dom Guillaume Morin, *Histoire du Gastinois,* éd. par Henri Laurent, Pithiviers, 1883, 3 vol., pp. 306-307.
27. En fait, d'après don Morin (*Ibidem,* p. 309), il ne s'agissait que d'une partie de la mâchoire, l'autre moitié étant à Saint-Jean d'Angély et le devant de la face à Amiens.
28. M. Hérold a justement montré qu'à chaque fois que l'on trouve des réutilisations de cartons dans les premières décennies du siècle, la peinture est identique et a donc été exécutée dans le même atelier. *Cf. supra,* pp. 62 et sqq.
29. Sauf à envisager la succession de deux ateliers, non plus après 1531, mais bien avant : si césure il y a, il faudrait la placer très tôt, entre le vitrail de sainte Agnès et la Vie de la Vierge de Saint-Gervais, deux vitraux que l'on n'a pu jusqu'à présent examiner de près. Sinon, comment expliquer la ressemblance entre le Judas du *Repas chez Simon* de Triel avec l'un des apôtres de la *Cananéenne,* ou encore de l'un des apôtres de l'*Incrédulité* (le plus à droite d'un groupe de quatre, dans la quatrième lancette) avec l'un des assistants au *Mariage de la Vierge* de Saint-Gervais ?
30. *Cf. infra,* p. 188. Notons encore que Lucien Magne, dans *l'Œuvre des peintres-verriers français,* Paris, 1885, p. XXIX, fig. 18, reproduit un

Saint-Gervais, baie 108. Le Martyre de saint Laurent (vers 1545-1550), détail.

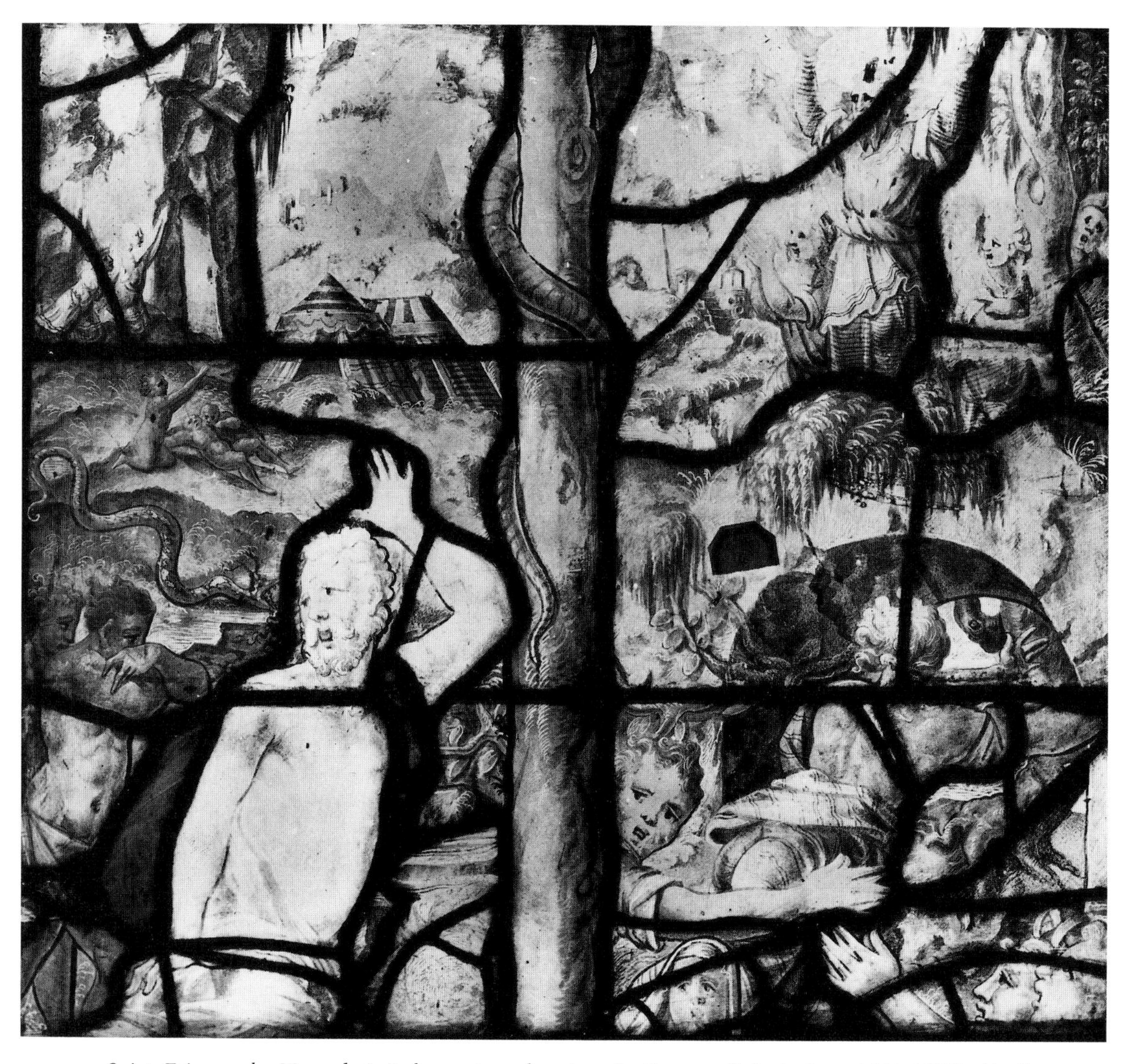

Saint-Etienne-du-Mont, baie 5 des anciens charniers. Le Serpent d'airain (vers 1545-1550), détail.

panneau conservé autrefois au musée Carnavalet qui proviendrait également de Saint-Gervais. Le titre de « la Charité » qu'il lui donne est erronné, mais la facture des trois personnages partiellement conservés est très proche, pour autant que l'on puisse juger sur le cliché en noir et blanc, de celles du vitrail de Salomon et d'autres œuvres de Chastellain.

31. L. de Laborde, *Les Comptes des bâtiments du Roi* (1528-1571), Paris, 1880, *passim.*
32. Son fils, également prénommé Jean, lui succède.
33. C.Grodecki, *Documents du Minutier central des notaires: histoire de l'art au XVIe siècle,* t. I, p. 234.
34. *Id. Ibid.*
35. Il la signale lui-même dans son *Art de la peinture sur verre,* Paris, 1774, p. 83.
36. Une des têtes ancienne de saint Etienne retirée par Lafaye se trouve aujourd'hui au musée Carnavalet.
37. Des fragments importants des parties anciennes sont conservés au musée du Louvre — notamment une belle Vierge à l'enfant — et au musée national de la Renaissance.
38. A Saint-Eustache, il ne subsiste plus aujourd'hui que des verrières du XVIIe siècle.
39. La première travée ne comporte aucune ouverture au nord en raison de la présence du clocher.
40. Sauval, *Histoire et recherches des antiquités de Paris,* t. I, Paris, 1724 (rééd. 1973), p. 453.
41. A. Firmin-Didot, *Etudes sur Jean Cousin,* Paris, 1972.
42. Il ne peut d'ailleurs y avoir aucun doute sur l'iconographie originelle, car Sauval, qui a vu la verrière dans son état primitif, parle bien du vitrail de la Piscine.
43. *L'Ecole de Fontainebleau,* [Exposition, Paris, Grand Palais], 1972, n° 60.
44. *The finest drawings from the museum of Angers,* [Exposition], Londres, 1977, n° 21.
45. Arch. nat., Min. cent. LIV, 1557, 16 juillet. Publié par J. Pichon, « Notes sur la chapelle des orfèvres », dans *Mémoires de la Société de l'histoire de Paris et de l'Ile-de-France,* t. IX, pp. 95 et sqq.
46. *L'Ecole de Fontainebleau, n° 290.*
47. Lui-même emprunté à la Mort d'Ananie de Raphaël par Jean Cousin.

Saint-Gervais, baie 103. La Piscine de Béthesda (vers 1545-1550), détail : Aveugle guidé par une jeune femme dans un paysage à l'antique.

AVEUGLE GUIDÉ PAR UNE JEUNE FEMME DANS UN PAYSAGE A L'ANTIQUE.
Eglise Saint-Gervais-Saint-Protais, baie 103.
La Piscine de Béthesda.
Vers 1545-1550.
H. 0, 69 m - L. 0, 78 m (dimensions totales de la baie : H. 9, 60 m. - L. 4, 10 m.)

HISTORIQUE
La clef de voûte du rond-point du chœur porte la date de 1540, mais le style des trois verrières conservées dans les fenêtres hautes, très nettement inspiré du maniérisme de l'Ecole de Fontainebleau, suggère une datation un peu plus tardive.
La Piscine de Béthesda est l'une des nombreuses verrières de la région parisienne qu'une tradition souvent fantaisiste attribue à Jean Cousin, mais c'est aussi l'une des rares pour lesquelles l'hypothèse n'est pas absurde : le peintre ne l'a certainement pas exécutée lui-même, mais il a pu en fournir le modèle. Le style des personnages et des fabriques du registre supérieur, le mieux conservé, correspond en effet assez avec ce que l'on connaît de son œuvre dessinée ou gravée.

ICONOGRAPHIE
La verrière, souvent citée sous le titre de « Piscine probatique », représentait la guérison par le Christ d'un paralytique auprès de la piscine de Béthesda à Jérusalem. Seule est conservée la partie supérieure, qui montre les malades attendant le bouillonnement de l'eau dans un paysage traité à l'antique : « Sous ces portiques étaient couchés en grand nombre des malades, des aveugles, des boiteux, des paralytiques qui attendaient le mouvement de l'eau; car un ange descendait de temps en temps dans la piscine et agitait l'eau; et celui qui y descendait le premier après que l'eau avait été agitée était guéri, quelle que soit sa maladie » (Jean, 5, 3-4). Les deux personnages du panneau déposé, une jeune femme et un vieillard aveugle, représentés selon les stéréotypes de la Renaissance, s'approchent des bords de la piscine pour guetter l'intervention de l'ange.

CONSERVATION
Toute la partie inférieure de la verrière a été restituée par le restaurateur, qui, faute d'en comprendre le sujet initial, a représenté une autre scène des Evangiles : la guérison d'un paralytique à Capharnaüm. Le registre supérieur est en revanche bien conservé, et le panneau présenté ne contient que trois petites pièces de restauration dans sa partie droite.

TECHNIQUE ET STYLE
La peinture, aisée et rapide, comporte de nombreux enlevés à la brosse et au petit bois sur une couche de grisaille tantôt brune tantôt rousse. Les ombres sont rajoutées à la grisaille noire. On relève trois teintes de jaune d'argent, du jaune citron à l'orangé. Le panneau déposé ne présente aucune trace d'émail, qui est seulement employé, dans le reste de la verrière, en complément du jaune d'argent pour peindre des touches de verdure dans le paysage. Dans cette partie du vitrail à la tonalité très claire, les verres blancs l'emportent sur les verres de couleur.

BIBLIOGRAPHIE
P. Le Vieil, *l'Art de la peinture sur verre et de la vitrerie,* Paris, 1774, p. 43. A. Lenoir, *Musée des Monuments français. Histoire de la peinture sur verre et description des vitraux anciens et modernes,* Paris, 1803 (an XII), p. 45. F. de Guilhermy, *Itinéraire archéologique de Paris,* Paris, 1855, p. 181. L. Brochard, *Saint-Gervais,* Paris 1938, pp. 280-281.

F. G. et G.-M. L.

UN BOURREAU (détail).
Eglise Saint-Gervais-Saint-Protais, baie 108.
Le Martyre de saint Laurent.
Vers 1545-1550.
H. 0, 90 m - L. 0, 54 m (dimensions totales de la baie : H. 9, 60 m. - L. 4, 10 m.)

HISTORIQUE
Le vitrail du Martyre de saint Laurent semble contemporain de celui de la Piscine de Béthesda. Les deux œuvres sont manifestement sorties du même atelier, tant leur facture est comparable, mais le nom du peintre-verrier reste inconnu, de même que celui des donateurs représentés au bas de la verrière.

ICONOGRAPHIE
La verrière, qui occupe une grande baie de six lancettes, représente le martyre de saint Laurent, diacre compagnon du pape saint Sixte au IIIe siècle. Sommé par l'empereur de remettre à l'état les richesses de l'Eglise, il se présenta au palais accompagné de tous les pauvres de Rome auxquels il avait porté secours : « voilà le trésor de l'Eglise, il ne diminue jamais et augmente toujours ». Arrêté et torturé, il fut finalement martyrisé sur le gril. Il est représenté dans le vitrail adressant à l'empereur ces paroles, rapportées dans la Légende dorée : « Ne vois-tu pas que la moitié de mon corps est suffisamment grillée, tourne-le de l'autre côté et tu pourras ainsi manger ma chair cuite ».
Le panneau déposé figure l'un des bourreaux occupés à martyriser le saint. Maintenant sur son épaule un panier de bois destiné à alimenter le brasier, il tient de la main droite une torche (qui apparaît sur le panneau voisin) et est partiellement masqué par le corps d'un autre bourreau.

CONSERVATION
Les restaurations sont presque aussi importantes que dans la verrière de la Piscine de Béthesda, mais sont mieux réparties et n'ont semble-t-il pas modifié l'iconographie. Les panneaux les mieux conservés se situent dans la partie médiane du vitrail (entre le troisième et le cinquième registre); celui qui est présenté comporte très peu de pièces de restauration (quatre pièces modernes et deux bouche-trous). La grisaille est légèrement altérée par endroits.

TECHNIQUE ET STYLE
L'auteur du carton s'est inspiré d'une gravure de Marc-Antoine d'après Bandinelli. Il y a puisé les figures du saint et de trois des bourreaux, dont il a légèrement modifié les attitudes pour les redessiner librement dans une composition nouvelle. Compte tenu de la différence d'échelle, la technique de peinture est comparable à celle observée dans la verrière de la Piscine de Béthesda, et les teintes de grisaille sont les mêmes. On note toutefois une utilisation plus importante de la sanguine, notamment sur les mains et la bouche du bourreau. L'utilisation d'un verre rouge en dégradé pour tailler la tunique du second bourreau qui apparaît au premier plan est remarquable.

F. G. et G.-M. L.

a. Saint-Gervais, baie 108. Le Martyre de saint Laurent (vers 1545-1550), détail : le Bourreau.

b. Ecouen, musée national de la Renaissance. Fragment d'une scène indéterminée provenant d'une église de Provins (vers 1525).

FRAGMENTS DE SCÈNES
DE LA VIE DU CHRIST
Musée national de la Renaissance
(inv. Ec. 167, 168 et 169)
provenant d'une église indéterminée de Provins.
Vers 1525
167 : H. 0, 53 m. - L. 0, 40 m.
168 : H. 0, 53 m. - L. 0, 43 m.
169 : H. 0, 59 m. - L. 0, 39 m.

HISTORIQUE

Ces trois panneaux proviennent de la collection d'E. du Sommerard; ils figurent dans le catalogue de 1883 avec la mention : « provenant des verrières de Provins ». Exposés au musée de Cluny jusqu'en 1939, il sont actuellement conservés dans les réserves du musée national de la Renaissance. La facture très proche des différents fragments qui les constituent laisse penser que toutes ces pièces, rassemblées de façon souvent arbitraire, appartenaient à l'origine à une même verrière, ou du moins à un groupe de verrières sorties du même atelier. L'église qui aurait pu contenir ces vitraux n'a pas été identifiée.

L'un des personnages du panneau qui semble le plus complet (Ec. 168) porte sur la bordure de sa manche l'inscription CHASTELLA, certainement pour Chastellain. Trois peintres-verriers de ce nom ont exercé à Paris dans la première moitié du XVIe siècle : Roch Chastellain, « maistre vitrier », seulement signalé dans un acte notarié de 1534, Jean Chastellain, auquel plusieurs verrières de Paris et d'Ile-de-France peuvent être attribuées, et enfin Jacques Chastellain, fils du précédent. La comparaison avec certaines œuvres de Jean Chastellain est convaincante et conduit à proposer pour les panneaux du musée national de la Renaissance une datation proche de 1525 en raison de leur ressemblance avec certaines verrières de Triel, Montmorency et Nemours.

ICONOGRAPHIE

Le caractère fragmentaire et composite de ces vitraux rend l'interprétation iconographique délicate. Etant donné l'échelle des personnages, la verrière d'origine comprenait certainement plusieurs scènes, et celles-ci ont été mêlées pour constituer trois panneaux d'antiquaire. Mme F. Perrot propose d'y voir deux fragments des Noces de Cana (Ec. 167 et 168) et un fragment d'une Adoration des Bergers (Ec. 169) tout en reconnaissant que cette dernière hypothèse soulève des difficultés en raison du nombre des personnages et de l'absence d'attributs spécifiques (instruments de musique et houlettes). Il est en effet peu probable que la foule figurée ici par le peintre-verrier soit composée de bergers. Plus que les acteurs d'une scène, ce sont plutôt des assistants tels que Chastellain aimait à en représenter. Les architectures de l'angle supérieur droit, qui auraient pu évoquer la crèche, sont toutes des bouche-trous, et le geste de prière du personnage barbu de gauche n'est pas significatif : l'un des assistants à l'Entrée du Christ à Jérusalem de Triel, dont l'un des panneaux est d'ailleurs très semblable, par sa composition, au fragment du musée national de la Renaissance, a les mains jointes de façon identique.

CONSERVATION

Il y a peu de pièces modernes dans ces panneaux, le verrier chargé de leur fabrication ayant sans doute eu à sa disposition une quantité importante de verres anciens. En revanche,

c et d. Ecouen, musée national de la Renaissance. Fragments des Noces de Cana (?) provenant d'une église de Provins (vers 1525).

pour cette même raison, les pièces déplacées et les bouche-trous sont particulièrement nombreux. Ainsi, dans le n° 169, tout l'angle supérieur droit, au dessus de la muraille crénelée, est constitué de fragments divers, alors que l'architecture d'origine apparaît à gauche. Dans le n° 167, ce sont deux têtes sur trois qui ont été rapportées : le personnage de gauche, à l'origine certainement masculin, a été affublé d'une tête de femme qui n'est pas même à l'échelle; de même, l'homme assis au premier plan a désormais le visage d'un soldat qui était primitivement tourné dans l'autre sens, puisque la peinture se trouve à l'extérieur de la pièce. Les herbes qui figurent dans l'angle supérieur droit sont également des remplois, tandis que des pièces de raccord modernes ont été placées dans la bordure droite du panneau et entre les personnages. Le panneau n° 168 est le mieux conservé : on ne relève que cinq pièces de restauration, dont une grande dans l'angle inférieur gauche, et à peine plus de bouche-trous, principalement dans la partie supérieure, entre les têtes des trois personnages debout. Une petite pièce d'architecture, montée à l'envers, est comparable à celle que l'on trouve dans le panneau n° 167.

TECHNIQUE ET STYLE

On retrouve dans ces trois panneaux la technique de Jean Chastellain : modelés putoisés repris par de nombreux enlevés à la brosse et à l'aiguille, carnations rendues par un lavis de grisaille rousse posé sur la face externe, mèches « enlevées » dans les chevelures et parfois reprises au trait, dessin de plusieurs têtes sur une même pièce de verre, emploi abondant et habile du jaune d'argent, variété dans les teintes de grisaille. Parmi ses œuvres identifiées, les plus proches par la technique et le style sont le Repas chez Simon et l'Entrée à Jérusalem de l'église Saint-Martin de Triel : dans la première, on retrouve les mêmes couleurs vives, et souvent les mêmes attitudes; plusieurs détails sont comparables comme les deux personnages qui tiennent un couteau ou encore les enlevés à l'aiguille pour dessiner le motif de la nappe. Des similitudes encore plus nettes existent, on l'a vu, avec l'Entrée à Jérusalem, notamment avec les personnages regroupés dans la lancette de gauche. Le motif du damas qui orne le manteau du personnage assis au premier plan du panneau n° 167 se superpose exactement avec celui que l'on trouve sur la robe de Marie-Madeleine du vitrail offert par Guy de Laval à la collégiale Saint-Martin de Montmorency, et l'on retrouve ce motif, très légèrement réinterprété, à Triel. Enfin, le visage du personnage debout au centre du panneau n° 168 n'est pas sans rappeler celui de l'un des apôtres de l'Incrédulité de saint Thomas de Saint-Germain-l'Auxerrois.

BIBLIOGRAPHIE

E. Du Sommerard, *Musée des Thermes et de l'hôtel de Cluny, Catalogue et description des objets d'art,* Paris, 1883, n° 1932, 1933 et 1936. F. Perrot, *Catalogue des vitraux du musée de Cluny à Paris,* Thèse de 3e cycle, Université de Dijon, 1973, n° 87 A à C. Id., « La signature des peintres-verriers », dans *Revue de l'Art,* n° 26, 1974, pp. 40-45. G.M. Leproux, *Recherches sur les peintres-verriers parisiens de la Renaissance,* Genève, 1988, p. 60.

G.-M. L.

Bayonne, cathédrale. La Prière de la Cananéenne (1531), détail.

Les guerres de religion et le règne d'Henri IV

GUY-MICHEL LEPROUX

DANS la seconde moitié du XVIe siècle, les conditions d'exercice du métier changent. Les commandes civiles, en accroissement constant, monopolisent l'activité d'un nombre de plus en plus grand d'ateliers, tandis que le vitrail religieux ne cesse de perdre du terrain[1]. Les causes en sont multiples, et leur importance respective difficile à évaluer. On a évoqué le besoin de lumière lié à la diffusion du livre de messe ou à la bonne présentation des tableaux dont commencent à s'orner les chapelles. En fait, dans la première moitié du siècle, si le vitrail s'était peu à peu affranchi des contraintes de l'architecture en ne tenant plus compte de la division des baies, sa présence n'était plus indispensable comme elle avait pu l'être dans l'architecture gothique. Les édifices de la Renaissance pouvaient fort bien avoir des fenêtres garnies de vitraux et d'autres non, comme déjà en 1540 dans le chœur de Saint-Etienne-du-Mont, selon les finances de la paroisse et les caprices des donateurs. Or, les effets du contrat de Poissy de 1562, qui prévoyait une contribution des fabriques parisiennes à hauteur de trente mille livres, puis les troubles religieux, rendirent de plus en plus difficile le financement des programmes architecturaux et à plus forte raison des ornements qui n'étaient plus considérés comme essentiels.

A Saint-Gervais, les travaux, interrompus au milieu du siècle, reprennent de 1574 à 1578 avec la construction du transept et des premières chapelles latérales de la nef, puis sont de nouveau arrêtés pendant près de vingt ans, faute de moyens, pour ne s'achever qu'au début du XVIIe siècle[2]. A Saint-Etienne-du-Mont, après l'achèvement du chœur, le transept et la nef ne sont bâtis qu'entre 1568 et 1586, à un rythme ralenti : en 1579 les marguilliers recueillent même l'avis des paroissiens pour décider « s'il est besoin continuer le bastiment et la manière de trouver les deniers pour ce faire »[3]. Le portail, comme à Saint-Gervais, n'est élevé qu'au XVIIe siècle.

Ce sont le transept et la nef de ces deux églises qui conservent l'essentiel des vitraux datables de la seconde moitié du siècle à Paris. A Saint-Etienne-du-Mont, le vitrail de la Parabole des conviés, dans la première chapelle sud de la nef (baie 26), porte le chronogramme de 1568, date qui, quoique peinte sur une pièce de restauration, peut être retenue car elle s'accorde avec la chronologie des travaux de la nef ainsi qu'avec le style de la composition et le costume des personnages. Ce vitrail, qui n'est pas précisément un chef-d'œuvre, est intéressant à un autre titre : il permet de constater les progrès d'une technique nouvelle introduite dans le vitrail au milieu du siècle, la peinture à l'émail.

L'APPARITION DES ÉMAUX

La technique des émaux était connue depuis longtemps, et son application au vitrail civil sans doute assez ancienne, mais, jusqu'à présent, le premier exemple formellement daté sur un vitrail monumental est celui de l'Enfance du Christ de Montfort-l'Amaury (1543). Dans le chœur de Saint-Etienne-du-Mont, achevé en 1542 — et pas davantage dans celui de Saint-Merry, presque contemporain — on ne trouve trace de cette technique dont le principal inconvénient est de nuire à la lisibilité du vitrail, puisque les émaux, contrairement au verre teint dans la masse, créent des zones opaques, dont le dessin n'est en outre plus souligné par un plomb. Le vitrail du

Serpent d'airain à Saint-Etienne-du-Mont et celui de la Piscine de Béthesda à Saint-Gervais, que leur style situe dans les années 1545-1550, comportent quelques touches d'émail bleu, sur l'ancienneté desquelles on a pu s'interroger, mais qui, en tout état de cause, ne sont employées qu'en complément du jaune d'argent pour peindre des feuillages dans des zones où le verre de couleur est absent dans un cas, et très rare dans l'autre. La Piscine de Bétesda comporte même, à proximité, des pièces montées en chef-d'œuvre, signe que le peintre-verrier ne cherchait pas, en utilisant l'émail, à s'épargner des mises en plombs délicates.

En revanche, c'est bien le cas dans la Parabole des conviés, où l'émail bleu sert à peindre les grandes « forces » à tondre les moutons que tient le futur réprouvé, sur les lames desquelles on trouve, en guise de rébus, les mots « d'argent et d'amis »: notre homme a donc « force d'argent et d'amis ». Quoique le vitrail ne soit pas placé à une hauteur considérable, les quelques pièces peintes à l'émail ressortent de façon confuse : les grandes forces, mais aussi le casque du soldat ainsi que quelques éléments plus discrets de paysage. Pourtant, jusqu'au début du XVIIe siècle, jamais les émaux ne tiendront un plus grand rôle dans le vitrail monumental, et ce n'est que vers 1610, notamment dans la nef de Saint-Gervais, que leur présence deviendra réellement génante.

Saint-Etienne-du-Mont, baie 26. Parabole des conviés (1568), détail.

NICOLAS PINAIGRIER

Depuis la fin du XVIIe siècle jusqu'à une époque récente, lorsqu'un vitrail du XVIe siècle n'était pas attribué à Jean Cousin, il l'était généralement à Robert Pinaigrier. Citons, entre autres, à Saint-Gervais, les vitraux de la chapelle de la Vierge et celui de la Sagesse de Salomon, qui porte encore l'inscription « peint par Robert Pinaigrier » tracée en 1868 par le restaurateur Joseph Félon, quelquefois les verrières hautes du chœur, le Pressoir mystique de Saint-Etienne-du-Mont... Les églises de province auraient également été redevables au « bon Pinaigrier » d'une quantité prodigieuse de verrières que souvent près d'un siècle séparait.

Des publications récentes ont permis de faire un sort à ce mythe et d'en mieux comprendre l'origine, en mettant en évidence le rôle joué par la famille Pinaigrier dans le vitrail parisien de la fin du XVIe siècle et des deux premières décennies du XVIIe siècle[4].

La famille est originaire de Beauvais, où Thibault Pinaigrier travaillait entre 1534 et 1562. La seconde génération connue, celle des fils de Thibault, vint s'établir à Paris vers le milieu du siècle. L'aîné, Jacques, épousa en 1553 la veuve d'un maître parisien, Jean Porion, et reprit l'atelier du défunt rue Saint-Jacques. En 1571, il était juré de la corporation et était chargé dans la décennie suivante de l'entretien des vitraux de l'église Saint-Séverin. De son œuvre, on ne sait rien, pas plus que de celle de son frère Pierre, qui était établi place Maubert dans les années 1570 et mourut avant 1584, laissant deux fils, Jacques et Louis[5].

Le troisième fils de Thibault, Nicolas, est mieux connu. Sa présence à Paris est attestée de 1566 à sa mort, survenue le 2 décembre 1606, à un âge sans doute respectable puisqu'à son arrivée dans la capitale il était déjà père de

a. Saint-Etienne-du-Mont, baie 216. Saint Nicolas, saint Jean-Baptiste, saint Olivier et sainte Agnès (1586).

b. Beauvais, musée des Beaux-Arts. Résurrection, attribuée à Antoine Caron (vers 1590).

c. Saint-Etienne-du-Mont, baie 214. Résurrection (vers 1585).

trois enfants. Pendant ces quarante années d'activité, il se remaria à trois reprises et déménagea plusieurs fois, transportant son atelier de la rue Troussevache à la rue de la Savonnerie, pour s'installer finalement rue Saint-Germain-l'Auxerrois en 1581. Il fut le maître d'apprentissage de son fils Jean, mais aussi de ses deux neveux Jacques et Louis, c'est-à-dire des trois Pinaigrier qui exercèrent la peinture sur verre à Paris au début du XVIIe siècle. Artiste renommé, son rôle dans le vitrage de la nef de Saint-Etienne-du-Mont et du transept de Saint-Gervais, les deux grands chantiers de son époque, fut comparable à celui qu'avait joué quarante ans plus tôt Jean Chastellain dans le chœur de ces mêmes édifices.

Sauval, qui écrivait vers 1650, possédait des renseignements encore assez précis sur l'activité des Pinaigrier. Ainsi pouvait-il indiquer, à propos des charniers Saint-Paul vitrés au début du XVIIe siècle : « la sixième [vitre], le Départ de saint Paul d'Ephèse; la septième, la Résurrection d'Eutiché à Ephèse, l'une et l'autre par Nicolas Pinaigrier, inventeur des émaux, ce sont les deux meilleures de ce charnier. (...) Les quatre dernières sont bonnes et de la main de Jean et Louis Pinaigrier »[6]. Au début du XVIIIe siècle, Félibien ne parlait encore que d'« un nommé Pinaigrier, vitrier, qui était excellent en cet art et dont les enfants ont depuis travaillé à Tours avec estime », sans préciser davantage le prénom, mais en inaugurant la série des attributions fantaisistes puisqu'il en faisait l'auteur de verrières chartraines qu'il datait de 1520[7]. Ce n'est que plus tard, avec Le Vieil, que le prénom de Robert apparut avec la fortune que l'on sait.

Aucune œuvre de Nicolas Pinaigrier antérieure à 1585 ne nous est parvenue, mais certaines sont connues par les textes : ainsi sait-on qu'en 1579, il travailla pour l'église de Beaureing-la-Couldre, près d'Auxerre[8], et qu'en 1583 un marchand nommé Louis Michel lui commanda un vitrail pour la chapelle Sainte-Anne de l'église Saint-Gervais, où Le Vieil avait encore pu admirer au XVIIIe siècle « les courses de jeunes pélerins qui, près d'atteindre la cime du rocher escarpé sur lequel est située l'abbaye de Saint-Michel *in tumba,* s'exercent à des danses et à des amusements champêtres », scène en partie peinte à l'émail qu'il attribuait au mythique Robert Pinaigrier[9].

Avant tout, ce sont les œuvres conservées dans le transept et la nef de Saint-Etienne-du-Mont qui permettent de mesurer la renommée de Nicolas Pinaigrier dans les dernières années du XVIe siècle.

Dans le transept, le vitrail des Quatre saints (baie 216) est parfaitement documenté[10]. Il fut commandé à Nicolas Pinaigrier le 6 août 1586 par Olivier Bouchinet et sa femme Nicole dont les initiales figurent au tympan, entourées d'anges et surmontées d'une gloire d'or et de la colombe du Saint-Esprit. Les donateurs et leurs enfants sont représentés en priants devant les saints protecteurs de la famille, saint Nicolas, saint Jean-Baptiste, saint Olivier et sainte Agnès, mais, étrangement, Olivier Bouchinet se trouve aux pieds de saint Nicolas, et sa femme Nicole à ceux de saint Jean-Baptiste.

Ce vitrail nous est parvenu dans un état de conservation satisfaisant et constitue un bon exemple de la manière de Nicolas Pinaigrier, quoique le sujet n'exige point une grande originalité de composition. Les donateurs sont traités uniquement en grisaille sur verre blanc, de même que les architectures des colonnes qui intègrent habilement les meneaux, le verre de couleur étant réservé aux quatre saints qui se détachent sur un fond bleu uni. Le dessin des visages est, comme l'ensemble du vitrail, d'une grande simplicité qui ne nuit pas à l'élégance de l'ensemble. Enfin, l'émail est utilisé avec modération, essentiellement pour décorer les mitres des saints prélats.

On retrouve ces mêmes qualités dans la Résurrection voisine (baie 214) qui n'est pas documentée mais peut être rapprochée du vitrail des Quatre saints : la silhouette sombre des donateurs présentés par saint Maurice, eux aussi entièrement peints en grisaille sur verre blanc, se détache sur la gamme colorée très vive du reste du vitrail et leur facture est tout à fait comparable à celle d'Olivier Bouchinet et de sa famille. Le visage du Christ est dû à la main malheureuse d'un restaurateur, mais ceux de saint Maurice et des soldats fuyards sont, en revanche traités comme le saint Jean-Baptiste voisin. Il est donc logique d'attribuer cette verrière à Nicolas Pinaigrier, qui est l'auteur, comme on le verra, de toutes celles des fenêtres hautes du transept et de la nef du côté sud, et de le situer chronologiquement avant le vitrail offert par Olivier Bouchinet, qui est le suivant de la série, soit vers 1585. Mais cette date pose problème : en effet, la partie centrale du vitrail de Saint-Etienne-du-Mont, notamment le Christ aérien qui s'élève au-dessus du sépulchre, se retrouve textuellement dans un tableau d'Antoine Caron daté des environs de 1594 par Mme Béguin[11] . Ce thème de la Résurrection a souvent été traité dans la deuxième moitié du XVIe siècle, et a été largement diffusé par les *Quadrins historiques de la Bible* de Bernard Salomon dont plusieurs personnages secondaires du vitrail sont inspirés. Mais le Christ lui-même ne doit rien à Bernard Salomon, et il faudrait donc envisager, comme un demi-siècle auparavant, la fourniture d'un modèle dessiné plutôt que gravé, peut-être fourni par Caron lui-même, qui, il faut le noter, avait la même origine beauvaisienne que les Pinaigrier.

La fenêtre suivante du transept (baie 218) est aujour-

Saint-Etienne-du-Mont, baie 223. Descente de Croix (1587).

d'hui garnie d'une simple vitrerie de losanges, mais elle contenait à l'origine une Descente de croix commandée à Nicolas Pinaigrier le 22 avril 1587 par un marchand de vin nommé Guillaume Alain[12]. Celui-ci avait imposé comme modèle au peintre-verrier la gravure de Marc-Antoine Raimondi d'après la Descente de croix de Raphaël (B. 32); seul subsiste un fragment de ce vitrail, remonté dans la deuxième fenêtre haute de la nef, du côté nord (baie 223), où l'abbé Faudet le signale dès 1840. La forme cintrée des plombs dans la partie supérieure laisse supposer qu'il occupa un temps l'une des baies de l'ancien charnier, où l'on trouve encore une verrière provenant d'une chapelle de l'église, le Serpent d'Airain. Pinaigrier a copié les figures de Marc-Antoine avec une extrême minutie, s'appliquant à reproduire le détail des drapés et des musculatures : la plupart des différences que l'on peut relever avec l'estampe, comme la disparition du manteau jeté sur l'épaule de saint Jean, résultent de restaurations. Il s'est en revanche accordé plus de liberté dans l'interprétation du décor, substituant à la Jérusalem esquissée à l'arrière-plan de son modèle des bâtiments d'une échelle plus importante, peints à la grisaille sur un verre légérement bleuté, sans doute dans le souci d'une plus grande lisibilité. Malgré les contraintes imposées par le donateur, on reconnaît dans ce fragment de vitrail l'aisance d'exécution de Nicolas Pinaigrier, ainsi que l'emploi de tons vifs déjà noté dans la Résurrection.

Sur les quatre vitraux de la nef, du côté nord, qui représentent les apparitions du Christ après la Résurrection, l'un est est attribué avec certitude à Nicolas Pinaigrier par un actes notarié : il s'agit de l'Incrédulité de saint Thomas, commandée le 18 juillet 1588 par un marchand de la paroisse, Jamet Bordier, dont les armoiries peintes à l'émail figurent encore au tympan, accompagnant un Dieu le Père d'assez bonne facture (baie 224)[13]. La partie basse de cette verrière a été assez fortement restaurée, le carrelage ayant été presque entièrement repris à la sanguine et à l'émail violet, dont l'aspect falot jure avec les couleurs franches employées dans les parties hautes[14]: rouges, verts, bleus et pourpres profonds, assombris par un léger lavis sur la face externe. Plusieurs nuances de grisaille sont utilisées, du gris clair au noir, en passant par le roux et le brun. L'émail bleu, seul employé à l'origine, est utilisé avec discrétion, pour orner les livres tenus par les Evangélistes notamment.

La même facture se retrouve dans les deux premiers vitraux de la nef, les Saintes femmes au tombeau (baie 220) et les Pèlerins d'Emmaüs (baie 222), qui sont certainement sortis du même atelier, entre le mois de septembre 1587, date prévue pour la livraison de la Descente de croix du transept, et la commande de l'Incrédulité de saint Thomas en juillet 1588[15] . Il suffit pour s'en convaincre de comparer le visage des saintes femmes avec celui de la sainte Agnès du vitrail des Quatre saints du transept : même façon de peindre les mèches de cheveux, même modelé léger pour creuser les orbites, soulignés d'un trait au niveau des sourcils, même dessin des lèvres. Les drapés souples, les silhouettes en léger déséquilibre et la gamme colorée sont identiques à ceux de l'Incrédulité, et le dessin de l'ange en grisaille et jaune d'argent sur verre blanc ne surprend pas lorsqu'on connaît les vitraux du transept, pas plus que les dégradés de bleu obtenus par un lavis d'épaisseur variable : le procédé était identique dans la Descente de croix. La ressemblance des Pèlerins d'Emmaüs avec l'Incrédulité de saint Thomas, notamment dans le dessin des mains et des visages, est certaine, même si elle a été quelque peu forcée par le restaurateur qui a placé dans l'amortissement des lancettes des poutres imitées du vitrail voisin, alors que le reste de la composition suggèrerait plutôt une architecture monochrome.

Saint-Etienne-du-Mont, baie 220. Les Saintes femmes au tombeau ▶ (1587-1588).

Le vitrail de l'Ascension, qui complète la série vers l'ouest devrait, logiquement, être aussi de la main de Pinaigrier : les marguilliers de Saint-Etienne-du-Mont avaient manifestement souhaité confier à un même artiste toutes les fenêtres hautes du côté sud, auxquelles ils avaient tenté de conserver une unité iconographique. Comment expliquer, sinon, le délai entre chaque commande, alors que le transept et la nef étaient entièrement voûtés depuis 1586? Pourtant, il est bien difficile d'attribuer l'Ascension à Nicolas Pinaigrier, du moins à lui seul. Les restaurations de Prosper Lafaye y sont certes plus nombreuses que dans les autres fenêtres de la nef, et contribuent à alourdir la composition, mais la lourdeur du dessin de certains visages anciens n'a rien de commun avec celui des apôtres de l'Incrédulité ou des Pèlerins d'Emmaüs. Peut-être les troubles de la Ligue, qui tenait Paris depuis la journée des Barricades du 12 mai 1588, ont-ils interrompu le vitrage de la nef, d'autant que le curé de la paroisse, Joseph Foulon et plusieurs marguilliers ou anciens marguilliers se distinguèrent ces années-là comme ardents ligueurs[16]. L'Ascension pourrait ainsi n'avoir été exécutée que bien après les autres vitraux de la série — peut-être une dizaine d'années plus tard — à une époque où Nicolas Pinaigrier, déjà très âgé, avait abandonné une partie de son atelier à son gendre Toussaint Leblond et travaillait en association avec son fils Jean ou son neveu Louis. Le style de ce dernier, qui devait reprendre plus tard l'atelier de son oncle, est connu par les vitraux de la nef de Saint-Gervais et s'accorderait assez avec certaines parties du vitrail de l'Ascension, mais moins avec les deux apôtres du premier plan, qui sont d'un dessin plus soigné. Il convient donc d'être prudent quant à l'attribution de ce vitrail, d'autant qu'on ne connaît pratiquement rien de la manière de Nicolas Pinaigrier dans les dernières années de sa vie, époque où il lui arrivait fréquemment de ne pas assumer seul la fabrication de l'ensemble d'une verrière : en 1603, il s'associait avec son fils Jean pour l'exécution d'un vitrail destiné à l'église de Rueil. Deux ans plus tôt, son nom apparaît dans un contrat passé entre Claude Chantereau, avocat au Parlement et le peintre-verrier Thomas Langlois pour la fourniture d'un vitrail destiné à une chapelle de l'église Saint-Eustache : Langlois fera le vitrail, mais la famille du donateur représentée dans la partie inférieure sera peinte par Nicolas Pinaigrier, dont on peut ainsi mesurer la réputation de portraitiste au début du XVIIe siècle[17].

A cette époque, il semble qu'il travaillait essentiellement au vitrage du transept de l'église Saint-Gervais. En 1600, il s'engageait à peindre l'Incrédulité de saint Thomas et l'Ascension aux deux registres d'un vitrail aujourd'hui disparu que le marché situait « à l'opposite et vis-à-vis d'une vitre ou est pourtraict la Resurrection de notre Seigneur »[18]. Cette Résurrection citée comme point de repère, que l'on peut encore voir dans la fenêtre orientale du bras nord (baie 110), est donc antérieure à 1600 et la ressemblance qu'elle présente avec celle de Saint-Etienne-du-Mont, quoiqu'elle soit beaucoup plus chargée d'émaux, permet de l'attribuer aussi à Nicolas Pinaigrier — ainsi qu'à Prosper Lafaye qui a refait les quatre panneaux inférieurs de chaque lancette, la tête du Christ, plusieurs anges, et l'ensemble du tympan. Enfin, dans le bras nord du transept l'Adoration des mages (baie 115) a été presque entièrement refaite après la Première Guerre mondiale par Albert Gsell et son élève Tastemain, à partir de quelques pièces anciennes subsistant dans les parties hautes. Ces maigres fragments, comme l'élégant groupe des chameliers à l'arrière-plan de la lancette de gauche, sont cependant insuffisants pour savoir si les « six panneaux de vitres peints, scavoir quatre d'une Adoration (...) » recensés dans l'inventaire après-décès de Nicolas Pinaigrier étaient bien destinés au transept de Saint-Gervais, comme la chronologie des travaux nous engage à le croire[19]

On sait également, par Sauval, que Nicolas Pinaigrier a peint certaines des vitres émaillées des charniers Saint-Paul, l'ensemble le plus admiré au XVIIe siècle, et par des textes d'archives qu'il a décoré de vitraux civils un grand nombre d'hôtels particuliers, mais de cette production particulière aucun vestige ne nous a été conservé, si ce n'est un dessin de Lenoir représentant un vitrail civil de l'Histoire naturelle, signé Nicolas Pinaigrier F. 1603[20].

CONTEMPORAINS DE NICOLAS PINAIGRIER

Nicolas Pinaigrier n'était bien sûr pas seul à pratiquer la peinture sur verre au tournant du XVIe siècle, quoique sa production éclipse celle de tous ses contemporains parisiens. Ainsi, à Saint-Etienne-du-Mont, la Crucifixion de Jacques Bernard, que l'on peut encore voir dans le bras nord du transept (baie 217) paraît bien pauvre au regard des vitraux du bras sud[21]. Pourtant, Jacques Bernard n'était pas considéré de son temps comme un artiste de second ordre : fils de maître, il avait travaillé plusieurs années dans l'un des ateliers les plus importants de la capitale, celui du « vitrier du Roi » Laurent Marchant, avant d'être reçu à son tour à la maîtrise au début des années 1580[22]. En 1586, André Thévet lui avait confié la réalisation d'un vitrail, aujourd'hui disparu, qu'il désirait offrir à l'église des Carmes[23].

A Saint-Gervais, c'est un fragment de vitrail de Claude

a. Saint-Etienne-du-Mont, baie 217. Crucifixion (1587), détail : saint Jean.

Porcher que l'on peut mettre en regard des œuvres de Nicolas Pinaigrier : ce peintre-verrier, lui aussi fils et frère de maîtres, eut une carrière exceptionnellement longue, puisqu'il commença à exercer le métier en 1587 et ne mourut qu'en 1627. Il semble avoir travaillé davantage pour des bâtiments civils que pour des édifices religieux, s'intitulait le plus souvent « maître peintre et vitrier » et promettait à ses apprentis de leur apprendre « la pourtraiture et le secret des couleurs », c'est-à-dire principalement la peinture à l'émail destinée aux vitraux civils. Sa seule œuvre religieuse identifiée est le portrait des confrères du Saint-Nom de Jésus, qui figurait à l'origine au bas d'un grand vitrail à l'iconographie complexe commandé en 1600, et qui fut à une époque indéterminée retaillé en rondel et placé au centre d'une vitrerie de losanges (baie 26)[24]. Sans préjuger du style de la partie disparue, on peut admirer la finesse et l'expressivité de ces portraits, du moins de ceux qui, dans la partie droite, n'ont pas été refaits. Ainsi, Nicolas Pinaigrier, Jacques Bernard et Claude Porcher sont-ils les seuls maîtres de cette fin de XVIe siècle dont, en l'état actuel des connaissances, on puisse peu ou prou apprécier les talents au regard d'œuvres conservées. Les archives nous livrent d'autres noms : en 1582, quatre peintres-verriers, Eustache Pignerel, Marin Le Vavasseur, Antoine Porcher — frère aîné de Claude — et Robert Poireau se partagèrent une commande de trente-neuf verrières destinées au couvent des Cordeliers de Paris. Des dessins de Roger de Gaignères en ont conservé une image, fort partielle au demeurant puisqu'on n'y trouve que les portraits des donateurs qui figuraient au bas de ces verrières que Corrozet jugeait « fort magnifiques » et Sauval « assez bien peintes et très vivement coloriées »[25].

LE XVIIe SIÈCLE

L'histoire de la peinture sur verre à Paris au XVIIe siècle est encore à faire. L'abbé Brochard, dans sa remarquable étude sur Saint-Gervais, a ouvert la voie en publiant les marchés de la plupart des vitraux de la nef et en montrant ainsi que Louis Pinaigrier, associé à Nicolas Chamus, avait pris la suite de son oncle Nicolas à partir de 1607 sur le plus grand chantier de la capitale[26]. Le Lavement des pieds (baie 117) est l'un des seuls à n'être pas documenté. C'est, de loin, le plus réussi de la série, avec ses couleurs harmonieuses, ses visages très proches de ceux de l'Incrédulité de saint Thomas de Saint-Etienne-du-Mont et le portrait plein de finesse de l'un des apôtres. Situé dans la première travée de la nef[27], il est certainement antérieur à 1606, date de la mort de Nicolas Pinaigrier, et peut selon toute vraisemblance être attribué à cet artiste, seul ou plutôt en collaboration, car si tous les visages sont d'une bonne facture et peuvent être comparés aux plus réussis de la nef de Saint-Etienne-du-Mont, les drapés sont d'une mollesse peu compatible avec les mêmes œuvres.

b. Saint-Gervais, baie 26. Les confrères du Saint-Nom de Jésus (1600).

Saint-Gervais, baie 117. Le Lavement des pieds (vers 1600-1605), détail.

Jésus parmi les docteurs (baie 119) occupait primitivement la première fenêtre du côté nord[28]. Il fut commandé en novembre 1607 à Louis Pinaigrier et Nicolas Chamus. Tous deux n'étaient pas encore officiellement maîtres à Paris : Chamus était établi au faubourg Saint-Germain-des-Prés depuis 1606; il bénéficia de l'édit de 1597 qui autorisait sous certaines conditions les maîtres des faubourgs à travailler dans Paris *intra-muros,* mais, en attendant les trois années réglementairement exigées pour ouvrir un atelier dans la capitale, il s'installa provisoirement dans celui de Louis Pinaigrier, qui demeurait dans l'enclos de l'hôpital de la Trinité[29]. Agé d'environ 28 ans, celui-ci ne sera reçu maître « à Paris » qu'en août 1608, mais les statuts de l'hôpital créé par François 1er l'autorisaient à exercer déjà son métier[30].

Les marguilliers laissèrent peu de liberté à ces deux nouveaux venus sur leur chantier : un modèle, qui comportait jusqu'à l'indication des couleurs à utiliser, leur fut imposé pour la scène principale. Les grandes figures aux proportions monstrueuses du premier plan sont donc de la responsabilité de l'auteur du dessin. Dans le tympan, en revanche, les peintres-verriers étaient libres d'agir à leur guise, mais il n'est plus possible d'en juger puisque cette partie de la verrière a été entièrement refaite par Prosper Lafaye[31].

En 1608, Louis Pinaigrier exécuta seul un vitrail consacré à la vie de saint Denis, aujourd'hui perdu, qui inaugurait une série de verrières comportant deux registres, sans doute pour éviter l'effet fâcheux produit par les trop grandes figures du Jésus parmi les docteurs. Aucune commande n'a été retrouvée pour la fenêtre sud de la deuxième travée; peut-être était-elle l'œuvre de Nicolas Chamus, car en 1610, pour vitrer la troisième travée qui venait d'être achevée, les marguilliers firent appel conjointement aux deux peintres-verriers, toujours en leur fournissant les modèles : Louis Pinaigrier fit le vitrail de l'Histoire de saint Louis au nord (baie 121), et Chamus celui d'Abraham et Melchisédech au sud (baie 124). Tous deux devaient comporter deux registres, mais la Cène qui figurait dans la partie inférieure du vitrail de Nicolas Chamus a disparu, et la rencontre d'Abraham et Melchisédech est aujourd'hui encadrée, en haut et en bas, par deux groupes de panneaux d'origine inconnue, provenant de verrières différentes, dont l'une était consacrée à saint Louis et l'autre à saint Jacques. La verrière de Louis Pinaigrier, sans doute en raison de son sujet, a beaucoup souffert de la Révolution. Toutes les figures de saint Louis, en particulier, avaient disparu lorsque Lafaye restaura ce vitrail, de même que celles des religieux[32]. Il est donc difficile de juger du style de Louis Pinaigrier avant d'avoir pu examiner de près ce vitrail et de l'avoir soumis à une sévère critique d'authenticité.

Dans la travée occidentale de la nef, la Pentecôte, qui est surmontée d'une Ascension moderne, fut commandée en 1620 à Nicolas Chamus (baie 126); elle présente les mêmes lourdeurs que l'Abraham et Melchisédech. En face, le Baptême du centurion Corneille, accompagné d'une donatrice en prière, reste anonyme et est d'autant plus difficile à attribuer à l'un ou l'autre des deux associés qu'il comporte, lui aussi, plusieurs panneaux provenant d'une autre verrière (baie 123).

Avec Nicolas Chamus, Jean et Louis Pinaigrier, les frères Porcher dont la carrière se poursuit bien au-delà de 1600, nous tenons l'élite de la peinture sur verre parisienne dans les premières décennies du XVIIe siècle, les sources d'archives concordant sur ce point avec les témoignages de Sauval ou Félibien[33]. Mais ce n'étaient certainement pas les seuls à continuer à pratiquer la peinture sur verre à une époque où, il est vrai, beaucoup d'ateliers s'étaient reconvertis dans la vitrerie civile.

Dans l'attente de recherches plus approfondies, deux exemples permettront de juger de la permanence — et de la diversité — d'une production parisienne de qualité au XVIIe siècle. Ces deux vitraux ont pour caractéristique commune, outre de sortir d'un atelier parisien, d'être documentés, ce qui permet de les dater avec précision, l'un de 1609 et l'autre de 1612. Ils sont pourtant fort différents l'un de l'autre et ont connu une fortune critique diverse, l'un étant même jusqu'ici daté, d'après son style, du milieu du XVIe siècle.

Le premier est le vitrail de l'Apocalypse qui se trouve dans le bas côté nord de l'église Saint-Etienne-du-Mont (baie 115). Son histoire est connue grâce aux registres de délibération de la paroisse qui sont conservés aux Archives nationales[34]: on y voit, depuis 1579, les marguilliers multiplier les quêtes pour tenter de recueillir les fonds nécessaire à l'achèvement de la construction de leur église et être même contraints un moment d'envisager l'arrêt des travaux. Aussi, en 1609, lorsqu'un marchand de vin de la paroisse, Jean Le Juge, lui-même ancien marguillier, proposa d'offrir un vitrail pour orner une fenêtre du collatéral nord, les marguilliers entreprirent-ils de l'en dissuader en lui remontrant que ses fonds seraient mieux employés à la construction du portail ou à la fonte des cloches. Il serait même préférable, disaient-ils, de conserver la fenêtre de verre blanc qui éclairait davantage l'édifice, et ils tentèrent d'en convaincre le marchand de vin en l'autorisant seulement à faire placer ses armoiries au bas de la vitrerie. On notera au passage que l'on retrouve parmi les arguments des marguilliers deux des causes principales de la raréfaction du vitrail religieux : désir de lumière et manque d'argent. Mais Jean Le Juge ne se laissa pas fléchir, et arguant que sa dévotion ne le poussait pas à utiliser autrement son argent, il resta ferme dans sa résolution et finit par obtenir gain de cause.

Saint-Etienne-du-Mont, baie 115. L'Apocalypse (vers 1610).

Au tympan sont représentés l'Instruction de la Vierge et saint Jean l'Evangéliste, à gauche en train d'écrire et à droite portant le calice. Le reste du vitrail illustre le texte de l'Apocalypse : Le Père éternel, assis dans sa gloire, tient sur ses genoux le livre des sept sceaux; l'agneau vient ouvrir le volume redoutable; les vingt-quatre vieillards célèbrent la gloire de Dieu; des anges versent sur la terre les sept coupes de la colère divine (le donateur, rappelons-

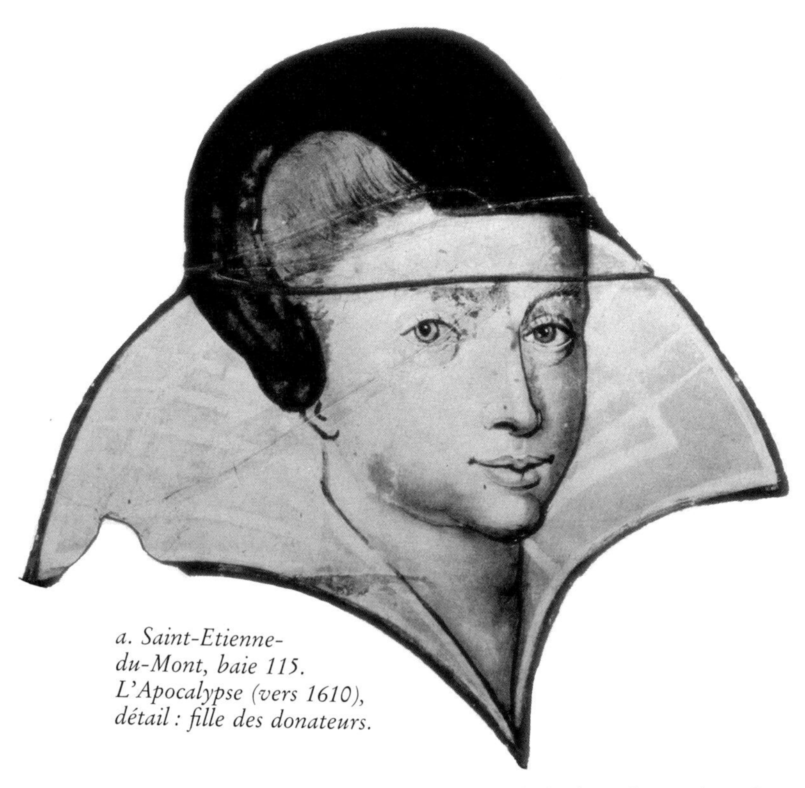

a. Saint-Etienne-du-Mont, baie 115. L'Apocalypse (vers 1610), détail : fille des donateurs.

D'autres détails méritent d'être isolés : quelques têtes de rois, qui ont belle allure, des détails de vêtement d'une minutie extrême, et surtout les portraits des donateurs, qui sont, comme souvent au début du XVIIe siècle, les meilleures parties du vitrail; la donatrice, agenouillée devant son prie-Dieu, mais surtout la fille de celle-ci, dont l'éclat du regard est habilement rehaussé par un enlevé au petit bois. Les personnages masculins ont subi davantage de restaurations, notamment Jean Le Juge lui-même. Les deux visages de droite, toutefois, semblent anciens.

On voit donc que le peintre-verrier de l'Apocalypse maniait le pinceau avec beaucoup d'habileté et de minutie, peut-être trop dans les parties hautes du vitrail où la précision dans le détail affecte quelquefois la lisibilité de l'ensemble. C'est que cet artiste était manifestement plus à l'aise dans la peinture des vitraux civils, qui était devenue — les inventaires après-décès nous le prouvent — l'activité principale de beaucoup d'ateliers à cette époque.

D'autres, en revanche, restaient fidèles aux techniques traditionnelles, ce qui explique que la production du XVIIe

le, était marchand de vin) sur le soleil, dans l'air, dans la mer, sur la terre dans les sources et les puits, dans le fleuve Euphrate, sur la bête qui vômit des grenouilles. les rois et les peuples adorent la bête. Jean Le Juge et sa femme, accompagnés d'une nombreuse descendance, sont pieusement agenouillés dans la partie inférieure.

Les historiens du vitrail ont été très sévères avec cette verrière, à l'exception notable de Guilhermy, qui en faisait l'éloge en 1855, avant les réparations de Prosper Lafaye. Une restauration réalisée par Mme Sylvie Gaudin a permis récemment de l'examiner de près et d'y déceler des qualités certaines, qui seraient certes mieux venues dans un vitrail civil, mais qu'il serait injuste de ne pas relever; on a pu constater par ailleurs l'importance des restaurations du XIXe siècle, qui ont très sérieusement altéré l'œuvre primitive. Toute la partie centrale, où se trouve Dieu le Père, est moderne, et on note une proportion impressionnante de pièces refaites dans tout le registre inférieur. En revanche, les parties anciennes sont parfois d'une très bonne facture. C'est le cas, au tympan, du groupe formé par sainte Anne et sa fille. La grisaille s'est dégradée en certains endroits, mais le traitement de la coiffure de la Vierge avec des petites touches d'émail bleu est habile. Le seul reproche que l'on pourrait faire à cette scène, et il n'est pas négligeable, c'est de la traiter comme un vitrail civil destiné à être vu de près. A l'arrière-plan, un petit personnage peint au jaune d'argent, absolument invisible à une certaine distance, semble échappé d'un vitrail domestique comme on en a tant peints au XVIIe siècle.

b. Richebourg (Yvelines), église Saint-Georges, baie 6. Arbre de Jessé (1612), détail : un roi.

a. Richebourg (Yvelines), église Saint-Georges, baie 6. Arbre de Jessé (1612), détail : la Vierge.

b. Richebourg (Yvelines), église Saint-Georges, baie 6. Arbre de Jessé (1612), détail : roi offrant sa couronne à la Vierge.

siècle ne soit pas aussi homogène que celle du XVIe siècle; son étude réserve même quelques surprises, notamment lorsque les minutes notariales nous livrent un marché comme celui passé le le 22 février 1612 entre Jean Riou et Quentin de Clèves : le premier, peintre-verrier parisien, s'engageait à fournir au second, établi à Mantes, un vitrail de huit pieds sur six représentant un Arbre de Jessé, avec, au tympan, Dieu le Père entouré de deux anges[35]. Ce Jean Riou est en 1612 un artiste encore jeune, puisqu'il n'a été reçu maître qu'en 1609. Fils et frère de peintres-verriers, il est apparenté à la famille des Pinaigrier, étant le cousin issu de germain de Louis et de Jean Pinaigrier.

L'église de Richebourg, non loin de Houdan (Yvelines) est formée de deux parties bien distinctes : à l'ouest, la plus grande partie de la nef, du moins pour le gros œuvre, provient de l'édifice roman primitif, alors que la partie orientale a été reconstruite au XVIe siècle. La tradition veut que les travaux aient été entièrement financés par Charles de Sabrevois, seigneur de Richebourg, qui, ayant un jour de colère tué le curé de sa paroisse, n'avait obtenu son pardon à Rome que contre la promesse de rebâtir à ses frais l'église qui tombait en ruine. Charles de Sabrevois est mort en 1537 sans avoir achevé son œuvre, empoisonné, dit-on, par sa femme, qui aurait ainsi mis un terme à des travaux trop coûteux. L'édifice, où se trouve son tombeau, serait resté en l'état depuis cette date. Cette légende, pour plaisante qu'elle soit, ne résiste guère à l'observation architecturale : plusieurs parties de l'église, notamment la tour, semblent bien postérieures à la mort de Charles de Sabrevois. Surtout, ce qui nous intéresse davantage ici, les réseaux des fenêtres sont très différents dans le chœur et dans le transept, et les fenêtres du chevet des bas-côtés, notamment celle qui contient l'Arbre de Jessé, sont les plus avancées, les lancettes trilobées y cédant la place à des amortissements en plein-cintre.

Saint-Etienne-du-Mont, baie 115. L'Apocalypse (vers 1610), détail : l'Enseignement de la Vierge.

Quant au vitrail, s'il est habituellement daté du milieu du XVIe siècle, son aspect général, avec ses tons soutenus, pourrait être celui d'une verrière plus ancienne, des premières décennies du siècle. Cependant, le dessin des visages ne saurait s'accorder avec cette date précoce, non plus que l'emploi massif de sanguine, souvent associée au jaune d'argent, ni la variété des grisailles utilisées par le peintre-verrier. C'est que cet Arbre de Jessé est bien celui qu'a peint Jean Riou en 1612 : on retrouve, au tympan, Dieu le Père entouré de deux chérubins, comme il est précisé dans le contrat, ainsi que les dimensions : six pieds de largeur et huit pieds de hauteur « jusqu'au cintre », c'est-à-dire jusqu'au sommet des lancettes : 1,80 × 2,40 m. On voit d'ailleurs très bien que ce vitrail n'a pas été posé par son auteur : pour les lancettes, le peintre-verrier parisien a fabriqué des panneaux de dimensions identiques de 60 × 80 cm, avec seulement un décalage dans la lancette centrale pour éviter d'avoir des horizontales trop soulignées par les barlotières. En revanche, les trois personnages du tympan sont trop petits et maladroitement intégrés dans les soufflets sur un fond de verres rouges ou de jaune d'argent qui sont loin d'avoir la qualité de ceux des lancettes. C'est sans doute là le travail du peintre-verrier de Mantes.

Jean Riou traite le thème de l'Arbre de Jessé de façon traditionnelle, mais il a l'habileté de ne pas multiplier les personnages dans cette fenêtre de petites dimensions et il parvient à conserver à son œuvre une grande lisibilité. Le panneau central du registre inférieur, où était figuré Jessé, a disparu. Les sept rois de Juda sont représentés à mi-corps, surgissant de fleurs variées aux couleurs assez vives; la Vierge, elle, naît d'un lis immaculé et apparaît dans une gloire entièrement peinte au jaune d'argent et à la sanguine sur du verre blanc. Les deux rois du registre supérieur lui tendent leur couronne dans un geste de soumission qui ne manque pas de grâce. L'ensemble est harmonieux et l'on ne sent pas chez Riou l'influence un peu trop sensible du vitrail civil que l'on avait observé dans le vitrail de l'Apocalypse. Il n'y a d'ailleurs pas la moindre trace d'émail dans ce vitrail.

Ce vitrail de Richebourg est important à un double titre : il ajoute un élément au corpus somme toute peu fourni des vitraux parisiens du début du XVIIe siècle, mais, surtout, il ouvre des perspectives de recherches nouvelles. La plupart des vitraux attribués au XVIIe siècle en région parisienne le sont soit par un chronogramme, soit parce qu'ils sont chargés d'émaux. Mais en revanche, un vitrail exécuté selon les techniques traditionnelles comme celui de Richebourg, tant qu'il n'est pas documenté, ou examiné de très près, est classé parmi les œuvres du siècle précédent. Sans doute y en a-t-il d'autres dans son cas, qu'il reste à identifier.

Saint-Gervais, baie 124. Apparition de saint Jacques à la bataille de Clavijo (vers 1610-1620), détail : sarrasins.

NOTES

1. Sur cette évolution, voir G.M. Leproux, *Recherches sur les peintres verriers de la Renaissance,* Genève, 1988, pp. 87 et sqq.
2. L. Brochard, *Saint-Gervais,* Paris, 1938, pp. 53-55.
3. Arch. nat. LL 704.
4. Jean Lafond, « La famille Pinaigrier et le vitrail parisien au XVIe et au XVIIe siècle » dans *Bulletin de la Société de l'Histoire de l'Art français,* 1957, pp. 45-60 et G.-M. Leproux, « Une famille de peintres-verriers parisiens : les Pinaigrier », dans *Monuments et mémoires publiés par l'Académie des Inscriptions et Belles-Lettres* (Fondation Eugène Piot), t. 67, pp. 77-111.
5. G.M. Leproux, art. cit.
6. H. Sauval, *Histoire et recherches des antiquités de la Ville de Paris,* t. I, 1724 (réed. 1973), p.442.
7. A. Félibien, *Entretiens sur la vie et les ouvrages des plus excellents peintres anciens et modernes,* t. III, Trévoux, 1725, p. 125.
8. G. Wildenstein, *« Quatre marchés de peintres-verriers parisiens »* dans *Gazette des Beaux-Arts,* juillet-août 1957, pp. 85-88.
9. P. Le Vieil, *l'Art de la peinture sur verre,* Paris, 1774, p. 43.
10. G. Wildenstein, art. cit. à la note 8.
11. S. Béguin, « Une Résurrection d'Antoine Caron », dans *Revue du Louvre et des musées de France,* n° 4, 1964, pp. 203-213.
12. Arch. nat., min. cent. XLI, 18; éd. dans G.M. Leproux, *Recherches sur les peintres-verriers de la Renaissance* Genève, 1988, p. 150.
13. *Ibid,* pp. 150-151.
14. Un fragment du carrelage initial, taillé dans un verre rouge teint dans la masse, apparaît encore dans la lancette de droite.
15. Le transept et la nef étaient voûtés entièrement depuis 1586.
16. A. Clémencet, « La vie et l'organisation d'une grande paroisse parisienne, Saint-Etienne-du-Mont aux XVIe et XVIIe siècles », dans *Ecole nationale des chartes, positions des thèses,* 1973.
17. Arch. nat., Min. cent., XC, 162; 1601, 5 août.
18. L.Brochard, *op. cit.* à la note 2, p. 282.
19. G.M. Leproux, *op. cit.*. à la note 12, p. 113.
20. Albums d'Alexandre Lenoir, t. II, f° 125.
21. G.M. Leproux, *op. cit.* à la note 12, p. 115.
22. Laurent Marchand avait épousé — successivement — les veuves de Jean Chastellain et de Jean de La Hamée, tous deux « vitriers du Roi » avant lui. *Ibid.,* pp. 21-22.
23. Jacques Baudry, *Documents inédits sur André Thévet, cosmographe du Roi,* Paris, 1982.
24. G. Wildenstein, art. cit. à la note 8.
25. G. Corrozet, *Les Antiquités, chroniques et singularitez de la grande et excellente cité de Paris,* Paris, 1586, t. I, f° 198. H. Sauval, *op. cit.* à la note 6, t. I, p. 445.
26. Louis Brochard, *Saint-Gervais,* Paris, 1938. Brochard avait lu par erreur Chaumet au lieu de Chamus, peintre-verrier dont le nom est pourtant cité par Le Vieil.
27. Actuellement du côté nord, mais Brochard (*op. cit.,* p. 286) le situe à l'origine du côté sud, puisqu'il a retrouvé des marchés pour les trois fenêtres nord construites avant 1616.
28. *Id. ibid.*
29. Nicolas Chamus sera reçu officiellement maître à Paris en janvier 1610.
30. En 1610, il s'installait dans l'ancien atelier de son oncle Nicolas rue Saint-Germain-l'Auxerrois. *Cf.* G.M. Leproux, *op. cit.* à la note 12, p. 123.
31. Une Lune ancienne, qui en provient, est conservée au Musée Carnavalet. *Cf. infra,* p. 189.
32. P. Lafaye, *Mémoire au sujet des vitraux anciens, état où ils se trouvent après le siège dans les églises de Paris,* 1871.
33. Il convient d'ajouter pour les années 1630 Robert Pinaigrier, fils de Jean, Nicolas Levasseur et Nicolas Desangives, tous trois cités par Sauval à propos des vitres émaillées des charniers Saint-Paul.
34. Arch. nat., LL 704.
35. Arch. nat., Min. cent. XXXV, 29.

APPARITION DE SAINT JACQUES A LA BATAILLE DE CLAVIJO.
Eglise Saint-Gervais-Saint-Protais, baie 124.
Début du XVIIe siècle.
H. 0,77 m - L. 0,89 m.

HISTORIQUE
L'Apparition de saint Jacques à Clavijo, qui, dans l'église Saint-Gervais-Saint-Protais, occupe le registre inférieur de la deuxième fenêtre sud de la nef n'est plus à sa place originelle. Un marché concernant cette fenêtre a en effet été publié par le chanoine Brochard : le 23 juillet 1610, le peintre-verrier Nicolas Chamus s'engageait à faire pour les marguilliers de la paroisse un vitrail représentant, sur deux registres, la Cène et Melchisédech présentant le pain et le vin à Abraham, selon un schéma courant à l'époque consistant à mettre en rapport deux épisodes de l'*Ancien* et du *Nouveau Testament*.
De l'œuvre commandée à Chamus, ne subsiste que la Rencontre d'Abraham et de Melchisédech. A une époque indéterminée, le vitrail a été complété par des panneaux provenant d'une, ou, plus vraisemblablement, de plusieurs autres baies de l'édifice : trois scènes de la vie de saint Louis au registre supérieur et au registre inférieur, les douze panneaux de saint Jacques combattant les Maures. L'emploi assez massif d'émaux et de sanguine qui caractérise ceux-ci conduit à les dater du début du XVIIe siècle.

ICONOGRAPHIE
La scène illustre l'une des nombreuses apparitions de l'apôtre saint Jacques le Majeur aux côtés des Espagnols dans leur lutte contre les infidèles. Brochard la situait lors de la bataille de Las Navas de Tolosa, où les Castillans, alliés à leurs voisins du Leon et de la Navarre, repoussèrent les Maures le 16 juillet 1212. Il est plus vraisemblable d'y voir la victoire de Clavijo remportée en 844 par le roi du Leon Ramiro 1er, où, selon la tradition, saint Jacques aurait combattu en personne à la tête des chrétiens.

CONSERVATION
Le panneau exposé comporte très peu de pièces de restauration. Cependant, des coulures de mastic ont altéré la grisaille en plusieurs endroits, et les émaux et la sanguine s'écaillent.

Saint-Gervais, baie 124. Apparition de saint Jacques à la bataille de Clavijo (vers 1610-1620), détail.

TECHNIQUE ET STYLE

La composition est très dense, parfois confuse. Cetaines figures ne sont plus lisibles à une certaine distance, ce qui peut faire douter que ce vitrail ait été destiné à l'origine à une fenêtre haute. Le dessin, cependant, est habile et rapide et les visages très typés des Sarrasins ne manquent pas de pittoresque : ils comportent peu d'enlevés et le modelé est donné par un putoisé vigoureux. L'essentiel de la scène est peint sur verre blanc; la grisaille, d'un ton gris foncé tendant vers le brun, est parfois remplacée, pour peindre les vêtements, par de la sanguine ou de l'émail rouge. L'émail bleu est lui aussi utilisé largement pour peindre les turbans des combattants et le bouclier du cavalier. On trouve toutefois quelques verres de couleur : vert et violet pour le troussequin de la selle, bleu et pourpre pour les habits du soldat renversé par le cheval, gris-bleu, vert clair et jaune dans le reste du panneau.

BIBLIOGRAPHIE

L. Brochard, *Saint-Gervais,* Paris, 1938, pp. 294-295 et 380-381.

G.-M. L.

ALLÉGORIE DE L'HIVER.

Écouen, Musée national de la Renaissance (inv. Ec. 149).

XVIIe siècle.

H. 0, 175 m. - L. 0, 170 m.

HISTORIQUE

Ce petit rondel carré, de provenance inconnue, faisait vraisemblablement partie à l'origine d'une série de quatre pièces représentant les saisons, dont on connaît maints exemples dans le vitrail civil des XVIe et XVIIe siècles. Il était destiné à être inséré dans une vitrerie de losanges ou de bornes.

ICONOGRAPHIE

Désignée dans les anciens catalogues sous le titre « les crêpes », cette petite scène de genre est en fait une allégorie de l'Hiver, copiée d'une gravure d'Abraham Bosse (v. 1635). Le peintre verrier a simplifié la composition en supprimant les personnages secondaires qui occupaient la partie droite de l'estampe pour se concentrer sur la scène principale : deux femmes sont assises, l'une tenant une poêle dans laquelle elle fait cuire des beignets, tandis que l'autre se protège de la chaleur. Un homme et deux autres femmes se penchent au dessus d'elles. Une table est dressée derrière eux et l'arrière-plan est fermé par un mur percé de deux fenêtres vitrées de bornes.

Cette représentation allégorique de l'Hiver renouvelle l'iconographie traditionnelle du vieil homme barbu se réchauffant près d'une cheminée. C'est, à notre connaissance, le seul exemple de la transposition dans le vitrail d'une gravure d'Abraham Bosse.

CONSERVATION

La pièce a été brisée en étoile; elle comporte deux pièces de restauration : l'angle supérieur droit et le bras de la femme qui fait cuire les beignets.

a. Ecouen, musée national de la Renaissance. Allégorie de l'Hiver (XVIIe siècle).

TECHNIQUE ET STYLE

La scène était peinte à l'origine sur une seule pièce de verre, à la grisaille, au jaune d'argent (filets d'encadrement et flammes), à la sanguine (notamment pour évoquer l'effet de la chaleur sur les visages) et à l'émail bleu-gris.

BIBLIOGRAPHIE

E. Du Sommerard, *Musée des Thermes et de l'hôtel de Cluny, Catalogue et description des objets d'art,* Paris, 1883, n° 2038.

P. Jacky, *Catalogue des vitraux conservés dans les réserves du musée national de la Renaissance,* D.E.A. de l'Université de Paris IV-Sorbonne, 1992, n° 46.

P. J.

b. Abraham Bosse, l'Hiver.

Aspects techniques

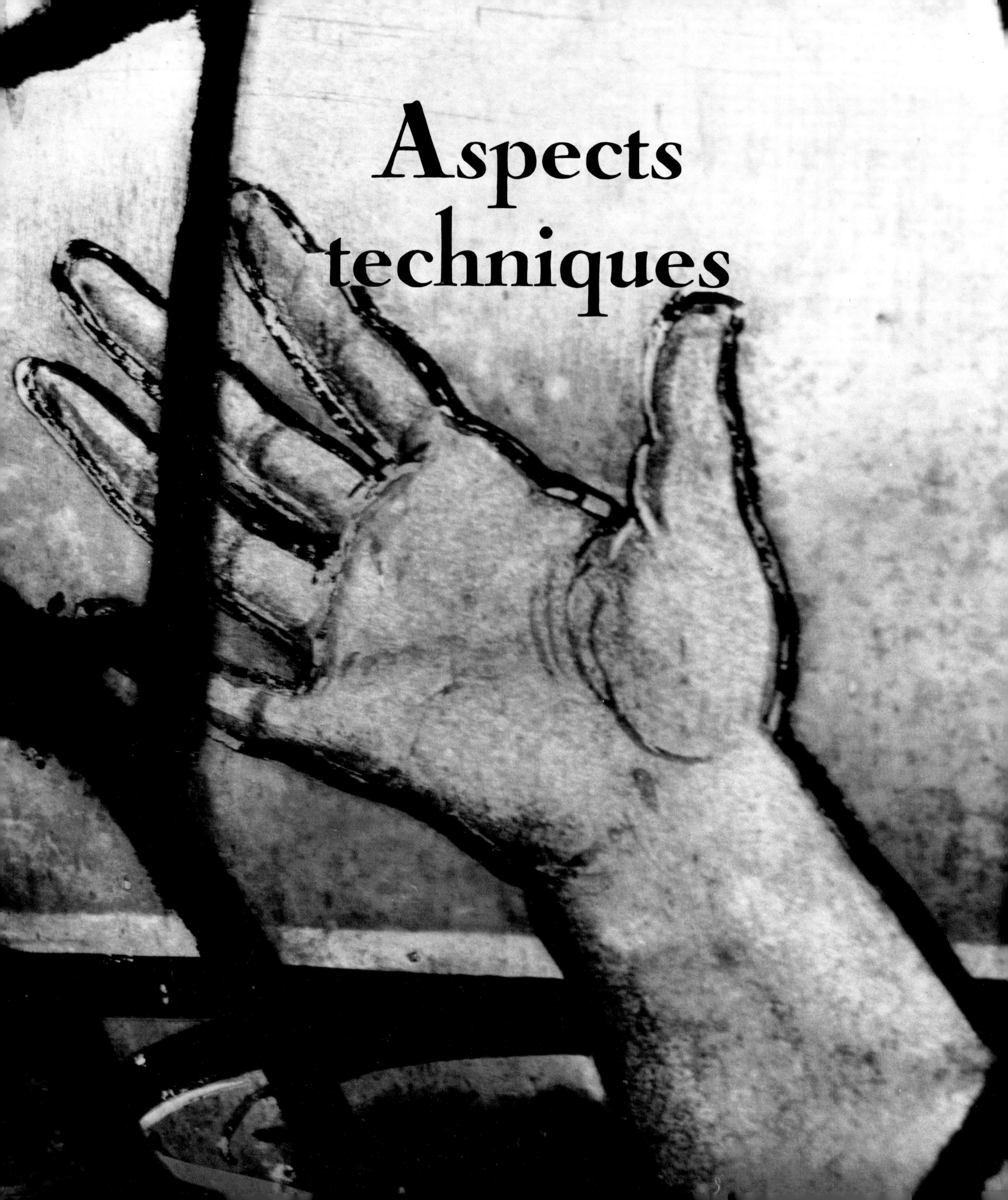

La technique du vitrail à la Renaissance

CLAUDINE LAUTIER

GIORGIO Vasari, dans ses *Vies des meilleurs peintres, sculpteurs et architectes,* ouvrage publié au milieu du XVIe siècle[1], décrit avec précision la technique du vitrail. Il la connaissait bien, ayant été à Arezzo l'élève de Guillaume de Marcillat, célèbre peintre-verrier français qui avait travaillé en Italie. Pour Vasari, « Flamands et Français ont mieux réussi dans cette technique que les artistes des autres pays... De nos jours, cet art a atteint un si haut degré qu'on ne voit pas ce qu'on pourrait y ajouter en finesse, en beauté ou en amélioration du détail; son charme est pénétrant et délicat. »

Si la fonction monumentale du vitrail est de clore l'édifice tout en laissant pénétrer la lumière, elle est amplifiée par sa fonction spirituelle dans l'église. La beauté de ces grandes peintures sur verre translucide et coloré, et la préciosité de leur effet, ont de tout temps fasciné[2]. La fabrication du vitrail n'a que peu varié entre ses débuts et aujourd'hui, les innovations technologiques étant peu nombreuses. Elle est, dans ses principes, relativement simple : le verre plat, blanc ou de couleur, est découpé, peint avec une peinture fixée par une cuisson, puis serti dans une résille de plombs et inséré dans les fenêtres à l'aide d'une armature métallique. Mais cet art peut atteindre un grand raffinement dans l'exécution et dans la richesse des effets, particulièrement à la Renaissance[3].

La technique nous est bien connue depuis le XIIe siècle, époque où le vitrail se répand dans toute l'Europe occidentale. Divers traités nous la décrivent, en particulier la *Schedula diversarum artium (Traité des divers arts)* du moine Théophile[4], qui a vécu dans la vallée du Rhin au début du XIIe siècle. On peut y ajouter d'autres traités plus tardifs, par exemple celui d'Antoine de Pise au XIVe siècle, celui de Cennino Cennini au XVe siècle[5] et le chapitre XXVIII de l'ouvrage de Vasari, dans son introduction sur la peinture[6]. Pierre Le Vieil, peintre-verrier parisien, nous a laissé également un ouvrage publié en 1774[7], dans lequel il recueille les procédés utilisés par ses prédécesseurs des siècles passés et les recettes qui avaient cours à son époque.

LA FABRICATION DU VERRE

Les verres, jusqu'à la Renaissance, ont été nécessairement fabriqués là où se trouvent les matières premières : le sable de rivière pour la silice, le bois pour le combustible, les cendres de végétaux pour le fondant permettant d'abaisser le degré de fusion de la silice. Au XIIe siècle, Théophile décrit assez précisémment les matériaux employés, leurs proportions, et les fours de cuisson. Il préconise de laver soigneusement le sable, puis d'utiliser deux parties de cendres de hêtre (ou de fougères) pour une partie de sable de rivière. Ces cendres fournissent un fondant potassique, dont on sait maintenant à quel point il fragilise les vitraux les plus anciens en les rendant particulièrement vulnérables à la corrosion. Dès le XIIe siècle cependant, certains verres contiennent un fondant sodique, obtenu par addition de cendres de plantes marines. Ce type de fondant est de plus en plus fréquent à la fin du XVe siècle et à la Renaissance. On a aussi pratiqué pendant longtemps l'adjonction de matériaux de remploi, débris de verre ou cubes de mosaïque de verre par exemple, appelés la « fritte ».

Les substances, soigneusement broyées, sont déposées dans des pots de terre réfractaire placés dans un four de

◀ *Saint-Gervais, baie 103. La Piscine de Béthesda (vers 1545-1550), détail.*

cuisson. Au cours de la fusion, qui se produit entre 1200° et 1500° environ, sont ajoutés les oxydes métalliques destinés à colorer le verre. Les procédés de coloration ont été sans doute assez empiriques, à la fois dans l'emploi des oxydes, dans les temps de cuisson du verre, et dans les conditions oxydantes ou réductrices de la cuisson. Sont utilisés les oxydes de cuivre (qui permettent d'obtenir plusieurs couleurs), de cobalt, de manganèse, de fer, et même, au XVIe siècle, de nickel. Le rouge est obtenu par un oxyde de cuivre (voire du cuivre pur?), utilisé dans des conditions de cuisson réductrices; il est si envahissant qu'il pose des problèmes particuliers examinés plus loin. Les processus de fabrication sont mieux maîtrisés à la fin du Moyen Age et à la Renaissance, permettant l'extension de la gamme colorée.

LE SOUFFLAGE

A partir de la matière en fusion, le verrier doit obtenir une feuille de verre plat. Si la technique du coulage est connue dès l'Antiquité, et reprise au XVIIe siècle pour le verre à vitre, c'est le soufflage qui est utilisé pour le verre à vitrail, dans les temps anciens comme à l'époque contemporaine. En effet, le soufflage produit des inégalités dans l'épaisseur (entre 2 et 7 mm environ), des différences d'intensité dans la coloration, une diffraction de la lumière grâce à ces inégalités et à la présence éventuelle de bulles, variations qui ont de tout temps été exploitées par les peintres-verriers.

Deux méthodes ont été employées conjointement pendant plusieurs siècles, le soufflage en plateau, ou cive, et le soufflage en manchon, le plus fréquent. Pour fabriquer une cive, l'ouvrier cueille la matière en fusion avec la canne, et souffle une sphère qu'il commence à aplatir. Puis un aide place à l'opposé de la canne une tige de métal, appelée « pontil ». La canne détachée laisse une ouverture que l'on agrandit à l'aide d'une palette en bois en imprimant un vif mouvement de rotation. La cive, devenue plate est recuite au four pour lui assurer une dureté suffisante. Elle est plus épaisse au centre (en particulier la « boudine » qui marque l'emplacement du pontil), plus fine sur les bords, et ses irrégularités sont concentriques. Ce procédé de fabrication n'est plus utilisé aujourd'hui pour les feuilles de grandes dimensions.

En revanche, les feuilles obtenues par le soufflage en manchon sont toujours fabriquées; ce procédé a été généralisé à la fin du Moyen Age et à la Renaissance. Après avoir cueilli le verre en fusion, la « paraison », le souffleur transforme progressivement la sphère en cylindre. Après avoir été détaché de la canne, le manchon est coupé à ses deux extrémités irrégulières, et fendu dans la longueur. Après refroidissement, il est porté dans un four de recuisson où, ramolli par le feu, il est étendu et unifié à l'aide d'un polissoir de bois. Les feuilles de verres sont plus régulières que dans le soufflage en cives, et la coloration est plus égale.

VERRES DOUBLÉS, VERRES PRÉCIEUX

La coloration rouge des verres est due, nous l'avons vu, à un oxyde de cuivre particulièrement envahissant. Si le verre était teinté dans la masse comme les autres couleurs, il deviendrait opaque. Dès le XIIe siècle, il est apparu nécessaire d'ajoindre le verre blanc au rouge pour lui rendre sa translucidité. On a donc adopté le doublage (ou placage), obtenu par trempage de la paraison de verre blanc dans du verre rouge en fusion. Ce dernier enrobe le verre blanc et le souffage en manchon donne ainsi une feuille de verre blanche doublée d'une couche régulière de verre rouge. Le doublage, impératif pour le verre

Saint-Gervais, baie 16. La Sagesse de Salomon (1531), détail : Conseiller du roi Salomon.

Saint-Gervais, baie 16. La Sagesse de Salomon (1531), détail : la reine de Saba.

rouge, devient courant à la fin du Moyen Age pour d'autres couleurs, le vert et le bleu en particulier. Il permet la gravure de la pellicule colorée, laissant apparaître le fond de verre blanc, selon une méthode décrite plus loin.

D'autres techniques complexes sont mises en œuvre pour la fabrication de verres précieux entre les dernières décennies du XVe siècle et le milieu du XVIe siècle environ. La première est celle du verre dit « vénitien ». Au cours de la fabrication d'un manchon de verre blanc sont déposés des fils de verre de couleur, le plus souvent rouge, parfois associé au bleu et au rose (ou pourpre clair). On obtient ainsi des verres dont la surface est recouverte de stries parallèles colorées, que l'on utilise pour imiter les marbres ou les soieries par exemple. A Paris, ces verres sont présents dans nombre de verrières, des plus prestigieuses, comme la rose occidentale de la Sainte-Chapelle, à d'autres moins renommées, à Saint-Gervais, Saint-Merry, et Saint-Germain-l'Auxerrois. L'usage du verre vénitien semble tomber en désuétude après 1550.

Le verre « aspergé » est obtenu par un procédé comparable au verre vénitien : le manchon de verre blanc est aspergé au cours du soufflage par des gouttes de verre rouge en fusion, qui provoquent des taches ou des marbrures irrégulières, d'un effet très riche. Plus rare que le verre vénitien, le verre aspergé est usité avec parcimonie dans la rose de la Sainte-Chapelle, à la fin du XVe siècle, et dans la verrière de Salomon de Saint-Gervais en 1531.

LE TRAVAIL GRAPHIQUE PRÉPARATOIRE, LA TABLE DE PEINTRE-VERRIER

Avant d'entamer la fabrication-même du vitrail, le peintre-verrier produit un modèle de petit format, sorte de « maquette » préparatoire[8]. G.M. Leproux et M. Hérold montrent bien combien ce document est important dans le contrat qui lie le peintre-verrier et le commanditaire[9]. Le modèle peut être exécuté par le peintre-verrier lui-même ou par un autre artiste, ou être fourni par le commanditaire (estampe, dessin).

Il semble que l'utilisation plus généralisée du papier à la fin du Moyen Age a joué un rôle fondamental. Importé, puis fabriqué en Italie depuis le milieu du XIIIe siècle, le papier est couramment produit en France à la fin du XVe siècle, provoquant le développement de l'imprimerie et de l'estampe. On sait à quel point la circulation des gravures de Dürer, par exemple, a été déterminante pour la création de vitraux dans toute l'Europe du Nord. Les dessins sur papier sont aussi des sources graphiques essentielles. On peut en prendre pour témoin le dessin de Jan de Beer qui a servi de modèle pour la verrière de la Sagesse de Salomon à Saint-Gervais.

Le papier joue également un rôle important dans l'établissement du patron à grandeur d'exécution. La toile était utilisée depuis le XIIe siècle pour certains de ces patrons, et on continue à l'utiliser au XVIe siècle en même temps que le papier. Ces techniques d'exécution ont des répercussions importantes sur la production des vitraux[10].

a. Saint-Gervais, baie 16. La Sagesse de Salomon (1531), détail de damas.

b. Bayonne, cathédrale. La Prière de la Cananéenne (1531), détail : saint Jean.

Si l'usage des « modèles » et les « patrons à grandeur » révèle de nombreux cas de figures, l'emploi de la table de bois demeure constant dans la fabrication du vitrail. La description qu'en fait Théophile au XIIe siècle est quasi semblable à celle des tables de quelques ateliers du XIXe siècle. Théophile préconise l'emploi d'une grande table de bois, blanchie à la craie, dont la largeur est au moins équivalente à deux panneaux. Le patron à grandeur d'exécution est reporté à la mine de plomb puis à la peinture noire (ou rouge). On indique la forme de la baie, l'emplacement de l'armature métallique, le tracé des plombs, les principales lignes du dessin, et parfois les modelés. Les couleurs sont mentionnées par des lettres. Une table du XIVe siècle, correspondant à la description de Théophile, a été retrouvée dans les combles de la cathédrale de Gérone[11]. Cette pièce tout à fait extraordinaire, car c'est la seule table ancienne connue, est d'autant plus intéressante qu'elle a visiblement servi à exécuter des panneaux de vitraux encore en place dans la cathédrale. On y voit le contour des pièces, les détails principaux de la peinture, et l'indication par des lettres des couleurs de verre à choisir. La table a donc servi à la coupe et à la peinture des pièces, mais aussi à la mise en plomb comme le montrent les traces de pointes. Des tables de ce genre sont mentionnées dans les inventaires des ateliers de la Renaissance à Paris[12].

LE CHOIX DES VERRES ET LA COUPE

Le choix des couleurs est, comme dans toute technique picturale, déterminant. Mais le peintre-verrier est soumis à une contrainte particulière : la translucidité du support. L'impression colorée peut être nettement modifiée par l'intensité lumineuse des verres, par la lumière extérieure qui change selon le temps et l'heure du jour, et par le voisinage des autres verrières de l'édifice. De plus, la densité de la couleur varie sur la feuille de verre dans laquelle le peintre-verrier va couper les pièces. La couleur est plus profonde dans la partie épaisse du verre, plus légère dans la partie mince. Le choix est donc subtil, même si, à la Renaissance, les fabricants de verres peuvent proposer une large gamme de couleurs.

Vasari, au XVIe siècle, décrit la coupe des pièces presque de la même façon que Théophile au XIIe: « Pour tailler la pièce à la dimension, on se sert d'un fer à la pointe rougie au feu; après avoir légèrement entamé au départ la surface avec une pointe d'émeri, et l'avoir un peu humectée de salive, on suit avec ce grand fer, un peu incliné, les contours et, en le remuant, on fait petit à petit craquer et se détacher de la plaque de verre les différentes pièces. On fait à l'émeri leur toilette en enlevant le superflu; puis avec un fer appelé grugeoir ou grésoir, on érode les bords pour qu'elles soient juste de la forme voulue et s'assemblent exactement »[13]. Le fer appelé « grugeoir » est une pince qui permet d'enlever de petits éclats aux bords des pièces, car la coupe doit être très précise, et laisser entre les pièces le passage du plomb qui les relie. La coupe se fait aujourd'hui au diamant : la pierre précieuse (de très petite dimension) est sertie sur un sabot métallique dans lequel est fixé un petit manche de bois. Mais le diamant n'apparaît dans les archives parisiennes qu'au début du XVIIe siècle. Peut-être était-il, dans les décennies précédentes, un instrument personnel de l'ouvrier, dont la présence n'est pas signalée dans les inventaires. La coupe au diamant est reconnaissable à la franchise du bord des pièces, tandis que le grugeoir laisse de petites irrégularités.

A la Renaissance, la coupe peut être très virtuose. On n'hésite pas à détacher dans la feuille de verre de très grandes pièces, en multipliant les courbes et contre-courbes, en osant des parties effilées malgré les riques de casse. On a aussi pratiqué à Paris, moins qu'en Champagne cependant, la mise en chef-d'œuvre : la pièce principale est percée pour permettre l'insertion d'une pièce d'une autre couleur, selon une technique qui requiert une très grande habileté de la part du coupeur.

LA GRISAILLE ET LA « SANGUINE »

Après avoir coupé toutes les pièces de verre, le peintre-verrier les replace sur la table décrite plus haut, en ayant constamment en référence le patron à grandeur d'exécution, qui peut être extrêmement précis (on peut le supposer pour la verrière de la Sagesse de Salomon à Saint-Gervais par exemple).

L'essentiel du travail de la peinture est fait à la grisaille. Il s'agit d'une peinture vitrifiable, faite d'oxydes métalliques, de poudre de verre et d'un liant. Les oxydes de fer et de cuivre sont les plus usités. Ils sont obtenus par des battitures de ces métaux, brûlées et broyées. Selon les oxydes, les grisailles prennent des couleurs variables : le fer donne une teinte noire, le cuivre une teinte brune. Au XVe et au XVIe siècle, on a aimé utiliser un oxyde de fer très rouge, l'hématite (que l'on nomme parfois « sanguine »), qui permet de réchauffer les carnations, et que l'on posait volontiers sur la face externe des verres[14]. Le liant peut être le vin, le vinaigre ou l'urine au XIIe siècle, plus tard la gomme arabique diluée dans l'eau.

Les techniques de peinture s'apparentent aux autres arts picturaux, mais s'en séparent par la nécessité de moduler la grisaille en fonction de la lumière qui traverse le verre. Théophile, au XIIe siècle, préconise la pose en trois couches, de la plus claire (un lavis léger) à la plus dense (le trait). Tout en conservant ce principe fondamental, qui est de travailler du plus clair au plus foncé, la technique picturale s'enrichit considérablement à la Renaissance. De plus en plus, les deux faces du verre sont peintes, les effets les plus nets sur la face interne, les rehauts et certains ornements sur la face externe. Les pinceaux sont choisis en fonction de l'effet souhaité : le blaireau, large et plat, permet d'étendre une couche égale de grisaille ou de la brosser en franches zones d'ombre; le putois, rond et plus dur, module la peinture par tapotements; le pinceau fin de martre ou de petit-gris (écureuil), voire même la plume, permet des traits souples ou de fines hachures.

Toutes ces manières, d'une infinie variété à partir d'une ou de deux couleurs de grisaille seulement, sont généralement complétées par des « enlevés ». Sur une couche de grisaille, en lavis, brossée ou putoisée, ou sur le trait lui-même, le peintre-verrier éclaircit ponctuellement la peinture pour obtenir des effets. Les enlevés peuvent être obtenus de diverses manières : brosse de soies dures coupée en biais, aiguille ou pointe, ou ce que l'on appelle « petit bois », qui est souvent la queue du pinceau ou toute baguette épointée; les enlevés peuvent aussi être faits au chiffon ou même au doigt.

Saint-Gervais, baie 16. La Sagesse de Salomon (1531), détail.

Des procédés répétitifs ont aussi été utilisés pour certains motifs décoratifs. Sur la face interne des verres, des damas, parfois très complexes, ont probablement été tracés au pinceau en calquant par transparence un modèle, sans doute en papier (ou peut-être en utilisant un poncif) facilement réutilisable. On peut en prendre pour exemple le riche damas qui se voit dans des vitraux de Montmorency et dans la verrière de la Sagesse de Salomon à Saint-Gervais. D'autres damas sont obtenus à l'aide de pochoirs. Sur la face externe du verre de préférence (à Paris du moins), une couche de grisaille est blaireautée régulièrement. Un pochoir en matière rigide est posé sur ce fond, et les motifs sont enlevés par grattage.

Pour assurer sa durabilité, la grisaille doit être cuite à 600°-620°. Sur les plaques de fer du four, les pièces sont posées sur un lit de cendres tamisées mêlées de mortier cuit (ou de plâtre), en couches superposées. Les pièces de verre sont portées au rouge, et la grisaille s'amalgame à leur surface. Le jaune d'argent et les émaux, dont il est question plus loin, sont fixés de la même manière.

LE JAUNE D'ARGENT

Le jaune d'argent, utilisé dès le début du XIVe siècle en France, tient une place capitale dans le travail de la peinture[15]. C'est un sel d'argent qui agit par cémentation. Il se différencie ainsi de l'émail, n'étant pas associé à un fondant. Mélangé à une terre (ocre), qui sert seulement de véhicule et s'efface facilement après la cuisson, il est posé sur la face externe des verres. Il est totalement transparent et modifie ponctuellement la teinte du verre sur lequel il est posé, en évitant ainsi des coupes et mises en plomb supplémentaires. Au XVIe siècle, il est utilisé avec brio, ses teintes variant du jaune pâle à l'orangé. Il est employé de multiples manières, pour mettre en valeur des parties gravées, colorer des chevelures, rehausser les ornements de costumes, détailler des éléments de paysages, etc., et peut même être utilisé en ton local, en colorant en jaune pâle un verre blanc. Il est cuit en même temps que la grisaille.

LA GRAVURE

La gravure, qui apparaît également au début du XIVe siècle, a tout d'abord été pratiquée sur verre rouge, nécessairement doublé de blanc, puis, à la fin du Moyen Age, sur d'autres teintes, telles le bleu et le vert. Pour dégager le fond blanc du verre doublé, le peintre-verrier use la partie colorée à l'aide d'une pointe d'acier associée à de la poudre d'émeri. Une molette d'acier combinée à un archet permet aussi de faire la gravure de très petits motifs, comme dans le panneau du Portement de croix de l'hôtel de Cluny. Les détails des costumes, galons de bordure, crevés des manches, bijoux, peuvent être obtenus de cette manière. La partie gravée est souvent modulée à la grisaille sur la face interne, et reprise au jaune d'argent sur la face externe. C'est une technique complexe, qui répond sans doute à la volonté du commanditaire d'obtenir une œuvre d'art d'un effet précieux et riche.

LES ÉMAUX

Connus dans certains vitraux monumentaux (en Autriche) dès le milieu du XVe siècle, et utilisés plus tard dans les vitraux civils, les plus anciens émaux visibles sur de grandes verrières d'Ile-de-France se voient à Montfort-l'Amaury en 1543. Ils ne deviennent courants à Paris que dans les années 1560-1570. Les peintres-verriers veulent pouvoir bénéficier des mêmes avantages qu'avec le jaune d'argent, mais pour d'autres couleurs. Les ateliers veillent jalousement sur les secrets de fabrication, c'est-à-dire la composition et la cuisson, qui est particulièrement délicate. Les émaux sont composés de verres de couleur broyés, associés à des borosilicates et à un liant. Les premières couleurs inventées sont le bleu et le vert, puis viennent le violet et le rouge. Bien que les émaux soient moins translucides et moins lumineux que le verre coloré, ils sont de plus plus employés à la fin du XVIe et au début du XVIIe siècle[16].

LA MISE EN PLOMB

Après la cuisson, les pièces de verre sont serties dans des baguettes de plomb pour former le panneau destiné à être posé dans l'armature de la fenêtre. Le réseau des plombs a aussi un rôle visuel essentiel, à la fois pour séparer les couleurs par une ligne sombre, et pour définir les grandes lignes de la composition. Les plombs ont une section en forme de H. Les pièces viennent s'insérer dans les rainures délimitées par les ailes, de part et d'autre de l'âme (ou cœur) dont l'épaisseur est constante. Le choix du calibre des plombs (largeur et épaisseur des ailes) dépend essentiellement de la taille des panneaux à réaliser, de façon à donner une rigidité suffisante à l'ensemble. Jusqu'à la fin du XVe ou au tout début du XVIe siècle, les plombs sont moulés, ainsi que le décrit encore Vasari : « Les plombs sont fabriqués dans des moules en pierre ou de fer à deux gorges opposées où le verre est inséré et maintenu. On les rabote, on les redresse, puis sur une table on les aplatit; et, pièce à pièce, tout le vitrail est mis en plomb par panneaux; on soude tous les joints à l'étain ». Mais les « rouets à tirer plombs », c'est-à-dire les tire-plombs, qui sont des machines assez complexes, apparaissent à Paris dans tous les inventaires d'atelier les plus anciens, c'est-à-dire du milieu du XVIe siècle[17].

C'est la table de peintre-verrier décrite plus haut qui sert aussi à la mise en plomb. Pour que le sertissage des pièces soit parfait, on les maintient succesivement par des petites pointes, jusqu'au placement des derniers plombs d'entourage. Après avoir rabattu les ailes sur les verres, le peintre-verrier soude à l'étain les intersections sur la face antérieure, puis sur l'autre. Enfin, il soude les attaches de vergettes en prévision de la pose. Depuis le XIXe siècle, l'étanchéité du panneau est assurée par un mastic, généralement composé d'huile de lin et de blanc de Meudon, mais ce type de mastic n'a été inventé qu'au XVIIIe siècle en Angleterre, et l'on ne sait rien de précis sur les procédés antérieurs.

Saint-Gervais, baie 124. Apparition de saint Jacques à la bataille de Clavijo (vers 1610-1620), détail : un sarrasin.

L'ARMATURE MÉTALLIQUE ET LA POSE

Les panneaux de vitraux sont prêts à être posés dans l'armature métallique qui reste ancrée dans les montants de pierre de la baie. Au XVIe siècle, les barlotières horizontales suffisent le plus souvent à diviser les lancettes et les ajours du tympan. Elles sont rarement forgées en courbe pour s'adapter à la composition (Vie de saint Jean-Baptiste à Saint-Merry), alors que ce procédé était fréquent aux XIIe et XIIIe siècles. Ce sont des barres de fer quadrangulaires, sur lesquelles sont soudés des sortes de tenons nommés pannetons. Les panneaux sont assis sur les pannetons et plaqués contre la barlotière par un feuillard, bande de fer plate mortaisée pour laisser le passage des pannetons. Le verrouillage est assuré par les clavettes, qui sont de petites pièces métalliques glissées dans l'œil des pannetons. La verticalité des panneaux et leur résistance aux poussées des vents est assurée par les vergettes, minces tringles de fer fixées par les petites attaches soudées au moment de la mise en plomb. Les dernières opérations consistent à garantir l'étanchéité de la baie, par un nouveau masticage autour des panneaux, et par un calfeutrement au mortier le long des montants de pierre.

Le mode de fixation des panneaux de vitraux dans la baie permet le démontage d'une verrière panneau par panneau à chaque fois que cela s'avère nécessaire, soit

a. Saint-Gervais, baie 16. La Sagesse de Salomon (1531), détail du sacrifice à Gabaon.

pour la restaurer, soit pour la mettre à l'abri en temps de guerre. Les restaurations sont décidées lorsque les vitraux souffrent d'altérations, lorsque les plombs vieillis ne peuvent plus assurer la stabilité du vitrail, ou lorsque les pièces cassées menacent de se dessertir. Jusqu'au XIXe siècle, on réparait celles-ci en ajoutant de minces plombs dits « de casse », et l'on n'hésitait pas à remplacer par des pastiches les pièces estimées nuisibles à la lisibilité de la verrière. Aujourd'hui, les procédés de restauration utilisent une technologie avancée, qui permettra d'assurer la pérennité des œuvres.

NOTES

1. G. Vasari, *Les Vies des meilleurs peintres, sculpteurs et architectes,* traduction et édition critique sous la direction d'A. Chastel, vol. I, Paris, 1981, pp. 196-200.
2. A. Chastel, « Problèmes formels », et L. Grodecki, « Fonctions spirituelles », dans *Le Vitrail français,* pp. 23-37 et pp. 38-54.
3. J.J. Gruber, « Technique », *ibid.,* pp. 55-80. J. Lafond, *Le Vitrail, origines, technique, destinées,* 3e éd. mise à jour par F. Perrot, Lyon 1988.
4. Théophile, *Essai sur divers arts en trois livres,* annoté par A. Blanc, Paris, 1980.
5. C. Cennini, *Le Livre de l'art, ou traité de la peinture,* traduit par V. Mottez, Paris, 1911.
6. G. Vasari, *op. cit.* Voir aussi le résumé sur les traités anciens fait par I. Baudoin, « A propos de la fabrication des grisailles : choix de textes des origines au XIXe siècle », dans *Science et Technologie de la Conservation et de la Restauration des Œuvres d'Art et du Patrimoine,* n° 2, 1991, pp. 6-23.
7. P. Le Vieil, *L'Art de la peinture sur verre et de la vitrerie,* Paris, 1774.
8. Les projets de petit format de l'époque médiévale sont rares. *Cf.* H. Wentzel, « Un projet de vitrail au XIVe siècle », dans *Revue de l'Art,* n° 10, 1970, pp. 7-14.
9. G.M. Leproux, *Recherches sur les peintres-verriers parisiens de la Renaissance (1540-1620),* Genève, 1988, pp. 145-164. M. Hérold, *cf. infra,* p. 172.
10. *Cf.* M. Hérold, *supra* p. 64 et *infra* p. 175. Id., « Cartons et pratiques d'atelier en Champagne méridionale dans le premier quart du XVIe siècle », dans *Mémoire de verre. Vitraux champenois de la Renaissance,* Châlons-sur-Marne, 1990, pp. 60-81 (Cahiers de l'Inventaire n° 22).
11. J. Vila-Grau, « La table de peintre-verrier de Gérone », dans *Revue de l'Art,* n° 72, 1986, pp. 32-34.
12. G.M. Leproux, *op. cit.,* 1988, pp. 52-54.
13. G. Vasari, *op. cit.,* 1981, p. 198.
14. I. Baudoin, *op. cit.,* 1991.
15. J. Lafond, *Pratique de la peinture sur verre à l'usage des curieux, suivie d'un essai historique sur le jaune d'argent et d'une note sur les plus anciens verres gravés,* Rouen, 1943.
16. G.M. Leproux, *op. cit.,* 1988, pp. 79-86. Id., « Vitrail et peinture à Paris sous le règne d'Henri IV », *Avènement d'Henri IV, quatrième centenaire. Colloque V,* Fontainebleau, 1990, pp. 279-288.
17. G. Vasari, *op. cit.,* 1981, p. 200. G.M. Leproux, *op. cit.,* 1988, p. 53.

b. Saint-Germain-l'Auxerrois, baie 121 (vers 1490). Le corps de saint Vincent jeté aux bêtes sauvages, détail.

Saint-Gervais, baie 2, Vie de la Vierge (1517). Annonce aux bergers. ▶

Dans les coulisses de l'atelier : modèles et patrons à grandeur

MICHEL HÉROLD

NUL n'ignore le rôle majeur du projet et du document d'exécution pour l'élaboration d'un vitrail. On ne saurait donc être surpris de retrouver sans cesse dans les divers chapitres de cet ouvrage modèles et patrons à grandeur au cœur des débats. Pourtant, à Paris, il n'est guère de ces documents-clefs conservés pouvant être rapprochés d'une verrière qui nous soit parvenue, à l'exception peut-être des dessins liés au vitrail de la Sagesse de Salomon de l'église Saint-Gervais[1]. L'essentiel de nos connaissances vient donc des sources d'archives et surtout de l'analyse technique des verrières, enrichies par la consultation des traités, en particulier ceux de Cennino Cennini[2] et de Giorgio Vasari[3].

L'équivalent ancien de la maquette des verriers d'aujourd'hui s'appelle au XVIe siècle « modèle », « patron au petit pied », « gect » et, le plus souvent, « pourtraict ». Il est l'un des premiers et des plus importants maillons de la « chaîne de fabrication » d'un vitrail. En raison de la variété de ses formes et de ses rôles, nous désignons ce document du mot de modèle, retenu pour son imprécision.

Le modèle apparaît dans la plupart des marchés passés entre commanditaires et verriers, car on lui accorde une réelle valeur juridique. Il est parfois seulement mentionné ou « exhibé », mais souvent aussi « paraphé ne varietur » par les notaires, exigible à la moindre réclamation, et destiné à assurer l'exécution fidèle du contrat[4].

Nature et formes du modèle sont très variables. Notre réflexe est de penser d'abord à un dessin. Ce dessin peut appartenir au fonds de l'atelier, ou prendre le caractère plus personnel que l'on reconnaît au célèbre carnet de modèles du Lyonnais Jérôme Durand[5]. Il peut donc être de la main du verrier, mais le donateur exige parfois qu'il soit exécuté par un peintre, surtout dans le cas d'une commande importante ou devant illustrer un sujet rare. C'est ce que l'on suppose pour la rose ouest de la Sainte-Chapelle de Paris[6]. Le donateur, particulièrement soucieux de sa propre représentation et de celle de sa famille, comme de leurs armoiries, n'hésite pas à fournir lui-même au verrier les modèles correspondants, des portraits en général[7]. Leur présence explique parfois le manque d'homogénéité de certaines verrières. On le voit, la forme importe peu, toutes sortes de dessins pouvant être transposés en vitrail. Une même liberté d'exécution existe si le dessin lui est spécifiquement destiné. Certains modèles pourtant, comme la série de trois dessins « bellifontains » conservés à l'Ecole nationale supérieure des Beaux-Arts de Paris[8], semblent tout à fait bien adaptés au travail d'atelier. Il s'agit d'encadrements décoratifs destinés à des vitraux civils : les dessins sont riches de deux demi-compositions qu'il est facile de compléter par décalque, chacune étant symétrique; elles cernent des médaillons ovales vides, propres à recevoir emblèmes ou armoiries de tout commanditaire[9]; ces dessins, peut-être des dessins de peintre, bien que destinés au vitrail, ne portaient à l'origine aucune indication particulière, mais ils ont été surchargés, probablement par le verrier, de tracés recherchant l'emplacement possible du réseau de plomb.

Au XVIe siècle, le modèle le plus souvent utilisé ne prend pas la forme de dessin, mais plus volontiers de gravure[10]. A Paris, on observe le rôle déterminant des gravures issues de l'entourage de Raphaël dans l'œuvre de Jean Chastellain à partir des années 1530[11]. D'une autre manière, xylographies et gravures de livres d'heures im-

a, b et c. Relevés des principaux plombs des Annonciations de Saint-Etienne-du-Mont, Saint-Godard de Rouen et Saint-Jean d'Elbeuf.

primés se sont trouvées tout naturellement au cœur du débat pour plusieurs verrières exécutées vers 1500, comme le Portement de croix de la chapelle de l'hôtel de Cluny, les Vies de la Vierge de Saint-Etienne-du-Mont, de Saint-Godard de Rouen et de Saint-Jean d'Elbeuf[12]. Leur rôle est apparu ici difficile à cerner, concurremment à l'existence d'autres documents de référence, des enluminures en l'occurrence, mais peut-être aussi parce que tout modèle transposé à l'échelle et selon les contraintes techniques du vitrail subit toujours une très large part d'adaptation.

Le modèle est avant tout un support pour la mémoire. Il donne un schéma de composition, des détails d'ornementation, il est la référence pour un sujet rare et difficile. Si le sujet est traité par ailleurs dans un autre vitrail ou dans une tapisserie par exemple, que le verrier connaît ou peut aller voir[13], le modèle tel qu'on l'entend habituellement n'est pas vraiment utile. La verrière exécutée « pareille à celle de l'église de ... » est en fait une copie interprétée[14]. Il est également inutile si le donateur fait confiance au moment de la commande, ou dans le cas d'un sujet très banal, souvent répété par le verrier, qui peut alors directement travailler à l'échelle de la baie.

Même s'il prend aussi des formes très diverses, le patron à grandeur est en revanche indispensable. Il intervient d'une façon déterminante dans la phase d'exécution proprement dite. Document de travail, le « grand patron » n'apparaît qu'épisodiquement dans les archives : Antoine Bohier, le commanditaire de l'Incrédulité de saint Thomas de Saint-Germain-l'Auxerrois demande à Jean Chastellain de lui montrer et exhiber successivement le « pourtraict » et les « patrons de papier » du vitrail, ce qui est exceptionnel en France et à Paris[15]. Généralement, le patron à grandeur concerne seulement l'atelier, où sa vie ne dépasse pas ses possibilités maximales d'exploitation, environ deux générations de maîtres. Il est conservé plus longtemps seulement lorsqu'il devient, comme à Gouda, un instrument destiné à l'entretien des verrières[16].

a. Paris, E.N.S.B.A. Modèle destiné à l'exécution d'un vitrail civil : blason à château dans un cadre ovale (XVIe siècle).

b. Paris, E.N.S.B.A. Modèle destiné à l'exécution d'un vitrail civil : blason avec un cerf, entouré de cuirs (XVIe siècle).

Le « grand patron » aux dimensions exactes de la baie est à Gouda œuvre de peintre; il l'est aussi en Italie tel qu'il apparaît dans les traités de Cennino Cennini ou de Giorgio Vasari. Dans la France du XVIe siècle et à Paris, tout laisse croire que ce travail revient généralement au verrier, sauf peut-être lorsque le donateur l'exige : faut-il interpréter dans ce sens un passage du marché passé le 18 septembre 1532 entre Antoine Le Viste et Jean Chastellain pour la rose sud de Saint-Germain-l'Auxerrois, stipulant que le verrier exécutera le vitrail d'après les « pourtraicts et patrons faicts de la main de maistre Noël Bellemare, maistre peintre à Paris »[17]?

Les progrès de l'« industrie » du papier en France[18] permettent aux verriers, Jean Chastellain, Laurent Marchant[19] à Paris, de réaliser leurs grands patrons en prenant « autant de feuilles de papier, collées les unes aux autres, qu'il t'en faudra pour couvrir la fenêtre »[20]. Les patrons de Gouda sont ainsi faits de feuilles collées le plus souvent horizontalement, mais quelquefois verticalement. Au XVIe siècle, le papier a donc supplanté le parchemin[21], plus coûteux, mais il coexiste vraisemblablement avec l'ancienne méthode de la table de verrier blanchie, telle que nous la connaissons grâce au traité du moine Théophile et aux tables de Gérone[22]. Il coexiste aussi avec la toile, solide et pratique, qui est le matériau des grands patrons réalisés à Paris vers 1515-1518 pour l'église Saint-Etienne-la-Grande-Église de Rouen[23].

Aucun de ces patrons parisiens du XVIe siècle n'est malheureusement conservé. Leurs formes furent sans doute très diverses, de même que leurs supports. Nous pouvons cependant les imaginer différents des patrons de peintre du traité de Cennino Cennini ou de Gouda, et plus proches de l'évocation somme toute assez générale qu'en fait Vasari : « Un vitrail suppose un carton portant les contours et indiquant les tracés des plis des figures, c'est-à-dire les lignes d'assemblage des pièces de verre (le réseau de plomb). On choisit ensuite les verres (...) et en suivant le modèle on les répartit respectivement pour les étoffes ou les carnations. Pour découper chaque plaque à la dimension indiquée sur le carton, on marque, avec un pinceau chargé de céruse, le contour des pièces sur les plaques de verre posées sur le carton; chaque morceau reçoit un numéro pour le retrouver plus facilement au moment de l'assemblage, numéro qu'on efface une fois l'ouvrage terminé. Pour tailler la pièce à la dimension, on se sert d'un fer à la pointe rougie au feu (...). Les pièces de verre sont alors regroupées, placées sur le carton couché sur une table plate, et le peintre-verrier commence à peindre les ombres (...) suivant les indications du carton (...)[24] ».

La présence d'un réseau de plomb plus ou moins complet, de repères codés pour les couleurs, la notation plus ou moins précise de la peinture correspondent en effet à l'usage traditionnel du patron. La similitude des

Paris, E.N.S.B.A. Deux demi-modèles destinés à l'exécution de vitraux civils (vers 1540-1550).

relevés de plusieurs têtes des verrières de la Vie de la Vierge de Saint-Etienne-du-Mont, de Saint-Godard de Rouen et de Saint-Jean d'Elbeuf, qui souvent se superposent exactement, laisse imaginer l'existence d'indications précises pour la peinture sur leurs patrons communs[25]. C'est l'unique conclusion qui ressort des chapitres précédents, où pourtant le problème des cartons a été fort souvent débattu.

Le sujet a certes été abordé par le biais des verrières elles-mêmes. Se fiant aux méthodes mises au point par nous et déjà éprouvées en Champagne[26], l'étude comparative des relevés des réseaux de plomb à échelle constante donne d'importants résultats. Lorsque les relevés se superposent, ne serait-ce que partiellement, nous estimons qu'il y a emploi répété de patrons à grandeur. A Paris, nous avons maintes fois retrouvé ce phénomène, particulièrement adapté aux compositions narratives en deux ou trois panneaux, comme celles des verrières de la Vie de sainte Marie-Madeleine à Saint-Gervais et Saint-Merry[27]. Il jalonne aussi toute la production de Jean Chastellain. Comme il s'agit ici, le plus souvent, de scènes disposées sur plusieurs lancettes, on note surtout la reprise d'éléments de ces compositions, en particulier de silhouettes[28]. Ce travail de marcottage produit parfois des effets surprenants : dans l'ultime ouvrage de Chastellain, la verrière du Saint-Nom de Jésus à Saint-Etienne-du-Mont (1540), se mêlent parties originales nouvelles et parties extraites de compositions parfois vieilles de plusieurs décennies; il s'agit presque d'un »catalogue» du fonds de patrons partiels de l'atelier.

A n'en pas douter, le patron à grandeur est vraiment le moyen le plus commode pour répéter vite et à moindres frais une composition ou une partie de composition. C'est une pratique aussi ancienne que le vitrail, déjà remarquée pour les bordures décoratives du XIIe siècle. Le patron à grandeur a en effet sur le modèle l'immense avantage d'être directement prêt à l'emploi. Mais les contraintes matérielles inhérentes au vitrail, comme la taille toujours différente des baies, permettent-elles l'emploi multiple de ces patrons ? Même pour une scène narrative de petites dimensions, la reproduction exacte et complète est exceptionnelle. Il y a presque toujours redistribution des « silhouettes » et des « meubles » de la composition de référence, reliés entre eux par des parties nouvelles.

Techniquement, ces méthodes sont d'une réalisation aisée. Le verrier dispose dans son atelier d'un certain nombre de patrons à grandeur d'ensemble, ou partiels, sur toile ou sur papier. Les dimensions d'une nouvelle baie à vitrer ne correspondent pas, qu'importe ! Il peut reprendre dans son fonds de référence tout ce qui l'intéresse, le décalquant, ou le tranposant au moyen du poncif sur un nouvean patron, que nous appellerons patron de travail ou patron « intermédiaire », improvisant les compléments nécessaires. Ce patron de travail, bien entendu aux dimensions de la nouvelle baie, est soit en toile, soit en papier, à moins qu'il ne s'agisse dans le cas d'une composition en deux ou trois panneaux tout simplement d'une table blanchie, pour passer plus vite encore au travail de coupe, de peinture et d'assemblage.

Ces diverses méthodes, qui réduisent temps et coût de fabrication, sont évidemment propices à la bonne santé financière et au fonctionnement de l'atelier. Elles ne sont bien entendu pas propres à Paris et ne doivent pas être considérées avec mépris. Ces compositions plus « fabriquées » que créées sont finalement toutes originales. Elles n'ont rien de commun avec les productions en série du XIXe siècle, car elles relèvent d'un authentique bon sens pratique et d'une idée de l'« œuvre » d'où est absente toute idée de propriété morale.

NOTES

1. *Cf. Supra*, pp. 115-116.
2. C. Cennini, *Le Livre de l'art ou Traité de la peinture (...),* Paris 1978. Les patrons sont évoqués au chapitre CLXXI, « Comment on travaille sur verre les fenêtres »; ce texte a été rédigé en 1437.

a. Dürer, la Vie de la Vierge : la Visitation.

b. Nemours (Seine-et-Marne), église Saint-Jean-Baptiste, baie 0. Offrande des reliques de saint Jean-Baptiste, détail.

3. G. Vasari, *Les Vies des meilleurs peintres, sculpteurs et architectes,* vol. 1, Paris, 1981, pp. 196-200.
4. G.M. Leproux, *Recherches sur les peintres-verriers de la Renaissance, (1540-1620),* Genève, 1988, p. 35 et p. j. 10, 11 et 12.
5. Ce carnet, réalisé par Jérôme Durand au temps de son apprentissage, contient des copies de gravures et de dessins d'origines très diverses formant un répertoire de modèles dans lequel son auteur pourra sans cesse puiser. *Les Dessins d'élèves et notes de comptabilité de Jérôme Durand, peintre et verrier lyonnais, (1555-1605).* Introduction et pièces justificatives par G. Guigue, A. Kleinclausz et H. Focillon, Lyon, 1924.
6. *Cf. supra,* p. 39.
7. *Cf.* G.M. Leproux, *op. cit.* à la note 4, p. j. 14, 15, 16 et 18.
8. Paris, Ecole nationale supérieure des Beaux-Arts, inv. 0.238, 0.239 et 0.240; H. 0,29-0,26 m. Ces dessins nous ont été signalés par Mme E. Brugerolles, conservateur à la bibliothèque de l'ENSBA, que nous tenons à remercier ici.
9. Une crosse épiscopale surmonte le médaillon du dessin n° 240. Des lettres correspondant à une devise (?) sont portées sur la bordure du médaillon du n° 239.
10. F. Perrot, « Les peintres-verriers et l'estampe », dans *Actes du XXIVe congrès international d'histoire de l'art,* Bologne, 1979, pp. 31-37, et G.M. Leproux, *op. cit.* à la note 4, pp. 40-46.
11. *Cf. supra,* pp. 128-129.
12. *Cf. supra,* pp. 72-74.
13. *Cf.* exemples cités par G.M. Leproux, *op. cit.* à la note 4, p. 35.
14. L'exemple le plus célèbre illustrant cette pratique a été cité par J. Lafond, « Un vitrail d'Engrand Leprince à Saint-Vincent de Rouen et sa copie par Mausse Heurtault à Saint-Ouen de Pont-Audemer », dans *Bulletin de la Société des Amis des Monuments rouennais,* 1908, pp. 157-167. G.M. Leproux, *op. cit.* à la note 4, p. 49, cite pour Paris des textes illustrant cette pratique, très courante.
15. J. Lafond, « La Cananéenne de Bayonne et le vitrail parisien aux environs de 1530 », dans *Revue de l'Art,* 1970, p. 83.
16. L'ensemble des renseignements concernant les vitraux de Gouda cités dans ce chapitre nous ont été communiqués par Mme S. Van Ruyven-Zeman, que nous remercions très amicalement.
17. J. Lafond, art. cit. à la note 15, p. 81. Nous ne le pensons pas, les deux termes « pourtraicts » et « patrons » étant ici des synonymes.
18. *Histoire de l'édition française. Le livre conquérant. Du Moyen Age au milieu du* XVIIe siècle, Paris, 1982, p. 155.
19. G.M. Leproux, *op. cit.* à la note 4, p. 51.
20. C. Cennini, *op. cit.* à la note 2, pp. 127-128.
21. Un patron à grandeur sur parchemin, exécuté vers 1340-1350, est conservé à Seitenstetten (Autriche), Stiftsarchiv. *Cf.* la notice de R. Becksmann,dans *Les Bâtisseurs des cathédrales gothiques,* catalogue d'exposition, Strasbourg, 1989, p. 467.
22. *Cf. supra,* p. 166. La pratique de la table blanchie est encore préconisée par certains traités du début du XIXe siècle. *Cf.* J. Lafond, *Le Vitrail. Origines, techniques, destinées.* 3e éd. annotée par F. Perrot, Lyon, 1988, p. 46, n. 26.
23. *Cf. supra,* p. 71.
24. G. Vasari, *op. cit.* à la note 2, pp. 197-198.
25. *Cf. supra,* p. 70.
26. M. Hérold « Cartons et pratiques d'atelier en Champagne méridionale dans le premier quart du XVIe siècle », dans *Mémoire de verre. Vitraux champenois de la Renaissance,* Châlons-sur-Marne, 1990, pp. 60-81 (Cahiers de l'Inventaire n° 22).
27. *Cf. supra,* p. 64.
28. *Cf. supra* le texte de G.M. Leproux consacré à Jean Chastellain.

Paris, E.N.S.B.A. Modèle destiné à l'exécution d'un vitrail civil : Mucius Scaevola.

La Sagesse de Salomon : histoire d'une restauration

ANNE PINTO - FRÉDÉRIC PIVET

Le vitrail du Jugement de Salomon est une œuvre exceptionnelle, tant par sa qualité d'exécution, que pour la très grande proportion de pièces authentiques dans ses parties du XVIe siècle (les deux premiers registres des lancettes, le registre 1 du réseau ont été entièrement refaits au XIXe siècle et ne sont pas présentés à l'exposition).

Il a donc semblé impératif de débuter la restauration des vitraux de l'église Saint-Gervais-Saint-Protais par celle de son vitrail le plus prestigieux. Nous avons voulu réunir, au service de cette restauration, tous les moyens techniques dont nous disposons actuellement, et assurer au vitrail les meilleures conditions de conservation pour l'avenir. Cette restauration est l'œuvre d'une équipe associant conservateurs, scientifiques, historiens d'art et restaurateurs.

DÉPOSE DU VITRAIL :

La restauration du vitrail exige la dépose de celui-ci. Il se démonte donc panneau par panneau, après avoir enlevé les solins de chaux et de sable qui le maintiennent dans la feuillure de pierre latéralement, ainsi que les calfeutrements de mastic, posés sur les barlotières[1], et qui permettent de faire l'étanchéité entre chaque panneau.

Il a été particulièrement délicat de dégager le vitrail de ses calfeutrements de chaux et de sable. Vraisemblablement la chaux avait été additionnée d'une petite proportion de ciment : le solin, très dur adhérait directement aux verres sur les côtés du vitrail et sur une largeur d'au moins deux centimètres. Or, comme beaucoup de vitraux de cette époque, le vitrail de Salomon a été conçu sans filets de scellements[2]. On constate par ailleurs que la plupart des plombs de casse maintiennent un verre pris dans les scellements de chaux et de mastic, signe que les déposes précédentes n'ont pas épargné le vitrail.

En mars 1993, la dépose, menée par quatre personnes, a duré un peu plus d'une semaine, véritable opération de sculpture des solins, de façon à dégager le vitrail sans casse. Le vitrail, qui couvre une surface de 22,5 m^2, s'est démonté en 44 panneaux; 7 panneaux dans chacune des quatre lancettes (dont 6 panneaux rectangulaires de 87 cm de large par 64,5 cm de haut et un panneau polylobé dans la tête de la lancette) et 16 panneaux de réseau, de formes et tailles diverses.

La dépose a permis aussi de mettre les feuillures de pierre au jour, ainsi que la serrurerie métallique qui maintenait le vitrail en place. Il sera donc possible d'intervenir sur celles-ci, après la restauration du vitrail lui-même, et de les remettre en état : nettoyage des feuillures et consolidation de la pierre, nettoyage et peinture des fers sont indispensables.

A cette occasion, on se propose de poser une verrière extérieure qui permettra d'assurer à l'avenir, les meilleures conditions de conservation, ce que l'on ne peut que souhaiter pour un vitrail aussi exceptionnel.

ÉTAT DE CONSERVATION DU VITRAIL AVANT RESTAURATION : EXAMENS ET TESTS PRÉALABLES

La restauration doit être précédée par un examen approfondi de la verrière, panneau par panneau; examen visuel affiné par des observations réalisées au microscope et des analyses effectuées au Laboratoire de recherche des monuments historiques. Ceci permet de faire un bilan de l'état général de la verrière, indispensable pour définir et guider la restauration.

Un dossier photographique, panneau par panneau, est constitué avant et après restauration. Celui-ci, accompagné de relevés, attestera de la restauration, préparant éventuellement les interventions futures.

L'examen visuel :

Les verres ne présentent pas d'altération dans la masse même du verre. Par contre, ils sont recouverts d'une importante couche de salissures noires et grasses, poussières et suie, pellicules de sels au bas des pièces, le long des plombs, formées lors du séchage des condensations d'humidité sur la face interne des verres.

Le mastic, qui a été appliqué sous les plombs pour assurer l'étanchéité du vitrail, déborde sur le verre. Il a un aspect brillant, cristallisé et semble collant. Aux endroits où il touche la grisaille, celle-ci s'est totalement écaillée.

La restauration, par conséquent, débutera par un nettoyage approfondi du vitrail, nettoyage adapté au type de salissures et tenant compte de l'état de la grisaille.

La grisaille[3] s'est avérée en excellent état de conservation sur toute la partie du XVIe siècle.

Par contre, la base refaite par Félon, au XIXe siècle, n'est pas exécutée de façon traditionnelle, et cela peut-être parce que Félon, que les archives décrivent comme peintre et sculpteur, ignorait tout de la technique du vitrail. L'examen a révélé que, sur les deux registres, refaits par lui au bas du vitrail, le modelé est exécuté à l'aide d'une peinture à froid très altérée, qui n'a plus aujourd'hui aucune adhérence sur le verre. Le trait semble cuit, mais s'écaille.

Ceci rend le nettoyage de cette partie du vitrail difficile. La restauration de cette partie du XIXe siècle est donc ajournée dans l'immédiat. Plusieurs options sont cependant possibles.

De plus, les verres, coupés en pièces de grand format, ont été brisés au cours des siècles, notamment lors des déposes et reposes successives du vitrail pour entretien ou lorsqu'il a fallu le mettre à l'abri durant les deux guerres mondiales.

Le tracé du réseau de plomb, tel qu'il a été conçu à l'origine par le peintre-verrier, se trouve donc altéré, masqué par un autre réseau de plomb : celui des plombs de casse, plus fins dans leur largeur. Lorsque l'on renouvelle le réseau de plomb, ces plombs de casse sont introduits pour maintenir les fragments des verres brisés : pour cela, on gruge le verre, c'est-à-dire que l'on recoupe le bord des fragments sur un millimètre pour laisser passage

Examen d'un panneau du vitrail de la Sagesse de Salomon dans l'atelier du peintre-verrier chargé de la restauration.

à l'âme du plomb. Cette technique, pratiquée depuis le Moyen Age jusqu'à ces dernières années, a considérablement contribué à l'altération des vitraux dans la mesure où le fragment de verre grugé se trouvait définitivement mutilé.

Aujourd'hui, de nouvelles techniques, pose d'un ruban de cuivre adhésif ou collage, permettent de ne plus avoir recours au plomb de casse et répondent aux exigences de réversibilité d'une restauration moderne, tout en n'endommageant pas le verre. Lors de la restauration du vitrail, on a donc cherché à réduire le réseau des plombs de casse, en employant, selon le cas, l'une ou l'autre de ces techniques, de façon à restituer le tracé originel des plombs.

La critique d'authenticité :

Dans le même temps, nous avons reçu trois membres du Corpus Vitrearum (C. Lautier, F. Gatouillat et G.-M. Leproux) qui ont effectué la critique d'authenticité du vitrail en collaboration avec les peintres-verriers. Cette critique, qui permet de recenser toutes les pièces de verre authentiques, est indispensable pour guider la restauration, et éviter toute erreur qui viendrait de confusions entre verres du XVIe siècle et compléments qui seraient dus aux précédentes restaurations.

Un exemple révélateur sur le vitrail de Salomon est celui qu'offre la tête du bourreau, cité jusqu'ici par tous les auteurs comme une restauration abusive du XIXe siècle, dans la mesure où ce type d'homme moustachu n'est pas à la mode au XVIe siècle où l'homme, soit est imberbe,

Nettoyage d'un panneau du vitrail de la Sagesse de Salomon.

soit porte à la fois barbe et moustache. L'examen a immédiatement montré que la technique de peinture, la couleur et la matière de la grisaille étaient identiques sur le visage du bourreau et sur les verres dont on avait la certitude qu'ils étaient d'origine. Une recherche plus approfondie, menée par le Corpus Vitrearum a permis de retrouver des modèles (issus de la peinture flamande) de bourreaux moustachus proches de celui utilisé par le peintre-verrier au XVIe siècle. La recherche du Corpus Vitrearum a donc été, dans ce cas précis, indispensable pour guider la restauration et éviter la suppression d'une pièce perçue jusque là comme une restauration dénaturant le vitrail, alors qu'elle est authentique.

La critique d'authenticité a, par ailleurs, démontré que le vitrail est très peu restauré dans ses parties du XVIe siècle où la proportion de verres restaurés est minime. Cependant, lors de la dernière repose du vitrail, deux panneaux ont été intervertis (panneaux c7 et d7) et un autre (panneau d6) posé tête en bas. Ces panneaux seront remis à leur place après restauration.

Analyses en laboratoire :

En parallèle avec la critique d'authenticité, on a sélectionné, sur le vitrail, quelques pièces de verre représentant de façon significative les différents types d'altération, de différentes époques (XVIe et XIXe siècles) et tout particulièrement deux verres incolores, l'un provenant de la partie originale du vitrail, l'autre, du premier registre, attribué à Félon et daté du XIXe siècle.

La spectrophotométrie d'émission de fluorescence X, effectuée au Laboratoire de recherche des monuments historiques[4], permet de visualiser qualitativement la présence de la plupart des éléments chimiques. Cette analyse se réalise sans destruction de l'échantillon, et même sans prélèvement, puisque les pièces de verre ont été utilisées entières, puis remises en place dans le vitrail. Seuls des éléments légers comme le sodium (Na) ou le bore ne peuvent être déterminés à l'analyse, alors que ceux-ci jouent un rôle important dans la composition du verre ou des grisailles.

L'analyse confirme les conclusions de la critique d'authenticité, en montrant une composition des deux verres incolores totalement différente : ainsi le verre du XVIe siècle comporte une proportion significative de potassium (K) par rapport au calcium (Ca), composition relativement étonnante pour un verre de cette époque, alors que les verres du XIXe siècle en sont totalement dépourvus.

Une couche de dépôts blanchâtres recouvre la quasi-totalité des panneaux du XIXe siècle. Cette couche s'écaille et semble volontairement appliquée sur ces panneaux : on y voit nettement les coups du pinceau. Après analyse en spectrophotométrie infra-rouge (elle permet de déterminer de quels types sont les sels et les matériaux organiques), il apparaît qu'il s'agit de sulfates de calcium (CaSO4) sans liant huileux, résineux ou cireux. Il semble que l'on soit en présence d'une couche de plâtre ou un lait de chaux appliquée pour assombrir les pièces du XIXe siècle, à la grisaille très claire.

Tests de nettoyage :

Les tests de nettoyage ont été réalisés sur un panneau du XIXe siècle (panneau a1) et deux panneaux du XVIe siècle (panneaux a6 et b6). Deux zones de tests ont été sélectionnées sur chaque panneau, correspondant à deux pièces de verre.

Les examens préalables ayant donné diverses indications sur la couche de salissures qui recouvre le verre, on décide d'exécuter les tests avec de l'eau déminéralisée d'une part (celle-ci, nettoyée de ses carbonates et ions métalliques, a un plus grand pouvoir solvant que l'eau du robinet), et une gamme de solvants organiques, plus adaptés à la présence de dépôts gras, d'autre part : alcool, acétone, acétate d'éthyle et white spirit.

Les tests sont effectués sur les panneaux posés sur table éclairante de façon à visualiser l'évolution du nettoyage.

Après un dépoussiérage au pinceau, les solvants sont appliqués à l'aide d'un coton tige sur les zones sélectionnées. La poussière s'en va facilement à l'eau déminéralisée, mais la couche de salissure n'est visiblement pas dissoute en totalité.

Les solvants donnent un meilleur résultat, sans que l'on puisse déterminer un solvant qui agisse de façon plus efficace qu'un autre, parmi les quatre solvants choisis.

a et b. Détail d'un panneau avant et après nettoyage.

Comme les examens préalables permettaient de le prévoir, la grisaille du XVIe siècle supporte parfaitement le nettoyage tandis que la peinture à froid du XIXe siècle s'élimine avec la couche de salissures.

A la suite de ces tests, on décide de mener le nettoyage de la façon suivante, sur les parties du XVIe siècle : un dépoussiérage est suivi d'un premier nettoyage à l'eau. On poursuit par un second nettoyage associant eau déminéralisée et alcool (moins toxique pour le restaurateur et préféré, par conséquent, aux autres solvants cités). Quelques dépôts particulièrement résistants subsistent, qui sont éliminés à la gomme, sans dommage pour la grisaille. Ce nettoyage s'effectue sur une table éclairante.

LA RESTAURATION : DÉMONTAGE ET REMISE EN PLOMB DES PANNEAUX

Le réseau de plomb d'un vitrail, qui maintient les verres, a une durée de vie limitée, comprise entre un et plusieurs siècles selon la qualité et l'épaisseur du plomb utilisé. Aujourd'hui, le réseau de plomb d'un vitrail, quel qu'il soit, est rarement authentique; les peintres-verriers du XIXe siècle ayant systématiquement renouvelé les plombs.

Le réseau de plomb du vitrail de Salomon semble avoir été changé pour la dernière fois vers 1950, lors de la repose d'après-guerre. Ce réseau de plomb se trouvait dans un état de conservation moyen et il était préférable de démonter l'ensemble du vitrail, pour le remettre en plombs neufs, puisque l'on souhaitait faire disparaître les nombreux plombs de casse et coller certaines pièces de verre.

ALLÈGEMENT DU RÉSEAU DES PLOMBS DE CASSE : POSE DE RUBANS DE CUIVRE ADHÉSIFS OU COLLAGE

Les plombs de casse dénaturent, on l'a dit, l'œuvre originale, dans la mesure où ils créent, par accident, un trait noir à un endroit où le peintre-verrier créateur ne l'a pas désiré.

Pour réduire ces noirs, il est possible d'intervenir de deux façons : soit on positionne, sur les tranches du verre préalablement dégraissé, un fin ruban de cuivre adhésif que l'on recouvre, ensuite d'une fine soudure de façon à maintenir assemblés les fragments du verre. Le tracé discret de ce ruban de cuivre se voit très peu à distance; soit on assemble les verres à l'aide d'un adhésif. Le collage s'effectue plutôt sur les pièces claires où le cuivre serait encore trop visible, ou sur des pièces particulièrement délicates, telles que les visages et les mains.

Pour ces collages, on a préféré employer une résine époxyde, plutôt qu'un silicone, plus couramment utilisée dans le domaine du vitrail : cette colle époxy, très fluide, peut être appliquée par infiltration en face externe. La pièce de verre a été d'abord remontée à la verticale, et assemblée provisoirement à l'aide de rubans adhésifs ou de points de colle à prise rapide qui seront éliminés une fois le collage terminé. Ce type de montage permet de contrôler parfaitement le positionnement des fragments et d'obtenir un joint extrêmement fin : c'est une colle optique; ce qui veut dire que son indice de réfraction (n = 1,553) est très proche de celui du verre (n = 1,48 à 1,59). L'œil humain perçoit une ligne de casse remplie de cette résine, moins (et parfois pas du tout) que cette même ligne de casse remplie d'air (indice de réfraction n = 1). Enfin elle a un bon vieillissement, jaunit peu. Par contre le collage n'est pas facilement réversible.

Certaines pièces de verre, en plusieurs fragments réunis par un plomb de casse, ne sont pas entièrement du XVIe siècle. La critique d'authenticité a permis de déterminer quelles parties de la pièce de verre ne sont pas d'origine, de façon à faire disparaître le complément, si celui-ci n'est pas parfaitement harmonisé au reste de la pièce, ou trop fragmenté lui-même. Le nouveau complément peut être réalisé, selon la taille de la lacune, soit en résine polyester ou époxyde (petite lacune), soit en verre peint à la grisaille, technique plus traditionnelle.

On a recensé, sur l'ensemble du vitrail, 99 pièces de verre, visages ou drapés, qui ont nécessité une intervention de ce type.

a. Démontage d'un panneau.

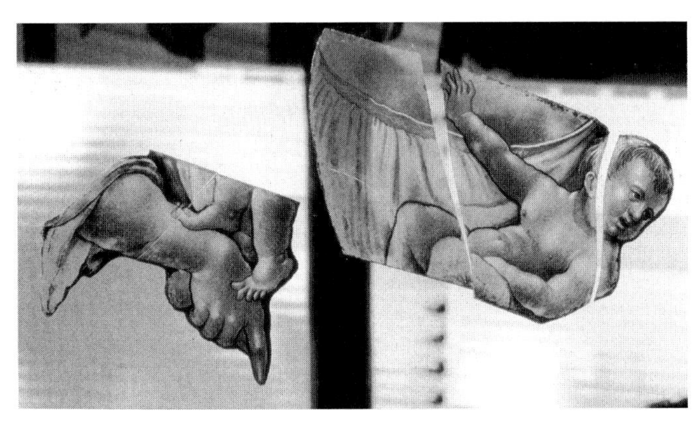

b. Suppression des plombs de casse qui altéraient la lisibilité du groupe formé par l'enfant et le soldat.

c. Positionnement des pièces dans le bac à sable.

CONSERVATION : LA VERRIÈRE EXTÉRIEURE DE PROTECTION

Une démarche globale :

On ne peut plus concevoir une restauration comme une rénovation ou une réparation, mais comme une intervention globale qui prend en considération l'état de l'œuvre à traiter et la confronte avec les conditions de conservation. Après avoir déterminé les causes de dégradation, il s'agit donc de les supprimer par les moyens les plus simples et les plus discrets possible. Cette intervention doit être suivie de mesures de conservation préventive, qui doivent se concrétiser par un entretien léger et régulier.

Si l'on applique cette démarche au vitrail, il n'existe aujourd'hui qu'une seule solution : la pose d'une verrière extérieure de protection. Cela peut apparaître comme une conception dogmatique, mais elle représente l'état de nos connaissances sur la conservation des vitraux. Il est à noter que certaines verrières de protection non ventilées existent depuis la fin du XIXe siècle et ont montré leur efficacité, malgré une conception technologique plus rudimentaire. Citons deux exemples célèbres : la cathédrale de York en Angleterre depuis 1861 et l'église de Lindena en Allemagne, depuis 1897.

Intervenir sur les causes de dégradations :

La pose d'une verrière extérieure de protection peut permettre d'agir sur toutes les causes de dégradations :

— causes mécaniques (vent, grêle, jets de pierre...) : le vitrail est parfaitement isolé des agressions extérieures.

— causes chimiques (pluie, condensations...) : l'eau est un facteur déterminant de l'altération de la matière vitreuse et des peintures. La double verrière isole le vitrail de la pluie; les condensations sont supprimées.

— causes biologiques (algues, champignons, lichens...) : la verrière extérieure modifie les conditions climatiques au niveau du vitrail et supprime, en particulier, les conditions hygrométriques favorables à la prolifération des micro-organismes.

— causes technologiques (mastic, scellements...) : cette protection permet de reconsidérer totalement certaines techniques de réalisation ou de restauration d'un vitrail, qui étaient, jusque-là, les fruits d'une nécessité technologique mais aussi sources de dégradation.

Nous avons vu les difficultés de la dépose et les risques que cela entraine. Le masticage des panneaux, lui aussi réalisé avec un mastic traditionnel (huile de lin, blanc de Meudon), amène un dépôt de sulfates de calcium ($CaSO_4$, produit de dégradation du carbonate de calcium

CaCO3) à la surface du verre. Le vieillissement de l'huile de lin crée une zone d'acidité à la périphérie de chaque pièce de verre, qui risque d'endommager principalement la peinture. De plus, le mastic est, dans ce cas précis du vitrail de Salomon, très adhérent et rend le dessertissage des verres particulièrement délicat.

Les systèmes de pose traditionnels (scellements à la chaux et mastic à l'huile de lin), ainsi que le masticage des panneaux, nécessaire pour réaliser l'étanchéité de la fenêtre, ne se justifient plus, dès lors que celle-ci est obtenue grâce à la verrière extérieure.

Par ailleurs, la suppression des contraintes mécaniques et hydrologiques nous permet de limiter le nombre d'interventions directes sur le vitrail : une désinfection préventive ou un refixage peuvent devenir inutiles. Ceci permet aussi de réaliser des interventions de restauration qui privilégient le traitement esthétique, chose primordiale dans le cas du vitrail de Salomon : les collages époxy peuvent ne pas être doublés et les vergettes horizontales supprimées au profit de vergettes plates, verticales et soudées au revers.

Toute la restauration du vitrail de Salomon a donc été pensée et réalisée en fonction de la pose d'une verrière extérieure de protection. Ces opérations n'auraient aucun sens si la verrière se trouvait de nouveau exposée aux intempéries.

Conception :

Cette verrière extérieure de protection aura pour but de préserver la lisibilité du remplage à l'extérieur de l'édifice : ceci implique la création de chassis en forme pour chaque panneau, mais, comme la baie est peu visible de l'extérieur, le traitement esthétique des verres ne paraît pas primordial. On a donc préféré mettre l'accent sur la résistance aux chocs, en choisissant un verre feuilleté.

La ventilation de l'espace entre la verrière extérieure et le vitrail sera interne. L'étanchéité sera donc réalisée au niveau de la double verrière.

Le vitrail sera reposé dans une serrurerie qui donne aux panneaux une autonomie matérielle (chaque panneau, pris dans un cadre rigide, peut être déposé sans intervenir sur son voisin) et climatique (la ventilation se fera à la périphérie de chaque panneau).

Conservation préventive :

Cette serrurerie permet donc, grâce à un système de dépose aisée, une maintenance qui répond parfaitement aux exigences de conservation préventive, ce qui n'était pas le cas avec les systèmes de pose traditionnels. Il sera donc particulièrement simple d'effectuer des opérations de dépoussiérage ou de dépose en vue d'une exposition, par exemple.

Pourtant, malgré tous les avantages que présente la pose d'une verrière extérieure, cette protection ne fait pas encore partie des opérations courantes d'une restauration de vitrail. Il semble qu'il s'agisse plus d'un problème de conception de la restauration, que du refus d'une technique novatrice.

En effet, si la restauration est considérée comme une opération qui tend à stabiliser la dégradation d'une œuvre (ici en grande partie lui rendre sa lisibilité) et à lui offrir les meilleures conditions de conservation, tout en respectant son identité (un vitrail est créé pour un édifice précis), une restauration se doit d'allier recherche historique, scientifique et technique. Ceci put se faire sur le vitrail de Salomon. Grâce à ce faisceau d'informations, qui permet d'établir un diagnostic complet, une vision globale des interventions devient possible. Un tel diagnostic entraîne la mise en place d'une démarche rationnelle, qui prend en compte les futures conditions de conservation dès le début de l'intervention, et prévoit le devenir de l'œuvre après sa pose. Tout ceci fut notre souci constant durant la restauration de cette verrière.

NOTES

1. Barlotière : serrurerie métallique maintenant les panneaux en place.
2. Filets de scellement : filets de verre sans peinture, incolore, posés sur les côtés des panneaux de vitrail, qui, scellés dans la chaux, peuvent être brisés sans que les verres peints soient endommagés, lors des opérations de dépose.
3. Grisaille : peinture qui donne traditionnellement le trait et le modelé sur un verre de couleur. Elle se compose d'oxydes métalliques et d'un fondant broyé, et, cuite à environ 630 °C, elle adhère au verre.
4. Nous tenons à remercier le L.R.M.H., et tout particulièrement Mme Sylvie Demailly pour son accueil et son aide scientifique lors de la réalisation des analyses sur la verrière de Salomon.

Saint-Gervais, baie 16. La Sagesse de Salomon (1531), détail : le soldat et l'enfant.

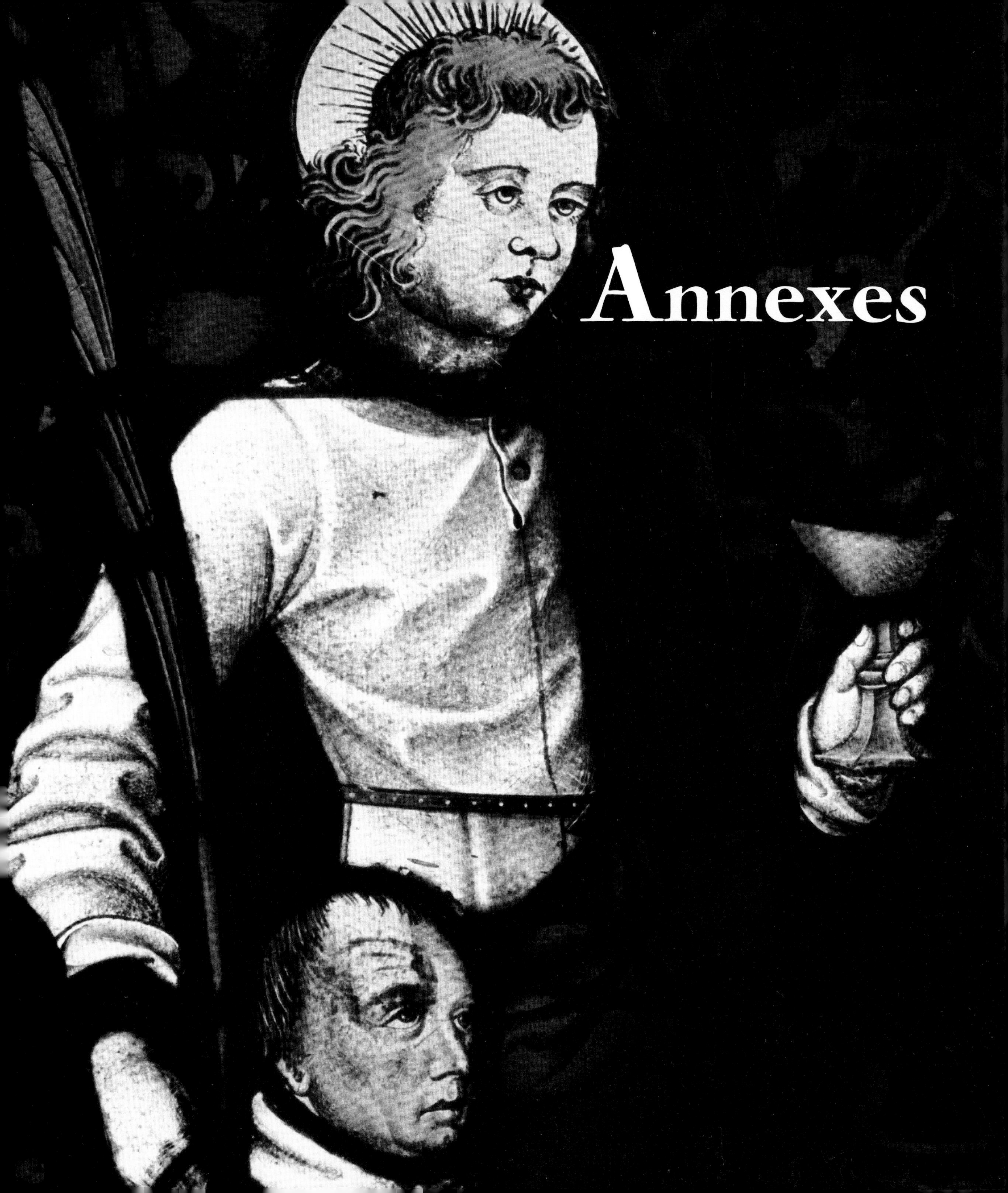

Annexes

La collection de vitraux anciens du musée Carnavalet

FRANÇOISE GATOUILLAT - GUY-MICHEL LEPROUX

La collection de vitraux du musée Carnavalet occupe actuellement six fenêtres donnant sur la rue de Sévigné[1]. Chacune d'entre elles est composée de six panneaux, à l'intérieur desquels les éléments anciens sont montés dans une vitrerie losangée. L'inventaire recense 74 pièces, de taille et d'intérêt variables; deux ont été remontées dans les nouvelles salles archéologiques : une belle tête de saint Jacques des années 1460 et un fragment d'architecture plus ancien de quelques décennies.

L'origine de la collection est établie par un rapport rédigé à la fin des années 1870[2], document qui n'est pas signé, mais dont l'auteur peut être identifié sans peine : il s'agit du peintre-verrier Prosper Lafaye, qui a restauré une grande partie des vitraux des églises parisiennes entre 1845 et 1878 et qui collabora un temps à l'aménagement des salles du musée Carnavalet[3]. La collection était alors d'une richesse étonnante, et les 74 fragments qui nous sont parvenus n'en représentent plus que les débris : ce sont 192 panneaux qui sont mentionnés dans l'inventaire sommaire dressé par Lafaye, certains d'entre eux se superposant pour former des fenêtres pratiquement entières. Tous provenaient d'églises parisiennes[4].

Il n'est pas toujours aisé de retrouver dans cette liste les pièces aujourd'hui conservées : les descriptions sont souvent imprécises, voire fantaisistes. De plus, les dimensions données sont celles de l'ensemble du panneau, comprenant les compléments de verre blanc entourant le fragment original, ou des mosaïques de pièces d'origines diverses que Lafaye semblait affectionner, et ces montages ont été modifiés à plusieurs reprises depuis. Cependant, lorsque l'on arrive à identifier des fragments qui existent encore, on voit que leur taille a souvent diminué depuis le XIXe siècle : là où l'on avait un groupe de personnages, il n'en reste plus qu'un, ou d'une figure de saint en pied ne subsiste que la tête ou le buste. Que sont devenues les autres pièces ? Une seconde liste, dressée en 1907 par le peintre-verrier Henri Carot, montre que dès cette époque une partie importante de la collection du musée avait disparu[5].

Au nombre des pertes, on peut signaler le donateur du vitrail de l'Apocalypse à Saint-Etienne-du-Mont, que Lafaye dit avoir calqué exactement avant de le remplacer, une partie du petit médaillon de la Naissance de la Vierge à Saint-Merry, ou encore les Trois Marie d'un vitrail du transept de la même église. Quatre panneaux entiers provenaient de l'Abraham et Melchisedech de Saint-Gervais, ce qui suffit à montrer la vigueur avec laquelle Lafaye avait restauré ce vitrail en 1878[6].

Le caractère parisien de la collection étant établi, on peut encore préciser l'origine de certaines pièces et affiner ainsi leur datation. Les plus anciennes proviennent de l'église Saint-Séverin, où Lafaye a travaillé de 1858 à 1869[7]. Après avoir remonté dans les trois premières travées de la nef des verrières du XIVe siècle, exécutées initialement pour la chapelle du collège Saint-Jean de Beauvais, il entreprit la restauration des vitraux de la seconde moitié du XVe siècle qui décorent le reste de l'édifice[8]. Au XIXe siècle, et jusqu'à une époque relativement récente, il était admis qu'un restaurateur changeât des pièces dont l'état lui paraissait nuire à la lisibilité du vitrail. Ainsi dans deux fenêtres du sud de la nef (baies 208 et 210) les têtes de saint Jacques et de saint Paul, barrées de multiples plombs de casse, ont été remplacées par des équivalents modernes. Elles sont aujourd'hui dans les collections du

Paris, musée Carnavalet. Panneau ◀ composite : saint Jean l'Evangéliste présentant un donateur.

a, b et c. Paris, musée Carnavalet. Sainte Madeleine, saint Antoine et sainte Catherine, provenant de l'église Saint-Séverin (baie 213).

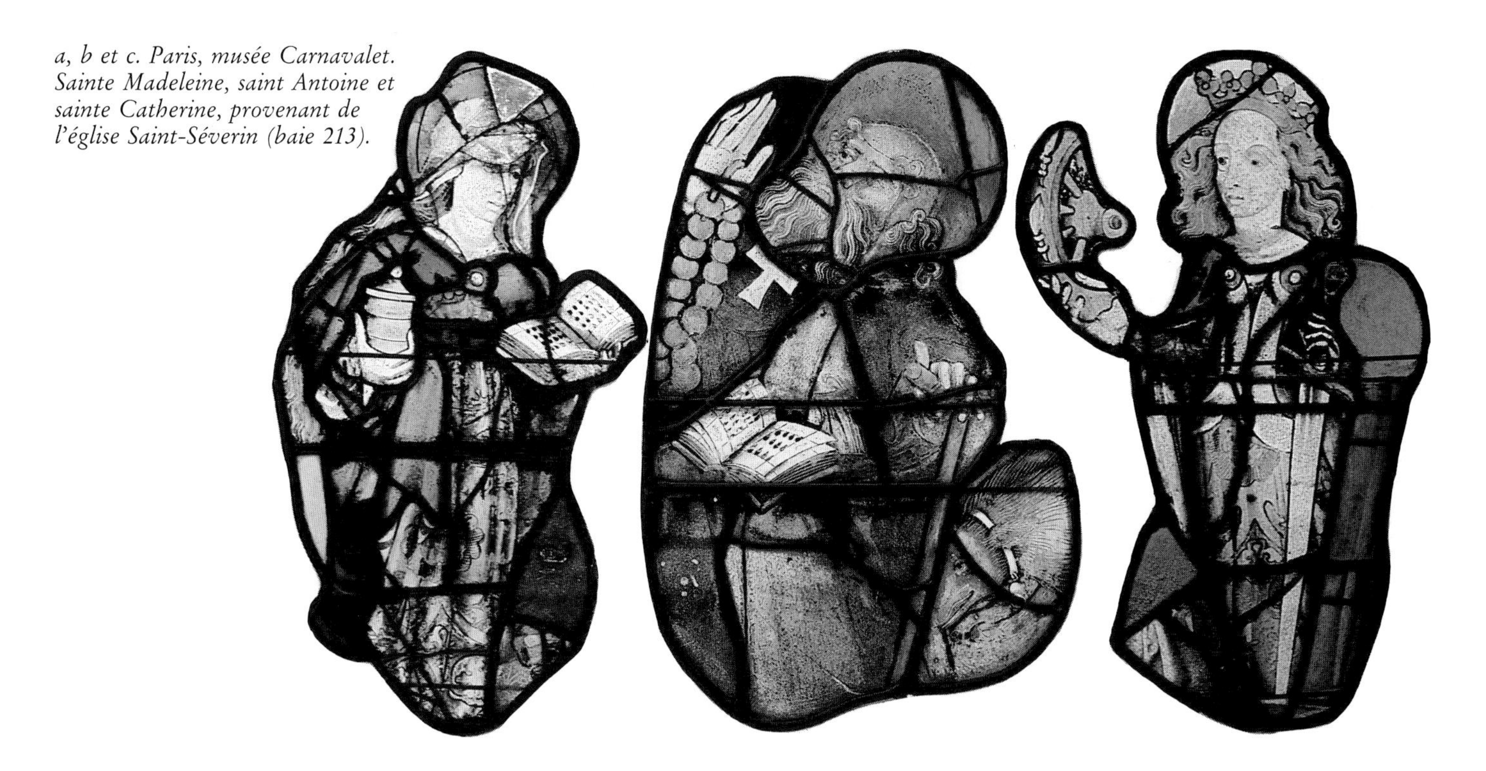

musée (inv. vt 20 et 25)[9]. Les interventions les plus brutales de Lafaye concernent les parties hautes des verrières de l'église : les tympans de plusieurs fenêtres sont aujourd'hui entièrement modernes. Leur aspect choque au premier abord : les coloris sont lourds, trop soutenus comparés aux tonalités claires et subtiles des vitraux du XVe siècle. De plus, la facture porte bien la marque de son temps et l'on n'observe aucun souci de restitution « archéologique ». Le restaurateur, ayant jeté son dévolu sur des figures anciennes à peines fêlées, les a remplacées en les calquant, sans chercher — ou sans parvenir — à rendre les modelés anciens. Cela est d'autant plus étonnant que Lafaye avait une haute idée de ses capacités à reproduire l'effet des vitraux anciens; il écrivait ainsi, en 1851 : « Je possédais une petite tête peinte du XVIe siècle, elle était cassée en deux morceaux. L'idée me prit de reproduire la partie inférieure de cette tête, et chaque fois que j'invitais quelques personnes à reconnaître les copies de l'original, nul ne put le faire. La similitude était telle que moi-même aujourd'hui je ne reconnais plus mon œuvre qu'à certains traits imperceptibles »[10].

Les trois personnages de sainte Catherine, sainte Marie-Madeleine et saint Antoine, aujourd'hui au musée Carnavalet (inv. vt 6, 8 et 13), ont ainsi été reproduits dans le tympan du vitrail de l'Ascension, dans la fenêtre nord de la quatrième travée de la nef (baie 213). On peut juger d'après l'état des pièces originales que ce remplacement, choquant selon les critères modernes, ne se justifiait, même dans l'esprit de l'époque, que pour une faible partie des panneaux, et non pour la totalité du tympan. Seul l'intérêt porté par Lafaye à ces figures et le désir de se les approprier a pu conduire à ces réfections complètes.

La même remarque vaut pour les fenêtres suivantes, vers l'est, dont les réseaux sont pratiquement tous modernes : les anges musiciens que Lafaye a placés sur un fond bleu trop sombre, sont copiés sur des pièces du XVe siècle (baie 205). Plusieurs de celles-ci sont remontées dans des panneaux du musée Carnavalet : elles ne contiennent que très peu de plombs de casse, et là encore une restauration moins brutale était certainement envisageable (inv. vt 17, 18 et 19). Et que dire du Dieu le Père (inv. vt 1) dont le visage est absolument intact et qui a été remplacé, sans même être calqué cette fois, par un équivalent moderne d'une lourdeur insupportable (baie 211) ? Lafaye signale encore comme provenant de Saint-Séverin un fragment de saint Jean l'Evangéliste présentant un donateur qu'il est difficile en raison de ses proportions de replacer dans les fenêtres hautes de l'église, mais qui pourrait provenir d'une chapelle (inv. vt 38). Les modelés du vêtement suggèrent une date proche de 1500, mais la tête du saint est une pièce d'autre origine remployée à l'envers, et probablement plus tardive. Ce type de remontage est caractéristique de ce qui se pratiquait à l'époque pour alimenter le commerce de l'art.

On voit qu'à Saint-Séverin, Lafaye a agi autant en collectionneur qu'en restaurateur, cherchant à se procurer

Saint-Séverin, baie 213. Sainte Madeleine, saint Antoine et sainte Catherine, par Prosper Lafaye.

des pièces de dimensions raisonnables présentant un intérêt décoratif en elles-mêmes : petites figures des tympans, ou têtes des personnages aux dimensions plus importantes. C'est ainsi que s'explique également la présence dans les collections du musée de plusieurs têtes de donateurs, parmi lesquelles plusieurs proviennent des vitraux du transept nord de Saint-Germain-l'Auxerrois : la donatrice de la verrière de la Vie publique du Christ et l'un de ses fils (baie 119), par exemple, ne comportent aucune casse visible (inv. vt 4 et 11).

Dans le rapport remis à l'administration, Lafaye cherchait à justifier ces restaurations brutales :

> «(...) à Paris, comment visiter soixante églises pour voir des vitraux qui sont à peu près incomplets partout, et par suite presque impossibles à étudier à cause de l'éblouissante clarté des morceaux blancs qui remplacent les parties absentes, enfin le plus souvent à une hauteur telle qu'on ne peut rien distinguer de la finesse des détails ? Voilà les considérations en faveur d'une concentration unique (...)».

Les deux arguments sonnent faux : les pièces proviennent toutes de vitraux restaurés par ses soins, qui, de ce fait, ne devraient plus présenter aucune de ces fâcheuses lacunes remplacées par du verre blanc; de plus, les peintres-verriers du Moyen Age et de la Renaissance savaient parfaitement rendre leurs compositions lisibles depuis le sol de l'église, comme en témoignent les grandes figures des fenêtres hautes de Saint-Séverin, qui n'ont pourtant pas été épargnées par Lafaye. Il faut donc chercher ailleurs les véritables motivations de celui-ci. La cupidité est certainement à exclure : si quelques peintres-verriers du XIXe siècle restauraient abusivement les vitraux qu'on leur confiait afin de gonfler leur devis tout en revendant aux amateurs d'antiquités les pièces originales, Lafaye, lui, n'a semble-t-il pas cherché à monnayer les panneaux qu'il changeait, quoi qu'il eût pu en tirer un profit certain. Auteur de plusieurs mémoires recensant les vitraux qu'il avait, disait-il, sauvés de la ruine, il était surtout soucieux de sa propre renommée. De plus, les commandes de l'administration lui avaient assuré pendant trente ans un revenu régulier. Aussi souhaitait-il avant tout voir aboutir un projet qui lui tenait à cœur, celui d'une présentation du vitrail au musée. Il est manifeste qu'il n'avait en effet guère de goût, sinon pour la religion, du moins pour l'iconographie religieuse, ce qui explique les erreurs commises lors de certaines restaurations, notamment à Saint-Merry. Faire sortir le vitrail des églises n'était certainement pas pour lui déplaire. N'écrit-il pas, dans son rapport, à propos de l'ouvrage des pères Cahier et Martin sur les vitraux de Bourges[11]:

> «(...) d'après bien des personnes, le choix des figures laisse beaucoup à désirer; celles qu'ils ont désignées, sous le rapport artistique, sont de véritables enfantillages d'un temps où tout était réservé à des interprétations dogmatiques difficiles à comprendre aujourd'hui (*sic*).

Carnavalet serait ainsi devenu un musée laïque du vitrail :

a. Saint-Séverin, baie 208, détail : saint Paul.

b. Paris, musée Carnavalet. Tête de saint Paul provenant de l'église Saint-Séverin (baie 208).

« Les vitraux de Paris (...) à dater du XVe jusqu'au XVIIe siècle nous offrent un intérêt bien plus particulier et qui nous touche de plus près [que ceux de Bourges]; car à côté des compositions religieuses, on y trouve des scènes familières, des indications précieuses sur les mœurs, la vie, le costume du temps, bien plus sur les usages, les faits propres à Paris (...). Il est heureux que l'artiste, obéissant à la simplicité des usages de son temps ait placé à côté des scènes religieuses ces compositions intimes dont l'étude offre des résultats si satisfaisants au chercheur ».

On voit ici que, contrairement à la plupart de ses contemporains, Prosper Lafaye n'était pas ému par les vitraux du XIIIe siècle, mais s'intéressait surtout aux œuvres plus récentes. Parmi les panneaux du XVIe siècle recueillis pour sa collection, deux présentent un intérêt particulier; ils appartiennent d'ailleurs à une catégorie d'emprunts bien moins contestables que les précédents, ayant été retrouvés utilisés comme bouche-trous dans la rose occidentale de Saint-Etienne-du-Mont. Il était fréquent, en effet, au XVIIe et surtout au XVIIIe siècle, que, faute de verre de couleur pour réparer des dégâts survenus aux verrières de l'édifice, on utilisât des fragments de teintes approchantes provenant de vitraux anciens sacrifiés pour donner plus de lumière. Que Prosper Lafaye ait retiré ces pièces lors de restaurations est normal, et l'on ne peut que se féliciter qu'il les ait remises à l'administration qui l'employait, d'autant que cette scène, constituée en fait de deux fragments montés dans des panneaux différents, provient selon toute vraisemblance d'un vitrail documenté de Saint-Etienne-du-Mont que l'on pensait n'avoir jamais été livré.

Le 4 septembre 1541, en effet, les maîtres de la confrérie du Saint-Sacrement de l'autel commandaient au peintre-verrier Jean Chastellain une verrière destinée au nouveau chœur de l'église, avec pour sujets la Cène, le Sacrifice d'Abraham, la Pâque juive, Abraham et Melchisedech et enfin, dans six compartiments du réseau, les Hébreux recevant la manne[12]. Ce vitrail n'existe pas dans le chœur et il y avait tout lieu de croire qu'en raison du décès de Chastellain, mort avant la fin de cette même année 1541, il n'avait jamais été exécuté. Or, il semble bien qu'il l'ait été, au moins partiellement, et que les deux fragments du musée Carnavalet en soient les débris. Montés avec des fragments divers, ils représentent les Hébreux recueillant la manne (inv. vt 55 et 72).

La comparaison avec d'autres œuvres identifiées de Chastellain est assez convaincante; dans l'une de celle-ci, au premier plan du Baptême des nouveaux croyants de Saint-Merry, une jeune femme peinte de trois quarts dos est fort semblable, quoiqu'inversée, au personnage féminin du musée Carnavalet. Quant au profil très marqué de la vieille femme, que le contour du plomb ne suit pas parfaitement, il n'est pas sans rapport avec celui d'un apôtre de l'Incrédulité de saint Thomas de Saint-Germain-l'Auxerrois. Nous sommes donc certainement en présence de fragments de la dernière réalisation de Jean Chastellain, sans doute inachevée, partiellement livrée et réutilisée plus tard pour réparer la rose. Leur qualité technique est remarquable : ils contiennent notamment plusieurs pièces montées en chef-d'œuvre, afin que le dessin de la manne, souligné par des plombs, apparaisse clairement et que la scène, placée dans la partie supérieure du vitrail, demeure compréhensible. Quoique réduits à l'état d'épaves par leurs déplacements successifs, ces fragments sont à placer parmi les plus belles pièces du musée, au même titre que les éléments pris à Saint-Séverin ou que les portraits de Saint-Germain-l'Auxerrois.

Le musée Carnavalet possède également une tête de saint provenant du grand vitrail de la vie de saint Etienne, dans le chœur de Saint-Etienne-du-Mont, œuvre de Nicolas Beaurain (1541) très restaurée aux XVIIe et XIXe siècles (inv. vt 73), ainsi qu'une Lune empruntée par Lafaye au Jésus parmi les docteurs de Louis Pinaigrier et Nicolas Chamus à Saint-Gervais (1607) (inv. vt 57).

L'origine d'autres panneaux du musée est plus délicate à déterminer. Parmi ceux présentés à l'exposition, l'un comporte un groupe de trois personnages, parmi lesquels un vieillard aveugle, qui, selon le rapport de Lafaye, avait également été utilisé en remploi dans la rose ouest de Saint-Etienne-du-Mont (inv. vt 67). Il pourrait remonter aux années 1520, ce qui supposerait qu'il vienne d'un autre édifice. Un autre, s'intégrerait assez bien par son style à la série de la Vie de saint Pierre restaurée par Lafaye dans l'église Saint-Merry (inv. vt 52). Les notes de Lafaye signalent un « saint Jean-Baptiste » provenant de la verrière du transept dont la description pourrait correspondre, malgré l'erreur d'identification. Quant au bourreau venant d'une Flagellation ou plus probablement d'un Portement de croix ou d'une Dérision du Christ de la première décennie du XVIe siècle, on n'en retrouve aucune mention dans la liste dressée par Lafaye et son origine reste inconnue (inv. vt 63).

a. Saint-Séverin, baie 205: Anges, par Prosper Lafaye.

b. Paris, musée Carnavalet. Anges provenant de l'église Saint-Séverin (baie 205).

a. Paris, musée Carnavalet. Tête de donatrice provenant de l'église Saint-Germain-l'Auxerrois.

b. Saint-Germain-l'Auxerrois, baie 121 (vers 1490), détail : Donatrice présentée par sainte Anne.

NOTES

1. Nous tenons à remercier M. Jean-Pierre Willesmes, conservateur au musée Carnavalet, qui nous a permis de consulter ces archives et d'étudier les vitraux, ainsi que M. Jean-François Luneau, conservateur à l'Inventaire général, pour les renseignements qu'il a bien voulu nous communiquer sur Prosper Lafaye.
2. La date de 1871 qui a été rajoutée sur la page de titre est erronée, car le rapport mentionne la restauration du vitrail de Melchisédech à Saint-Gervais en 1878. Il est donc postérieur à cette date.
3. Prosper Lafaye cite notamment dans son rapport le *Mémoire au sujet des vitraux anciens, état où ils se trouvent après le siège, dans les églises de Paris,* Paris, 1871, dont il est l'auteur.
4. *Ces fragments,* écrit Lafaye, *sont pour l'Administration mieux que nationaux, ils sont parisiens.*
5. Henri Carot décrit cependant plusieurs pièces qui n'existent plus : de nouvelles pertes se seraient produites pendant la dernière guerre, lors du transfert des collections en province.
6. L'*Abraham et Melchisedech* occupe le registre médian d'un vitrail placé en 1610 par le peintre-verrier Nicolas Chamus dans la deuxième fenêtre nord de la nef, mais dénaturé depuis par les restaurations. *Cf.* G.M. Leproux, *Recherches sur les peintres-verriers de la Renaissance (1540-1620),* Genève, 1988, p. 121.
7. Dans plusieurs fenêtres, il a d'ailleurs inscrit son nom dans des blasons fantaisistes, à l'emplacement des armoiries des donateurs que la Révolution avait brisées.
8. Jean Lafond, « Les plus anciens vitraux de Saint-Séverin », dans *le Bulletin de la Société nationale des Antiquaires de France,* 1956, p. 109.
9. Ces plombs de casse ont été retirés depuis au profit de collages, mais des traces de grugeage sont encore visibles.
10. P. Lafaye, *Les Vitraux à l'Exposition universelle,* Paris, 1851, p. 18.
11. PP. Charles Cahier et Arthur Martin, *Monographie de la cathédrale de Bourges; vitraux du* XIII*e* *siècle,* Paris, 1841-1877, 2 vol., 73 planches.
12. Madeleine Connat, *Documents inédits du Minutiers central,* dans Bibliothèque d'Humanisme et Renaissance, 1950, pp. 98-113.

Paris, musée Carnavalet. Fragment d'une prédication, provenant de l'église Saint-Merry.

Prosper Lafaye
(Mont-Saint-Sulpice, 1806 - Paris, 1883)

D'abord connu comme peintre de genre, il expose régulièrement au salon de 1831 à 1880. A Saint-Eustache, en 1842, il fait sa première expérience de peintre-verrier, pour des travaux non documentés. Dans son atelier de la rue Lepic sont ensuite successivement déposées des verrières anciennes de Saint-Merry (1847), de Saint-Gervais (1848), de Saint-Etienne-du-Mont (à partir de 1849), et de Saint-Séverin (pratiquement toutes les baies hautes à partir de 1858). Plus tard, il restaure les vitraux du transept de Saint-Germain-l'Auxerrois (après 1870), de l'abside de Saint-Eustache (1872) et enfin certains sujets des baies hautes de la nef de Saint-Gervais (1876). Il établit au fur et à mesure de ses travaux une série de calques de soixante verrières parisiennes passées par son atelier et les dépose au musée Carnavalet où O. Merson les signale en 1895. Il constitue aussi une collection de vitraux anciens, à partir de pièces remplacées dans les verrières qu'il restaurait mais aussi d'achats sur le marché de l'art : en 1899, sa petite-fille donna au musée de Cluny douze panneaux provenant d'une église de Colmar où il n'avait jamais travaillé.

Parallèlement à sa carrière de restaurateur, il crée des verrières nouvelles pour Sainte-Clotilde (1853), Saint-Leu-Saint-Gilles (1859, détruits en 1871), Saint-Eustache (1868) et Saint-Augustin (vers 1870). Il fait appel à des cartonniers comme Haussoulier, Dupuy-Colson, Chancel et Lamothe. Il eut pour collaborateur et sans doute élève Camille Devisme, qui s'installa à son compte à Rouen en 1870.

STATUTS
DE LA CORPORATION DES PEINTRES-VERRIERS DE PARIS
1467, 24 juin

Lettre patente de Louis XI confirmant les premiers statuts des voirriers, vitriers, en 16 articles.

Loys, par la grace de Dieu Roy de France, a tous ceulx qui ces presentes lettres verront, salut. Receue avons l'umble supplicacion de Françoys le Blanc, Fleurens de Hemond, Jehan Martin, Richart aux Boux, Robert Flanin, Jacob Marchant, Guillaume Goutier, Girard Boel et Philipot Fruitier, tous voiriers, faisans et representans la plus grant et seine partie de la communaulté des voirriers, residens et tenans leurs ouvrouers en nostre bonne ville et cité de Paris, contenant comme par cy-devant n'a eu, ou faict dudit mestier et science, aucun statut et ordonnance ne forme selon laquelle eulx ne leurs predecesseurs aient sceu eulx conduire et governer, mais ont vescu sans ordre et police, usans chascun a son plaisir et voulenté et sans visitacion ou correction quelconques. Par quoy plusieurs faultes, abuz fraudes et malices ont esté commises par aucuns qui s'en sont meslez es temps passez, qui encores pullulent et croissent de jour en jour, tant en ce que plusieurs compaignons estrangers et autres qui oncques ne feurent apprentiz dudit mestier et science, et par ce n'en peuvent riens sçavoir, se sont ingerez et entremis, et encores se ingerent et entremectent d'icellui mestier et science, et prennent des marchez touchant icellui a plusieurs bourgois, marchans et habitans de villes, a gens d'eglise et autres, prennent argent d'erres qu'ils emportent sans faire ne encommancer la besongne, et les vitres rompent, despiecent, gastent et mectent mal a point les besongnes et ouvrages qu'il entreprennent, au grant prejudice d'ouvraige et lezion de la chose publicque, dont sourdent et adviennent plusieurs plaintes et doleances ausdits supplians pour reparer et mectre a point les ouvrages mal faiz. Et ja soit ce qu'il y chet grant pugnition sur les abuseurs et malfaicteurs, toutevoyes estant ce comme dit est, n'y a quelques statut ou ordonnance oudit mestier et science, lesdiz supplians n'y ont peu ne pourroient donner remede ne corriger lesdiz abuz; parquoy yceulx supplians desirent vivre en bonne renommee et augmentent leurdit mestier, et les ouvriers d'icelluy conduire en bonne meurs et louenge du peuple et au prouffit du commun pour obvier ausdiz fraudes, abuz et malices; et affin que doresenavant les maistres et ouvriers dudit mestier et science vivent en ordre et police, comme es mestiers de nostre dicte ville, et que chacun d'eulx et leurs successeurs sachent comment ils se doibvent governer ou faict d'icelluy mestier, nous ont humblement fait supplier et requerir qu'il nous plaise leur octroyer les articles qui s'ensuyvent, lesquels ont esté drecez et advisez par ceulx dudit mestier ou par la plus grant et seine partie d'entr'eulx pour l'utilité publicque et entretenement du mestier et science dessus dit :

1. Que aucun ne puisse doresenavant tenir ne lever ouvrouer dudit mestier et science, ne d'icelluy besongner en quelque maniere que ce soit, dedans la ville de Paris, jusques a ce qu'il ait servy an et jour en l'ostel de l'un des jurez qui pour ce seront faiz et esleuz oudit mestier, ou le varlet gaignera prix raisonnable, pour sçavoir se il sera souffisant, ou qu'il soit temoingné tel pour exercer ledit mestier et science et appartenances d'icelluy; et ou cas qu'il sera trouvé expert et abille, ung chacun d'iceulx ainsi receuz, et avant toute oeuvre, soient tenus de paier pour une fois huit livres parisis au prouffit de la confrarie Saint-Marc qui est la confrarie dudit mestier et science, et aussi pour supporter les affaires d'icelluy, qui seront mis en boiste fermant, de laquelle chacun desditz jurez ait une clef.
2. Item que tout voirre, tant blanc comme paint, soient bien et deuement serty, joinct et mis en plomb, sur peine de refaire la dicte besongne et ouvrage, aux coustz et despens de celluy qui l'aura faict, et de vingt sols parisis d'amende a applicquer moictié a Nous et l'autre moictié par indivis aux dits jurez et confrarie.
3. Item, que tout ouvrage de voirrieres soit bien et deuement soudé des deux coustez, comme il appartient, sur peine de trente sols parisis d'amende applicquer comme dessus, pour ce que en trouve souvent qui ne sont soudés que de ung costé au prejudice de la chose publicque; car ledit ouvrage qui est de grant coust n'a point de force ne de resistance contre le vent se il n'est soudé de deux costez, comme il appartient.
4. Item, que aucun ne puisse mectre en ouvraige dudit mestier et science aucunes louzanges de deux pieces, sur peine de dix solz parisis d'amende a applicquer comme dessus, pour ce que c'est une chose moult qui diffame ledit ouvrage.
5. Item, que aucun ne puisse mectre en euvre aucunes pièces paintes, sinon de bonne painture bien et deuement faicte et recuite ainsi qu'il appartient, sur peine de trente sols parisis d'amende a applicquer comme dessus, pour ce que, se ladicte painture qui est de grans frais n'est deuement recuite, ne prouffite de riens; car sitost qui desgelle, elle est toute moiste et gecte eaue, qui est cause de tout effacer, aussi fait la pluye.
6. Item, que sur ouvraige et besongne blanche, on ne puisse placquer aucun plomb sur fente, qu'elle que elle soit, sur peine de cinq sols parisis d'amende a applicquer comme dessus.
7. Item, que aucun ne puisse mectre en vielle besongne aucunes louzanges de trois pieces, sur peine de dix sols parisis d'amende, comme dessus, se ce n'est par le commandement de ceulx qui vouldront l'ouvrage ainsi estre fait, car c'est une chose deshonneste; aussi quant icelluy ouvraige a esté ainsi laidement une fois rapiecee, on ne la peut plus bonnement soustenir ne remectre a point.
8. Item, que tous fils de maistres aians esté apprantis, soit en l'ostel de leurs peres ou autres des maistres dudit mestier et science, en ladicte ville de Paris, pourront lever, se bon leur semble, leur ouvrouer, se ils sont a ce trouvez ouvriers souffisans et ydoines, sans pour ce paier aucune chose pour leur entree et maistrise.
9. Item, que aucun maistre ne puisse avoir et tenir qu'ung apprenti ou fait d'icelluy mestier et science de voirerie, et a moings de quatre années, pour ce que c'est chose moult difficile et longue pour apprendre et sçavoir, et que icelluy maistre ne puisse prendre aucun autre jusques a ce que ledit apprentilz ayt faict et accomply deux desdictes quatre annees, sinon par cas de mort ou autre cause raisonnable, sur peine de soixante sols parisis d'amende, c'est assavoir, vingt sols parisis a Nous et dix sols ausdiz jurez, et les autres trente sols parisis au prouffit de la confrairie dudit mestier et science, et de lui oster les apprentis.
10. Item, que iceulx apprentis, sitost qu'ils auront parachevé leur temps d'apprentissage et ils sont trouvez ouvriers souffisans et ydoines par lesdiz maistres, pourront estre receuz et tenir leur ouvrouer en icelluy mestier et science en paiant a leur reception, pour une fois, la somme de huit livres au prouffit de ladicte confrairie et de la banniere.
11. Item, que nul maistre dudit mestier et science de voirier ne puisse mectre aucuns varlets en besongne gaignans argent, sinon en paiant toutes les sepmaines par chacun d'iceulx varlets ung denier parisis que sera tenu chacun maistre retenir de leurs salaires pour mectre en boiste au prouffit de ladicte confrarie, ou autrement sera tenu ledit maistre d'en respondre et le paier a ladicte confrarie.

12. Item, que nul des maistres dudit mestier ne puisse mectre en besongne aucuns compaignons d'icelluy mestier et science qui se soient departis et laissé leurs maistres avant leur terme de leur service escheu, oultre le gré et volenté d'icelluy leur maistre, sur peyne de vingt sols parisis d'amende a applicquer comme dessus; desquels vint sols en paiera dix sols, et le maistre qui ainsi l'aura prins et mis en besongne le seurplus. Et s'il advenoit que icelluy varlet n'eut de quoy paier, sera ledit maistre tenu de tout paier, le tout au prouffit de ladite confrarie, sauf a le recouvrer par lui sur ledit varlet.
13. Item, aussi que nul maistre dudit mestier ne puisse bailler, secretement ou en appert, a ouvrer et besongner oudit mestier et science a nul des varletz des maistres d'icellui mestier pour y besongner de nuyt ou de jour, en chambre ne autre part, sur peine de vint sols parisis d'amende a applicquer comme dessus.
14. Item, que se aucun des maistres dudit mestier et science va de vie a trespas et delaisse sa femme de luy vefve, icelle vefve puisse avoir varletz et tenir son ouvrouer en icellui mestier et science, durant sa viduité seullement, pourveu que elle soit femme de bonne vye, sans aucun villain reprouche, laquelle ne pourra avoir ne prendre aucuns apprenti durant sa viduité, fors celui qui lui seroit demouré au trespas dudit deffunct.
15. Item, que nul maistre dudit mestier ne puisse avoir ne tenir que ung ouvrouer dedans la ville de Paris, sinon qu'il eust deux maisons entretenans ensemble ou il n'y aist distance que d'un mur ou cloison entre deux, aussi qu'il n'y ait que ung maistre-huys fermant sur rue, ou quel cas ne seront reputez que pour ung ouvrouer, sur peine de vint sols parisis d'amende et confiscation de leurs denrées, ouvraiges et besongnes qui ainsy seroient trouvez oudit ouvrouer autre que celuy qu'ils doivent avoir, a applicquer comme dessus.
16. Item, que pour faire les visitacions dessus dictes, et a ce que lesdiz statuz et ordonnances soient entretenuz et gardez, soient prins et esleuz trois des maistres dudit mestiers pour estre jurez et gardes d'icelluy, les deux desquels se changeront par chascun an au jour ou le lendemain de la feste et solempnité d'icelle confrarie.

En tesmoing de ce, nous avons faict mectre nostre scel a ces presentes, donnees a Chartres le XXIIIIe jour de juing, l'an de grace mil quatre cens soixante sept et de nostre regne le sixiesme*.

* (D'après R. de Lespinasse, *Les Métiers et corporations de la ville de Paris,* II, 1892, p. 747-750).

Melun, église Saint-Aspais, baie 0. L'apparition à Marie-Madeleine (vers 1532-1533).

BIBLIOGRAPHIE

BAILLARGEAT (René), *L'Eglise Saint-Martin de Montmorency*, Paris, 1959.

BALLOCHE (Abbé C.), *Eglise Saint-Merry de Paris. Histoire de la paroisse et de la collégiale 700-1910*, Paris, 1912.

Les Bâtisseurs des cathédrales gothiques (catalogue d'exposition), Strasbourg, 1989.

BAUDOIN (Isabelle), « A propos de la fabrication des grisailles : choix de textes des origines au XIXe siècle », dans *Science et Technologie de la Conservation et de la Restauration des Œuvres d'Art et du Patrimoine*, n° 2, 1991, pp. 6-23.

BAUDRY (Jacques), *Documents inédits sur André Thévet, cosmographe du Roi*, Paris, 1982.

BEETS (Nicolas), « Le peintre-verrier anversois Dirick Vellert et une verrière de l'église Saint-Gervais à Paris », dans *Revue de l'Art ancien et moderne*, 1907, pp. 393-396.

BEGUIN (Sylvie), « Une résurrection d'Antoine Caron », dans *Revue du Louvre et des musées de France*, n° 4, 1964, pp. 203-213.

BIVER (Paul et Marie-Louise), *Abbayes, monastères et couvents de Paris, des origines à la fin du XVIIIe siècle*, Paris, 1970.

BOUCHOT (H.), *Inventaire des dessins exécutés pour Roger de Gaignières et conservés aux départements des estampes et manuscrits*, Paris, 1891.

BRICE (Germain), *Nouvelle Description de la ville de Paris et de tout ce qu'elle contient de plus remarquable*, Paris, 1725.

BROCHARD (Louis), *Saint-Gervais. Histoire du monument d'après de nombreux documents inédits*, Paris, 1938.

CENNINI (Cennino), *Le Livre de l'art, ou traité de la peinture*, traduit par Victor Mottez, Paris, 1911.

CHRIST (Ivan), *Saint-Etienne-du-Mont*, Paris, 1946.

CLAUDIN (A.), *Histoire de l'imprimerie en France au XVe et au XVIe siècle*, Paris, 1900-1914.

CLEMENCET (Anne), « La Vie et l'organisation d'une grande paroisse parisienne, Saint-Etienne-du-Mont aux XVIe et XVIIe siècles », dans *Ecole nationale des Chartes, positions des thèses*, 1973.

CONNAT (Madeleine), Documents inédits du Minutier central, dans *Bibliothèque d'Humanisme et Renaissance*, 1950, pp. 98-113.

CORROZET (Gilles), *Les Antiquités, chroniques et singularités de la grande et excellente cité de Paris (...) augmentées par N[icolas] B[onfons]*, Paris, 1586.

DELABORDE (Henri), *Marc-Antoine Raimondi. Etude historique et critique*, Paris, 1888.

Les Dessins d'élève et notes de comptabilité de Jérôme Durand, peintre et verrier lyonnais, 1555-1605, Introduction et pièces justificatives, par G. Guigne, A. Kleinclausz et H. Focillon, Lyon, 1924.

DU CANGE (Ch. du Fresne, sieur), *Histoire de S. Louis IX, du nom, roy de France, écrite par Jean, sire de Joinville*, Paris, 1668.

L'Ecole de Fontainebleau, (Exposition, Paris, Grand Palais, 17 octobre 1972-15 janvier 1973), Paris, 1972.

FARIN (F.), *Histoire de la ville de Rouen*, Rouen, 1738.

FELIBIEN DES AVAUX (André), *Entretiens sur la vie et les ouvrages des plus excellents peintres anciens et modernes*, Trévoux, 1725, 6 vol.

FINANCE (Laurence de), « L'église Saint-Merry et ses vitraux », dans *Bulletin de l'Association pour le Paris historique*, n° 54, 1984, pp. 1-3.

The Finest drawings from the Museum of Angers, (catalogue d'exposition), Londres, 1977.

FIRMIN-DIDOT (Ambroise), *Etudes sur Jean Cousin*, Paris, 1972.

FRIEDLÄNDER (Max J.), *Die Altniederlandische Malerei*, t. VIII, *Jan Gossart, Bernart Van Orley*, Berlin, 1930; t. XI, *Die Antwerpener Manieristen, Adriaen Ysenbrant*, Berlin, 1933.

GRODECKI (Catherine) , *Documents du Minutier central des notaires de Paris. Histoire de l'art au XVIe siècle (1540-1600)*, Paris, 1985, 2 vol.

GRODECKI (Louis), *Le Vitrail roman*, Fribourg, 1977.

GRODECKI (Louis), *Vitraux de France*, (catalogue d'exposition, musée des Arts décoratifs), Paris, 1953.

GRODECKI (Louis), BRISAC (Catherine), *Le Vitrail gothique au XIIIe siècle*, Fribourg, 1984.

GRODECKI (Louis), LAFOND (Jean), *Les Vitraux de Notre-Dame et de la Sainte-Chapelle de Paris, Corpus Vitrearum Medii Aevi - France I*, Paris, 1959.

GSELL (Paul), « Les vitraux anciens de la ville de Paris », dans *La Renaissance de l'art français et des industries de luxe*, n° 11, 1919, pp. 473-474.

GUILHERMY (François de), *Itinéraire archéologique de Paris*, Paris, 1855.

HEROLD (Michel), « Cartons et pratiques d'atelier en Champagne méridionale dans le premier quart du XVIe siècle », dans *Mémoire de verre. Vitraux champenois de la Renaissance*, Châlons-sur-Marne, 1990, pp. 60-81 (Cahiers de l'Inventaire n° 22).

Histoire de l'édition française. Le livre conquérant. Du Moyen Age au milieu du XVIIe siècle, Paris, 1982.

JACKY (Pierre), *Catalogue de vitraux conservés dans les réserves du musée national de la Renaissance*, mémoire universitaire de DEA, Université de Paris-IV Sorbonne, juin 1992.

JACKY (Pierre), « Jean Fouquet ? A propos d'une œuvre inconnue », dans *Revue du Louvre*, n°4, 1992, pp. 45-48.

LABORDE (Léon de), *Les Comptes des bâtiments du Roi (1528-1571)*, Paris, 1880, 2 vol.

LAFAYE (Prosper), *Les Vitraux à l'Exposition universelle*, Paris, 1851.

LAFAYE (Prosper), *Mémoire au sujet des vitraux anciens, état où ils se trouvent après le siège dans les églises de Paris*, Paris, 1871.

LAFOND (Jean), « Les Vitraux de Paris au Petit Palais », *Revue de l'Art ancien et moderne*, décembre 1919, pp. 271-276.

LAFOND (Jean), « Un vitrail d'Engrand Leprince à Saint-Vincent de Rouen et sa copie par Mausse Heurtault à Saint-Ouen de Pont-Audemer », dans *Bulletin de la Société des Amis des Monuments rouennais*, 1908, pp. 157-167.

LAFOND (Jean), « Etudes sur l'art du vitrail en Normandie. Arnoult de la Pointe, peintre et verrier de Nimègue... », dans *Bulletin de la Société des Amis des Monuments rouennais*, 1911.

LAFOND (Jean), *Pratique de la peinture sur verre à l'usage des curieux, suivie d'un essai historique sur le jaune d'argent et d'une note sur les plus anciens verres gravés*, Rouen, 1943.

LAFOND (Jean), « Les plus anciens vitraux de Saint-Séverin », dans *Bulletin de la Société nationale des Antiquaires de France*, 1956, p. 109.

LAFOND (Jean), « La famille Pinaigrier et le vitrail parisien au XVIe et au XVIIe siècle » dans *Bulletin de la Société de l'Histoire de l'Art français*, 1957, pp. 45-60

LAFOND (Jean), « La Cananéenne de Bayonne et le vitrail parisien aux environs de 1530 », dans *Revue de l'Art*, n° 10, 1970, pp. 77-84.

LAFOND (Jean), *Le Vitrail. Origines, techniques, destinées*, 3e éd. annotée par F. Perrot, Lyon, 1988.

LAPEYRE (A.), SCHEURER (R.), *Les notaires et secrétaires du roi sous les règnes de Louis XI, Charles VIII et Louis XII (1461-1515)*, Paris, 1978.

LASTEYRIE (Ferdinand de), *Histoire de la peinture sur verre*, vol. I, *Planches*, Paris, 1853; vol. II, *Texte*, Paris, 1857.

LAUTIER (Claudine), « La technique du vitrail », dans *Dossiers de l'archéologie*, n° 26, 1978, pp. 26-37.

LEBEUF (Abbé Jean), *Histoire de la ville de Paris et de tout le diocèse*, Paris, 1754 (rééd. 1883-1893).

LENIAUD (Jean-Michel), PERROT (Françoise), *La Sainte-Chapelle*, Paris, 1991.

LENOIR (Alexandre), *Musée des Monuments français. Histoire de la peinture sur verre et description des vitraux anciens et modernes*, Paris, 1803, (an XII).

LEPROUX (Guy-Michel), « Une famille de peintres-verriers parisiens : les Pinaigrier », dans *Monuments et Mémoires publiés par l'Académie des Inscriptions et Belles-Lettres* (Fondation Eugène Piot), 1985, t. 67, pp. 77-111.

LEPROUX (Guy-Michel), *Recherches sur les peintres-verriers parisiens de la Renaissance*, Genève, 1988.

LEPROUX (Guy-Michel), « Vitrail et peinture à Paris sous le règne d'Henri IV », *Avènement d'Henri IV, quatrième centenaire. Colloque V*, Fontainebleau, 1990, pp. 279-288.

LEPROUX (Guy-Michel), « Les vitraux parisiens du musée Carnavalet », dans *Archeologia*, avril 1992, pp. 16-23.

LESPINASSE (Robert de), *Les Métiers et corporations de la ville de Paris*, II, Paris, 1892.

LE VIEIL (Pierre), *L'Art de la peinture sur verre et de la vitrerie*, Paris, 1774.

MACON (Gustave), « Les architectes de Chantilly au XVIe siècle », extrait des *Comptes rendus et Mémoires du Comité archéologique de Senlis*, t III, 1899.

MACON (Gustave), *Chantilly, les archives, le cabinet des titres*, Paris, 1926-1929, 4 vol.

MAGNE (Lucien), *L'Œuvre des peintres-verriers français. Verrières des monuments élevés par les Montmorency. Montmorency, Ecouen, Chantilly*, Paris, 1885, 2 vol. dont 1 de pl.

MAGNE (Lucien), *Les Vitraux de Montmorency et d'Ecouen*, Paris, 1888.

MARROW (J.H.), « Miniatures inédites de Jean Fouquet : Les Heures de Simon de Varie », dans *Revue de l'Art*, 1985, n° 67, pp. 7-32.

MERSON (Olivier), *Les Vitraux*, Paris, 1895.

MORAND (S.J.), *Histoire de la Sainte-Chapelle royale du Palais*, Paris, 1790.

MORIN (Dom Guillaume), *Histoire du Gastinois*, éd. par Henri Laurent, Pithiviers, 1883, 3 vol.

OTTIN (Louis), *Le Vitrail. Son histoire, ses manifestations à travers les âges et les peuples*, Paris, 1896.

OUIN-LACROIX (Charles), *Histoire des anciennes corporations d'arts et métiers et des confréries religieuses de la capitale de la Normandie*, Rouen, 1850.

PERROT (Françoise), « Un panneau de la vitrerie de la chapelle de l'hôtel de Cluny », dans *Revue de l'Art*, n° 10, 1970, pp. 66-72.

PERROT (Françoise), *Le Vitrail à Rouen*, Rouen, 1972.

PERROT (Françoise), *Catalogue des vitraux du musée de Cluny à Paris*, Thèse de 3e cycle, Université de Dijon, 1973.

PERROT (Françoise), « La signature des peintres-verriers », dans *Revue de l'Art*, n° 26, 1974, pp. 40-45.

PERROT (Françoise), « Les peintres-verriers et l'estampe », dans *Actes du XXIVe Congrès international d'Histoire de l'Art*, Bologne, 1979, pp. 31-37.

PERROT (Françoise), GRANBOULAN (Anne), *Vitrail, art de lumière*, Paris, 1988.

POPHAM (A.E.), *Catalogue of Drawings by Dutch and Flemish Artists, preserved in the Deparment of Prints and Drawings in the British Museum*, vol. V, *Dutch and Flemish Drawings of the XV and XVI Centuries*, Londres, 1932.

REYNAUD (Nicole), « Un peintre français cartonnier de tapisseries au XVe siècle : Henri de Vulcop », dans *Revue de l'Art*, n° 22, 1973, pp. 6-21.

REYNAUD (Nicole), *Jean Fouquet*, Les dossiers du département des peintures du Louvre, Paris, 1981.

REYNAUD (Nicole), « Les vitraux du chœur de Saint-Séverin », dans *Bulletin monumental*, 1985, pp. 25-40.

SAUVAL (Henri), *Histoire et recherches des antiquités de Paris*, Paris, 1724-1733 (rééd. 1973).

SHEPARD (Mary B.), « The St. -Germain Windows from the Thirteenth-Century Lady Chapel at Saint-Germain-des-Prés », dans *The Cloisters. Studies in Honor of the Fiftieth Anniversary*, New York, 1992, pp. 283-301.

SOUCHAL (Geneviève), « Un grand peintre français de la fin du XVe siècle : le Maître de la Chasse à la Licorne », dans *Revue de l'Art*, n° 22, 1973, pp. 22-49.

STERLING (Charles), *La Peinture française, les peintres du Moyen Age*, Paris, 1941.

STERLING (Charles), *La Peinture médiévale à Paris, 1300-1500*, vol. II, Paris, 1991.

THEOPHILE, *Essai sur divers arts en trois livres*, annoté par André Blanc, Paris, 1980.

VANDEN BEMDEN (Yvette), « Les rondels, cousins mal aimés des vitraux ? », dans *Vitrea*, n° 1, 1988, pp. 22-23.

VASARI (Giorgio), *Les Vies des meilleurs peintres, sculpteurs et architectes*, traduction et édition critique sous la direction d'A. Chastel, vol. I, Paris, 1981.

VERRIER (Jean), « L'église Saint-Séverin », dans *Congrès archéologique de France, Paris-Mantes*, 1946, pp. 136-162.

VILA-GRAU (Joan), « La table de peintre-verrier de Gérone », dans *Revue de l'Art*, n° 72, 1986, pp. 32-34.

Le Vitrail français (ouvrage collectif), Paris, 1958.

Les Vitraux de Bourgogne, Franche-Comté et Rhône-Alpes, Recensement des vitraux anciens de la France, vol. III, Corpus Vitrearum/Inventaire général, Paris, 1986.

Les Vitraux du Centre et des Pays de la Loire, Recensement des vitraux anciens de la France, vol. II, Corpus Vitrearum/Inventaire général, Paris, 1981.

Les Vitraux de Paris, de la région parisienne, de la Picardie, et du Nord-Pas-de-Calais, Recensement des vitraux anciens de la France, vol. I, Corpus Vitrearum - France, Paris, 1978.

WENTZEL (Hans), « Un projet de vitrail au XIVe siècle », dans *Revue de l'Art*, n° 10, 1970, pp. 7-14.

WILDENSTEIN (Georges), « Quatre marchés de peintres-verriers parisiens » dans *Gazette des Beaux-Arts*, juillet-août 1957, pp. 85-88.

ZERNER (Henri), *Ecole de Fontainebleau, gravures*, Paris, 1969.

ICONOGRAPHIE

Première de couverture : Eglise Saint-Gervais-Saint-Protais, baie 7, détail : Déploration sur le corps du Christ (vers 1510-1517). Cliché J.-L. Godard/C.V.P.

2. Eglise Saint-Séverin. Plan de situation des vitraux.

3. Eglise Saint-Merry. Plan de situation des vitraux (gauche).

3. Eglise Saint-Gervais-Saint-Protais. Plan de situation des vitraux (droite).

8. Eglise Saint-Merry, baie 123, tympan, détail : Guérison d'une possédée; Résurrection de Lazare. Cliché J.-L. Godard/C.V.P.

10. Eglise Saint-Séverin, baie 211 (vers 1460), détail : Ange céroféraire. Cliché S. Gaudin/Corpus Vitrearum.

13. Eglise Saint-Gervais-Saint-Protais, baie 2. Vie de la Vierge (1517), détail : le Doute de Joseph. La scène se déroule en deux temps : au premier plan l'ange rassure Joseph, qui, au fond, présente ses excuses à Marie. Cliché J.-L. Godard/C.V.P.

14. Eglise Saint-Germain-l'Auxerrois, baie 120. Incrédulité de saint Thomas (1533), détail. Cliché M.H.

15. Eglise Saint-Gervais-Saint-Protais, baie 16. La Sagesse de Salomon (1531), détail. Cliché J.-L. Godard/C.V.P.

16a. Eglise Saint-Etienne-du-Mont, baie 222. Les Pèlerins d'Emmaüs (1587-1588), détail. Cliché M.H.

16b. Eglise Saint-Etienne-du-Mont, baie 224. Incrédulité de saint Thomas, détail. Cliché M.H.

19. Eglise Saint-Merry, baie 120. Vie de la Vierge (vers 1500), détail : La Vierge au Temple. Cliché J.-L. Godard/C.V.P.

20. Eglise Saint-Etienne-du-Mont, baie 101 (1540). Transfiguration, détail. Cliché J.-L. Godard/C.V.P.

22. Bayonne, cathédrale. La Prière de la Cananéenne (1531), détail. Cliché J. Rollet.

25. Eglise Saint-Merry, baie 110. Baptême des nouveaux croyants (vers 1540), détail. Cliché M.H.

26. Montmorency, collégiale Saint-Martin, baie 3. Vitrail offert par Anne de Montmorency (vers 1524), détail : le Donateur présenté par sainte Barbe. Le visage de la sainte est une restauration. Photo J.-L. Godard/C.V.P.

28. Eglise Saint-Gervais-Saint-Protais, baie 9. Vie de sainte Isabelle de France (vers 1510-1517), détail de la cour céleste. Cliché J.-L. Godard/C.V.P.

30. Eglise Saint-Etienne-du-Mont, baie 204. Apparition du Christ aux trois Marie (1542), détail. Cliché M.H.

32. Eglise Saint-Germain-l'Auxerrois, baie 121. Martyres de saint Vincent et saint Sixte (vers 1490); le corps de saint Vincent jeté aux bêtes sauvages, détail. Cliché C. Lautier/Corpus Vitrearum.

34a. Sainte-Chapelle, baie L. Le Deutéronome-Josué (1243-1248), détail : Dieu parle à Moïse. Cliché Corpus Vitrearum (fonds Grodecki).

34b. Eglise Saint-Séverin, baie 215 (vers 1380), détail : saint Jacques. Provient de la chapelle du collège de Beauvais. Cliché S. Gaudin/Corpus Vitrearum.

35. Eglise Saint-Séverin, baie 209 (vers 1460), détail : Martyre de saint Sébastien. Cliché S. Gaudin/Corpus Vitrearum.

37. Eglise Saint-Séverin, baie 200. Vierge à l'enfant (vers 1470), détail. Cliché S. Gaudin/Corpus Vitrearum.

38. Sainte-Chapelle, rose ouest (vers 1485-1490), détail : Décollation des deux témoins. Cliché Corpus Vitrearum (fonds Grodecki).

40a. Sainte-Chapelle, rose ouest (vers 1485-1490), détail : Adoration de la Bête. Cliché Corpus Vitrearum (fonds Grodecki).

40b. Sainte-Chapelle, rose ouest (vers 1485-1490), détail : Quatre anges de l'Euphrate. Cliché Corpus Vitrearum (fonds Grodecki).

41. Eglise Saint-Germain-l'Auxerrois, baie 121. Martyres de saint Vincent et saint Sixte (vers 1490); le corps de saint Vincent jeté aux bêtes sauvages, détail du paysage. Cliché C. Lautier/Corpus Vitrearum.

42a. Eglise Saint-Germain-l'Auxerrois, baie 121. Martyres de saint Vincent et saint Sixte (vers 1490); le corps de saint Vincent jeté aux bêtes sauvages, détail. Cliché C. Lautier/Corpus Vitrearum.

42b. Paris, musée national du Moyen Age (inv. Cl. 1894). La servante entre dans la chambre de Tobie et Sara (deuxième moitié du XVe siècle). Panneau de restauration provenant de la Sainte-Chapelle (verrière de Tobie et Jérémie, XIIIe siècle). D. 0,58 m. cliché R.M.N.

43. Eglise Saint-Germain-l'Auxerrois, baie 121. Martyres de saint Vincent et saint Sixte (vers 1490); le corps de saint Vincent jeté aux bêtes sauvages. Cliché C. Lautier/Corpus Vitrearum.

44. Paris, musée national du Moyen Age (inv. Cl. 22 391). Portement de croix, provenant de la chapelle de l'hôtel de Cluny (vers 1500). H. 0,73 m - L. 0,41 m. Cliché M.H.

45. Paris, Centre de recherche des Monuments historiques, album de relevés des vitraux de la Sainte-Chapelle. Vitrail provenant d'une église inconnue retrouvé en bouche-trou dans la baie de la Genèse. Bourreau d'une Flagellation. Le panneau original (vers 1490-1500) est conservé au musée national du Moyen Age (inv. Cl. Perrot 67 b. H. 0,88 m - L. 0,44 m). Cliché C. Lautier/Corpus Vitrearum.

46. Paris, musée des Arts décoratifs (inv. 21188). Deux anges en prière (vers 1490-1500). H. 0,30 m - L. 0,48 m. Cliché L. Sully-Jaulmes/Musée des Arts décoratifs.

47. Eglise Saint-Séverin, baie 201 (vers 1491-1495), détail : saint Michel présentant des donateurs. Cliché M.H.

49. Paris, musée national du Moyen Age (inv. Cl. 1037 A). Deux jeunes femmes tenant un monogramme (vers 1450-1460). Diam. 0,20 m. D'après un carton attribué à Jean Fouquet. Cliché P. Jacky.

50a. Malibu, The J.-P. Getty Museum. Heures de Simon de Varie, fol. 1 r°: Jeune femme portant des armoiries, par Jean Fouquet. Cliché The J.-P. Getty Museum.

50b. Malibu, The J.-P. Getty Museum. Heures de Simon de Varie, fol. 1 v°: Vierge à l'enfant, par Jean Fouquet. Cliché The J.-P. Getty Museum.

51. Paris, musée du Louvre. Jean Fouquet, Autoportrait à l'émail doré provenant du cadre du dyptique de Melun, cuivre, émail peint et or gratté. Cliché R.M.N.

53a. Eglise Saint-Merry, baie 121. Vie de saint Jean-Baptiste (vers 1500). Cliché J.-L. Godard/C.V.P.

53b. Eglise Saint-Merry, baie 123. Miracles du Christ (vers 1500), détail : Multiplication des pains. Cliché J.-L. Godard/C.V.P.

54. Eglise Saint-Gervais-Saint-Protais, baie 15, tympan. Vie de sainte Marie-Madeleine (vers 1494-1503). Cliché J.-L. Godard/C.V.P.

55a. Eglise Saint-Gervais-Saint-Protais, baie 11, tympan. Décollation de saint Jacques le Majeur (vers 1510). Cliché J.-L. Godard/C.V.P.

55b. Eglise Saint-Gervais-Saint-Protais, baie 9. Vie de sainte Isabelle de France (vers 1510-1517), détail : deuxième enterrement de sainte Isabelle. Cliché J.-L. Godard/C.V.P.

56a. Eglise Saint-Etienne-du-Mont, baie 221, tympan. Mise au tombeau (vers 1510-1515). Fragment de scène remployé dans une verrière plus tardive. Cliché M.H.

56b. Eglise Saint-Germain-l'Auxerrois, baie 115. Passion du Christ (vers 1520), détail du Baiser de Judas. Cliché C. Lautier/Corpus Vitrearum.

57. Eglise Saint-Séverin, baie de la façade occidentale (221). Arbre de Jessé (vers 1510-1515), détail : un roi et un prophète. Cliché M.H.

58. Eglise Saint-Gervais-Saint-Protais, baie 11. Vie de saint Jacques le Majeur (vers 1510) détail : le magicien Hermogène lisant. Cliché J.-P. Bozellec/LRMH.

59. Eglise Saint-Gervais-Saint-Protais, baie 9. Vie de sainte Isabelle de France (vers 1510-1517), détail : guérison d'un enfant sur la relique de sainte Isabelle. Cliché C. Rapa/C.V.P.

60. Eglise Saint-Gervais-Saint-Protais, baie 7, tympan. Passion du Christ (vers 1510-1517), détail de la Déploration. Cliché J.-L. Godard/C.V.P.

61. Eglise Saint-Gervais-Saint-Protais, baie 7, tympan. Passion du Christ (vers 1510-1517), détail: Baiser de Judas Cliché J.-L. Godard/C.V.P.

63a. Eglise Saint-Gervais-Saint-Protais, baie 15. Vie de sainte Marie-Madeleine (vers 1494-1503), détail: Ravissement de Marie-Madeleine. Cliché C. Rapa/C.V.P.

63b. Eglise Saint-Gervais-Saint-Protais, baie 15. Vie de sainte Marie-Madeleine (vers 1494-1503), détail : Ravissement de Marie-Madeleine (relevé des principaux plombs).

63c. Eglise Saint-Merry, baie 125. Vie de sainte Marie-Madeleine (vers 1500), détail : Ravissement de Marie-Madeleine. Cliché C. Rapa/C.V.P.

63d. Eglise Saint-Merry, baie 125. Vie de sainte Marie-Madeleine (vers 1500), détail : Ravissement de Marie-Madeleine (relevé du réseau de plombs).

65. Eglise Saint-Merry, baie 121. Vie de saint Jean-Baptiste (vers 1500), détail : le roi Hérode. Cliché C. Rapa/C.V.P.

67a. Eglise Saint-Etienne-du-Mont, baie 105. Vie de la Vierge (vers 1500), registre supérieur. Cliché J.-L. Godard/C.V.P.

67b. Eglise Saint-Merry, baie 120. Vie de la Vierge (vers 1500-1510), détail : Visitation. Cliché C. RAPA/C.V.P.

67c. Très petites Heures d'Anne de Bretagne : Visitation. Bibl. nat. Mss., Nouv. acq. latines 3120, f° 40 v°. Cliché B.N.

68a. Rouen, église Saint-Godard, baie 6. Vie de la Vierge (vers 1506), détail : Adoration des mages. Cliché M.H.

68b. Eglise Saint-Etienne-du-Mont, baie 105. Vie de la Vierge (vers 1500), détail : Adoration des mages. Cliché M.H.

69. Heures à l'usage de Rome, achevées d'imprimer le 17 septembre 1496 par Philippe Pigouchet pour Simon Vostre : Adoration des mages. Bibl. nat. Rés. des impr., vélins 1547, f° d 1 r°. Cliché B.N.

70a. Rouen, église Saint-Godard, baie 6. Vie de la Vierge (vers 1506), détail : Annonciation. Cliché M.H.

70b. Elbeuf (Seine-Maritime), église Saint-Jean, baie 6. Vie de la Vierge (vers 1500), détail : Annonciation. Cliché M.H.

71a. Heures à l'usage de Rome, achevées d'imprimer le 16 septembre 1498 par Philippe Pigouchet pour Simon Vostre : Annonciation. Bibl. nat. Rés. des impr., vélins 2912, f° b 4 r°. Cliché B.N.

71b. Très petites Heures d'Anne de Bretagne : Annonciation. Bibl. nat. Mss., Nouv. acq. latines 3120, f° 28. Cliché B.N.

72a. Eglise Saint-Etienne-du-Mont, baie 105. Vie de la Vierge (vers 1500), détail : Annonce à Joachim. Cliché M.H.

72b. Eglise Saint-Etienne-du-Mont, baie 105. Vie de la Vierge (vers 1500), détail : Annonce à Joachim. Relevés des principaux plombs.

73a. Eglise Saint-Merry, baie 120. Vie de la Vierge (vers 1500), détail : Annonce à Joachim. Cliché C. Rapa/C.V.P.

73b. Eglise Saint-Merry, baie 120. Vie de la Vierge (vers 1500), détail : Annonce à Joachim. Relevé des principaux plombs.

74. Elbeuf (Seine-Maritime), église Saint-Jean, baie 5. Vie de la Vierge (vers 1500), détail : Annonce à Joachim. Cliché M.H.

75a. Bourg-Achard (Eure), église Saint-Lô, baie 2. Vie de saint Jean-Baptiste (vers 1500), détail : Saint Jean-Baptiste donnant le baptême. Cliché Corpus Vitrearum.

75b. Rouen, église Saint-Romain, baie 112 (vers 1500), détail : Saint Jean-Baptiste donnant le baptême. (Ce vitrail provient de l'église Saint-Etienne des Tonneliers de Rouen). Cliché Corpus Vitrearum.

76a. Eglise Saint-Etienne-du-Mont, baie 107. Vie de la Vierge (vers 1500), détail de la Naissance de la Vierge. Cliché M.H.

76b. Château de Lux (Côte-d'Or), baie 0 (vers 1500), détail de la Naissance de la Vierge. Cliché Corpus Vitrearum.

78. Eglise Saint-Gervais-Saint-Protais, baie 15, tympan. Vie de sainte Marie-Madeleine (vers 1494-1503), détail : Mort de la sainte. Cliché J.-L. Godard/C.V.P.

79. Eglise Saint-Merry, baie 121. Vie de saint Jean-Baptiste (vers 1500), détail : le festin d'Hérode. Cliché C. Rapa/C.V.P.

80. Paris, musée national du Moyen Age. Perdrix rouges (vers 1500). Inv. Cl. 1050. Cliché R.M.N.

81a. Nogent-le-Roi (Eure-et-Loir), église Saint-Sulpice, baie 5. Vie de sainte Marie-Madeleine (vers 1500), détail : Marie-Madeleine distribuant ses bijoux. Cliché M.H.

81b. Sens (Yonne), église Saint-Pierre-le-Rond, baie 7. Histoire de Joseph (vers 1510), détail : Joseph vendu par ses frères. Cliché Corpus Vitrearum.

82. Bayonne, cathédrale. La Prière de la Cananéenne (1531), détail. Cliché M.H.

84. Eglise Saint-Gervais-Saint-Protais, baie 1, tympan. Rencontre à la porte Dorée (1517). Cliché J.-L. Godard/C.V.P.

85. Eglise Saint-Gervais-Saint-Protais, baie 0. Vie de la Vierge (1517), détail : Mariage de la Vierge; la Vierge au Temple. Cliché Bulloz.

87a. Eglise Saint-Merry, baie 124. Vie de sainte Agnès (vers 1510), détail du tympan : sainte Agnès, entourée d'un chœur de vierges, apparaît à ses parents qui veillaient son tombeau. Cliché C. Rapa/C.V.P.

87b. Eglise Saint-Merry, baie 124. Vie de sainte Agnès (vers 1510), détails des lancettes : Agnès conduite au lupanar; Agnès ressuscite le fils du préfet. Cliché Bulloz.

88a. Montmorency, collégiale Saint-Martin, baie 4. Vitrail offert par François de La Rochepot, (vers 1524), détail : Marie-Madeleine. Cliché J.-L. Godard/C.V.P.

88b. Montmorency, collégiale Saint-Martin, baie 4. Vitrail offert par François de La Rochepot, (vers 1524), détail : donateur présenté par sainte Françoise d'Amboise. Cliché J.-L. Godard/C.V.P.

89. Triel (Yvelines), église Saint-Martin, baie 14. Le Repas chez Simon (vers 1525), détail. Cliché Corpus Vitrearum (fonds Grodecki).

90. Triel (Yvelines), église Saint-Martin, baie 14. Le Repas chez Simon (vers 1525), détail : Marie-Madeleine. Cliché M.H.

91. Triel (Yvelines), église Saint-Martin, baie 14. L'Entrée du Christ à Jérusalem (vers 1525). Cliché M.H.

93a. Eglise Saint-Gervais-Saint-Protais, baie 16. La Sagesse de Salomon (1531), détail : Salomon jeune. Cliché Corpus Vitrearum.

93b. Eglise Saint-Gervais-Saint-Protais, baie 16. La Sagesse de Salomon (1531), détail : Salomon à l'âge mûr. Cliché J.-L. Godard/C.V.P.

93c. Eglise Saint-Gervais-Saint-Protais, baie 16. La Sagesse de Salomon (1531), détail : Salomon vieux. Cliché Corpus Vitrearum.

94. Eglise Saint-Gervais-Saint-Protais, baie 16. La Sagesse de Salomon (1531). Cliché S. Gaudin/Corpus Vitrearum.

95. Eglise Saint-Gervais-Saint-Protais, baie 16. La Sagesse de Salomon (1531). Critique d'authenticité. Dessin C. Drouard.

97. Sainte-Chapelle, rose ouest (vers 1485-1490). L'Apocalypse, détail: Décollation des témoins, La Femme vêtue de soleil, Sonnerie de la septième trompette. Cliché B. Acloque-C.N.M.H.S.

98. Eglise Saint-Germain-l'Auxerrois, baie 121. Martyres de saint Vincent et saint Sixte (vers 1490); le corps de saint Vincent jeté aux bêtes sauvages. Cliché C. Lautier/Corpus Vitrearum.

99. Eglise Saint-Gervais-Saint-Protais, baie 15. Vie de sainte Marie-Madeleine (vers 1494-1503), détail: le comte de Provence à son retour de Rome retrouve vivants sa femme et son fils dans l'île où ils avaient été laissés. Cliché J.-L. Godard/C.V.P.

100. Eglise Saint-Merry, baie 121. Vie de saint Jean-Baptiste (vers 1500), détail: comparution de saint Jean-Baptiste devant Hérode. Cliché J.-L. Godard/C.V.P.

101. Montmorency, collégiale Saint-Martin, baie 4. Vitrail offert par François de La Rochepot, frère cadet d'Anne de Montmorency (vers 1524), détail des lancettes: Vierge de Pitié; le donateur présenté par sainte Françoise d'Amboise. Cliché J.-L. Godard/C.V.P.

102. Montmorency, collégiale Saint-Martin, baie 5. Vitrail offert par Guy de Laval (vers 1524), détail: sainte Madeleine au pied de la Croix. On observe le même motif de damas sur la robe de la sainte et sur le manteau d'un personnage de l'un des panneaux du musée d'Ecouen attribués à Jean Chastellain. Cliché J.-L. Godard/C.V.P.

103. Eglise Saint-Gervais-Saint-Protais, baie 16. La Sagesse de Salomon (1531), détail: Singe du roi Salomon. Cliché J.-L. Godard/C.V.P.

104-105. Eglise Saint-Gervais-Saint-Protais, baie 16. La Sagesse de Salomon (1531), détail: Sacrifice et Songe de Salomon à Gabaon. Cliché J.-L. Godard/C.V.P.

106-107. Eglise Saint-Gervais-Saint-Protais, baie 16. La Sagesse de Salomon (1531), détail: Arrivée de la reine de Saba. Cliché J.-L. Godard/C.V.P.

108. Triel (Yvelines), église Saint-Martin, baie 4. La Transfiguration (vers 1525), détail: Moïse. Cliché J. Rollet.

109. Eglise Saint-Etienne-du-Mont, baie 101. Lapidation de saint Etienne (1540), détail. Cliché J.-L. Godard/C.V.P.

110. Paris, musée Carnavalet. Inv. Vt 55 et 72. Deux panneaux composites, contenant des fragments des Hébreux recueillant la manne provenant de l'église Saint-Etienne-du-Mont (1541). H. 0,75 - L. 0,45 m chacun. Cliché J.-L. Godard/C.V.P.

111. Eglise Saint-Gervais-Saint-Protais, baie 103. La Piscine de Béthesda (vers 1545-1550), détail. Cliché J.-P. Bozellec-LRMH.

112. Paris, musée national du Moyen Age (inv. Cl. 1037 A). Deux jeunes femmes tenant un monogramme (vers 1450-1460). Diam. 0,20 m. D'après un carton attribué à Jean Fouquet. Cliché P. Jacky.

114. Eglise Saint-Gervais-Saint-Protais, baie 16. Jugement de Salomon, détail. Clichés Corpus Vitrearum.

115a. Eglise Saint-Gervais-Saint-Protais, baie 16. La Sagesse de Salomon (1531), détail: Dieu le Père. Cliché Corpus Vitrearum.

115b. Eglise Saint-Gervais-Saint-Protais, baie 16. Jugement de Salomon, détail. Clichés Corpus Vitrearum.

116a. Jan de Beer, Le Jugement de Salomon (vers 1520). Dessin, Londres, British Museum. Cliché British Museum.

116b. Paris, musée du Louvre, inv. 18 874. Hérodiade touchant d'un couteau la tête de saint Jean-Baptiste. (Attribué à Jan de Beer). Cliché R.M.N.

117a. Eglise Saint-Gervais-Saint-Protais, baie 16. La Sagesse de Salomon (1531), détail: la fausse mère. Une même étude a servi à Montmorency et à Paris, mais pas le même carton: la fausse mère et Marie-Cléophas ne sont pas exécutées à la même échelle. Cliché J.-L. Godard/C.V.P.

117b. Montmorency, collégiale Saint-Martin, baie 11. Vitrail des Alérions (vers 1525-1530), détail: Marie-Cléophas. Cliché J.-L. Godard/C.V.P.

118. Paris, musée du Louvre, Inv. 18 890. Déploration sur le corps du Christ. Ecole anversoise, vers 1520. Cliché R.M.N.

119a. Marc-Antoine Raimondi, d'après Raphaël: le Massacre des Innocents, détail. Cliché Corpus Vitrearum.

119b. Eglise Saint-Gervais-Saint-Protais, baie 16. Jugement de Salomon, détail: l'enfant mort. Cliché J.-L. Godard/C.V.P.

119c. A. Dürer, la Vie de la Vierge (série gravée vers 1502-1505, parue en 1511): La Dormition de la Vierge. Cliché Corpus Vitrearum.

119d. A. Dürer, la Vie de la Vierge (série gravée vers 1502-1505, parue en 1511): Adoration de Marie par les anges et les saints. Cliché Corpus Vitrearum.

121. Paris, musée national des Arts décoratifs. Tête d'homme barbu, retiré du vitrail de la Sagesse de Salomon par Joseph Félon. H. 0,49 - L. 0,42 m. Cliché L. Sully-Jaulmes/musée des Arts décoratifs.

123. Eglise Saint-Etienne-du-Mont, baie 109. Pentecôte (vers 1540), détail. Cliché J.-L. Godard/C.V.P.

124a. Eglise Saint-Germain-l'Auxerrois, baie 120. Incrédulité de saint Thomas (1533), détail. Cliché M.H.

124b. Melun, église Saint-Aspais, baie 0. L'Incrédulité de saint Thomas, détail. Cliché J. Lafond/Corpus Vitrearum.

124c. Melun, église Saint-Aspais, baie 0. L'Incrédulité de saint Thomas (vers 1530), détail. Cliché J. Lafond/Corpus Vitrearum.

125. Eglise Saint-Etienne-du-Mont, baie 101, tympan. La Trinité. (1540). Cliché J.-L. Godard/C.V.P.

126a. Domenico del Barbiere: Lapidation de saint Etienne. Cliché Corpus Vitrearum.

126b. Eglise Saint-Etienne-du-Mont, baie 101. Lapidation de saint Etienne (1540), détail. Cliché J.-L. Godard/C.V.P.

127a. Eglise Saint-Merry, baie 114. Guérison d'un boiteux par saint Pierre (vers 1540). Cliché J.-L. Godard/C.V.P.

127b. Raphaël, La Guérison du boiteux, détail. Londres, Victoria and Albert Museum. Cliché Corpus Vitrearum.

128a. Raphaël, La Messe de Bolsène, détail. Palais du Vatican, Chambre d'Héliodore. Cliché Corpus Vitrearum.

128b. Eglise Saint-Merry, baie 110. Baptême des nouveaux croyants (vers 1540). Cliché J.-L. Godard/C.V.P.

129a. Eglise Saint-Merry, baie 114. Prédication de saint Pierre (vers 1540), détail. Cliché C. Rapa/C.V.P.

129b. Eglise Saint-Merry, baie 114. Prédication de saint Pierre (vers 1540), détail. Cliché J.-L. Godard/C.V.P.

129c. Marc-Antoine Raimondi, Prédication de saint Paul à Athènes, d'après Raphaël. Cliché Corpus Vitrearum.

130a. Eglise Saint-Merry, baie 112. Arrestation des apôtres (vers 1540), détail. Cliché J.-L. Godard/C.V.P.

130b. Raphaël, La Dispute du Saint Sacrement. Palais du Vatican, Chambre de la Signature. Cliché Corpus Vitrearum.

130c. Eglise Saint-Merry, baie 112. Arrestation des apôtres (vers 1540), détail. Cliché J.-L. Godard/C.V.P.

131a. Eglise Saint-Etienne-du-Mont, baie 101. Baptême du Christ (1540), détail. Cliché J.-L. Godard/C.V.P.

131b. Nemours (Seine-et-Marne), église Saint-Jean-Baptiste, baie 2. Le Baptême du Christ (vers 1530-1535). Cliché J.-L. Godard/C.V.P.

132a. Bayonne, cathédrale. La Prière de la Cananéenne (1531), détail du tympan. Cliché Jean Rollet.

132b. Eglise Saint-Etienne-du-Mont, baie 101. Anges célébrant le Nom de Jésus (1540), détail. Cliché J.-L. Godard/C.V.P.

133a. Eglise Saint-Gervais-Saint-Protais, baie 18 (vers 1531-1532), détail du tympan. Cliché J.-L. Godard/C.V.P.

133b. Nemours (Seine-et-Marne), église Saint-Jean-Baptiste, baie 0. Offrande des reliques de saint Jean-Baptiste (vers 1530-1535). Cliché J.-L. Godard/C.V.P.

135a. Eglise Saint-Gervais-Saint-Protais, baie 16. La Sagesse de Salomon (1531), détail. Cliché Corpus Vitrearum.

135b. Eglise Saint-Germain-l'Auxerrois, baie 120. Incrédulité de saint Thomas (1533), détail. Cliché Corpus Vitrearum.

136a. Eglise Saint-Germain-l'Auxerrois, baie 120. Incrédulité de saint Thomas (1533), détail. Cliché Corpus Vitrearum.

136b. Eglise Saint-Gervais-Saint-Protais, baie 16. La Sagesse de Salomon (1531), détail. Cliché Corpus Vitrearum.

137a. Eglise Saint-Gervais-Saint-Protais, baie 16. La Sagesse de Salomon (1531), détail. Cliché Corpus Vitrearum.

137b. Eglise Saint-Germain-l'Auxerrois, baie 120. Incrédulité de saint Thomas (1533), détail. Cliché Corpus Vitrearum.

138. Eglise Saint-Etienne-du-Mont, baie 102. Vie de saint Etienne (1541), détail : le corps de saint Etienne gardé par les bêtes sauvages. Cliché J.-L. Godard/C.V.P.

139. Eglise Saint-Gervais-Saint-Protais, baie 103. La Piscine de Béthesda (vers 1545-1550), registre supérieur des lancettes. Cliché S. Gaudin/Corpus Vitrearum.

140a. Eglise Saint-Gervais-Saint-Protais, baie 108. Le Martyre de saint Laurent (vers 1545-1550), détail. Cliché J.-L. Godard/C.V.P.

140b. Le Martyre de saint Laurent. Gravure de Marc-Antoine d'après Bandinelli. Cliché Corpus Vitrearum.

141. Eglise Saint-Gervais-Saint-Protais, baie 108. Le Martyre de saint Laurent (vers 1545-1550), détail. Cliché Corpus Vitrearum.

142. Eglise Saint-Etienne-du-Mont, baie 5 des anciens charniers. Le Serpent d'airain (vers 1545-1550), détail. Cliché M.H.

143. Eglise Saint-Gervais-Saint-Protais, baie 103. La Piscine de Béthesda (vers 1545-1550), détail : Aveugle guidé par une jeune femme dans un paysage à l'antique. H. 0,69 m - L. 0,78 m. Cliché J.-P. Bozellec-LRMH.

144a. Eglise Saint-Gervais-Saint-Protais, baie 108. Le Martyre de saint Laurent (vers 1545-1550), détail : bourreau. H. 0,90 m - L. 0,54 m. Cliché J.-P. Bozellec-LRMH.

144b. Ecouen, musée national de la Renaissance, inv. Ec. 169. Fragment d'une scène indéterminée provenant d'une église de Provins (vers 1525). H. 0,59 m - L. 0,39 m. Cliché M.H.

144c. Ecouen, musée national de la Renaissance, inv. Ec. 167. Fragment des Noces de Cana (?) provenant d'une église de Provins (vers 1525). H. 0,53 m - L. 0,40 m. Cliché M.H.

144d. Ecouen, musée national de la Renaissance, inv. Ec. 168. Fragment des Noces de Cana (?) provenant d'une église de Provins (vers 1525). H. 0,53 m - L. 0,43 m. Cliché M.H.

145. Bayonne, cathédrale. La Prière de la Cananéenne (1531), détail. Cliché Jean Rollet.

147. Eglise Saint-Etienne-du-Mont, baie 26. Parabole des conviés (1568), détail. Cliché S. Gaudin/Corpus Vitrearum.

148a. Eglise Saint-Etienne-du-Mont, baie 216. Saint Nicolas, saint Jean-Baptiste, saint Olivier et sainte Agnès (1586). Cliché J.-L. Godard/C.V.P.

148b. Beauvais, musée des Beaux-Arts. Résurrection, attribuée à Antoine Caron (vers 1590). Cliché Corpus Vitrearum.

148c. Eglise Saint-Etienne-du-Mont, baie 214. Résurrection (vers 1585). Cliché J.-L. Godard/C.V.P.

150. Eglise Saint-Etienne-du-Mont, baie 223. Descente de Croix (1587). Cliché M.H.

151. Eglise Saint-Etienne-du-Mont, baie 220. Les Saintes femmes au tombeau (1587-1588). Cliché M.H.

153a. Eglise Saint-Etienne-du-Mont, baie 217. Crucifixion (1587), détail : saint Jean. Cliché M.H.

153b. Eglise Saint-Gervais-Saint-Protais, baie 26. Les confrères du Saint-Nom de Jésus (1600). Cliché J.-L. Godard/C.V.P.

154. Eglise Saint-Gervais-Saint-Protais, baie 117. Le Lavement des pieds (vers 1600-1605), détail. Cliché J.-L. Godard/C.V.P.

155. Eglise Saint-Etienne-du-Mont, baie 115. L'Apocalypse (vers 1610) Cliché J.-L. Godard/C.V.P.

156a. Eglise Saint-Etienne-du-Mont, baie 115. L'Apocalypse (vers 1610), détail : fille des donateurs. Cliché C. Lautier/Corpus Vitrearum.

156b. Richebourg (Yvelines), église Saint-Georges, baie 6. Arbre de Jessé (1612), détail : un roi. Cliché J.-L. Godard/C.V.P.

157a. Richebourg (Yvelines), église Saint-Georges, baie 6. Arbre de Jessé (1612), détail : la Vierge. Cliché J.-L. Godard/C.V.P.

157b. Richebourg (Yvelines), église Saint-Georges, baie 6. Arbre de Jessé (1612), détail : roi offrant sa couronne à la Vierge. Cliché J.-L. Godard/C.V.P.

158. Eglise Saint-Etienne-du-Mont, baie 115. L'Apocalypse (vers 1610), détail : l'Enseignement de la Vierge. Cliché C. Lautier/Corpus Vitrearum.

159. Eglise Saint-Gervais-Saint-Protais, baie 124. Apparition de saint Jacques à la bataille de Clavijo (vers 1610-1620), détail : sarrasins. Cliché M.H.

160. Eglise Saint-Gervais-Saint-Protais, baie 124. Apparition de saint Jacques à la bataille de Clavijo (vers 1610-1620), détail. H. 0,77 m - L. 0, 89 m. Cliché J.-P. Bozellec-LRMH.

161a. Ecouen, musée national de la Renaissance, inv. Ec. 149. Allégorie de l'Hiver (XVIIe siècle). H. 0,175 m - L. 0,170 m. Cliché A. Pinto.

161b. Abraham Bosse, l'Hiver. Cliché Corpus Vitrearum.

162. Eglise Saint-Gervais-Saint-Protais, baie 103. La Piscine de Béthesda (vers 1545-1550), détail. Cliché Corpus Vitrearum.

164. Eglise Saint-Gervais-Saint-Protais, baie 16. La Sagesse de Salomon (1531), détail : conseiller du roi Salomon. Cliché Corpus Vitrearum.

165. Eglise Saint-Gervais-Saint-Protais, baie 16. La Sagesse de Salomon (1531), détail : la reine de Saba. Cliché Corpus Vitrearum.

166a. Eglise Saint-Gervais-Saint-Protais, baie 16. La Sagesse de Salomon (1531), détail de damas. Cliché Corpus Vitrearum.

166b. Bayonne, cathédrale. La Prière de la Cananéenne (1531), détail : saint Jean. Cliché Jean Rollet.

168. Eglise Saint-Gervais-Saint-Protais, baie 16. La Sagesse de Salomon (1531), détail. Cliché Corpus Vitrearum.

169. Eglise Saint-Gervais-Saint-Protais, baie 124. Apparition de saint Jacques à la bataille de Clavijo (vers 1610-1620), détail : un sarrasin. Cliché Corpus Vitrearum.

170a. Eglise Saint-Gervais-Saint-Protais, baie 16. La Sagesse de Salomon (1531), détail du sacrifice à Gabaon. Cliché Corpus Vitrearum.

170b. Eglise Saint-Germain-l'Auxerrois, baie 121. Martyres de saint Vincent et saint Sixte (vers 1490); le corps de saint Vincent jeté aux bêtes sauvages, détail. Cliché C. Lautier/Corpus Vitrearum.

171. Eglise Saint-Gervais-Saint-Protais, baie 2. Vie de la Vierge (1517), tympan : Annonce aux bergers. Cliché Bulloz.

173a, b, c. Relevés des principaux plombs des Annonciations de Saint-Etienne-du-Mont, Saint-Godard de Rouen et Saint-Jean d'Elbeuf.

174a. Paris, Ecole nationale supérieure des Beaux-Arts, inv. 0.247. Modèle destiné à l'exécution d'un vitrail civil : blason à château dans un cadre ovale (XVIe siècle). Plume, encre brune. H. 18,1 - L. 15, 7 cm. Provient de la collection Masson. Cliché ENSBA.

174b. Paris, Ecole nationale supérieure des Beaux-Arts, inv. 0. 237. Modèle destiné à l'exécution d'un vitrail civil : blason avec un cerf, entouré de cuirs (XVIe siècle). Plume, encre brune. H. 23 - L. 19,7 cm. Provient de la collection Masson. Cliché ENSBA.

175. Paris, Ecole nationale supérieure des Beaux-Arts, inv. 0. 238. Deux demi-modèles destinés à l'exécution de vitraux civils (vers 1540-1550). Pierre noire; le tracé des plombs est indiqué en rouge. H. 29,5 - L. 26,5 cm. Provient de la collection Masson. Cliché ENSBA.

176a. A. Dürer, la Vie de la Vierge (série gravée vers 1502-1505, parue en 1511) : la Visitation. Cliché Corpus Vitrearum.

176b. Nemours (Seine-et-Marne), église Saint-Jean-Baptiste, baie 0. Offrande des reliques de saint Jean-Baptiste, détail. Cliché J.-L. Godard/C.V.P.

177. Paris, Ecole nationale supérieure des Beaux-Arts, inv. 1117 Modèle destiné à l'exécution d'un vitrail civil : Mucius Scaevola. Plume, encre brune et lavis brun; le tracé des plombs est indiqué en rouge. H. 33, 8 - L. 26 cm. Provient de la collection Masson. Cliché ENSBA.

179. Examen d'un panneau du vitrail de la Sagesse de Salomon dans l'atelier du peintre-verrier chargé de la restauration. Cliché C. Rapa/C.V.P.

180. Nettoyage à la gomme d'un panneau du vitrail de la Sagesse de Salomon. Cliché C. Rapa/C.V.P.

181a et b. Détail d'un panneau avant et après nettoyage. Cliché C. Rapa/C.V.P.

181a. Démontage d'un panneau. Cliché C. Rapa/C.V.P.

182b. Suppression des plombs de casse qui altéraient la lisibilité du groupe formé par l'enfant et le soldat. Cliché C. Rapa/C.V.P.

182c. Positionnement des pièces dans le bac à sable. Cliché C. Rapa/C.V.P.

183. Eglise Saint-Gervais-Saint-Protais, baie 16. La Sagesse de Salomon (1531), détail du soldat et de l'enfant. Cliché Corpus Vitrearum.

184. Paris, musée Carnavalet. Inv. Vt 36. Panneau composite : saint Jean l'Evangéliste présentant un donateur; la partie inférieure, du XVe siècle, pourrait provenir de l'église Saint-Séverin. La tête du saint est plus récente. H. 0,59 - L. 0,46 m. Cliché J.-L. Godard/C.V.P.

186a. Paris, musée Carnavalet. Inv. Vt 13. Sainte Madeleine, provenant de l'église Saint-Séverin (baie 213). H. 0,79 - L. 0,43 m. Cliché J.-L. Godard/C.V.P.

186b. Paris, musée Carnavalet. Inv. Vt 8. Saint Antoine, provenant de l'église Saint-Séverin (baie 213). H. 0,62 - L. 0,34 m. Cliché J.-L. Godard/C.V.P.

186c. Paris, musée Carnavalet. Inv. Vt 6. Sainte Catherine, provenant de l'église Saint-Séverin (baie 213). H. 0,78 - L. 0,46 m. Cliché J.-L. Godard/C.V.P.

187. Paris, église Saint-Séverin, baie 213, tympan : sainte Madeleine, saint Antoine et sainte Catherine, par Prosper Lafaye. Cliché J.-L. Godard/C.V.P.

188a. Paris, église Saint-Séverin, baie 208, détail : saint Paul. Cliché J.-L. Godard/C.V.P.

188b. Paris, musée Carnavalet. Inv. Vt 20. Tête de saint Paul provenant de l'église Saint-Séverin (baie 208). H. 0,41 - L. 0,23 m. Cliché J.-L. Godard/C.V.P.

189a. Paris, église Saint-Séverin, baie 205, tympan : anges, par Prosper Lafaye. Cliché J.-L. Godard/C.V.P.

189b. Paris, musée Carnavalet. Inv. Vt 17, 18 et 19. Anges provenant de l'église Saint-Séverin (baie 205). H. 0,63, 0,62 et 0,36 - L. 0,26, 0,29 et 0,29 m. Cliché J.-L. Godard/C.V.P.

190a. Paris, musée Carnavalet. Inv. Vt 56. Tête de donatrice provenant de l'église Saint-Germain-l'Auxerrois H. 0,16 - L. 0,14 m. Cliché J.-L. Godard/C.V.P.

190b. Paris, église Saint-Germain-l'Auxerrois, baie 121 (vers 1490), détail : donatrice présentée par sainte Anne. Cliché M.H.

191. Paris, musée Carnavalet. Inv. Vt 52. Fragment d'une prédication, provenant de l'église Saint-Merry. H. 0,71 - L. 0,55 m. Cliché J.-L. Godard/C.V.P.

193. Melun, église Saint-Aspais, baie 0. L'apparition à Marie-Madeleine (vers 1532-1533). Cliché M.H.

201. Château de Pau, antichambre du donjon. Henri IV. Vitrail civil qui proviendrait du palais de Justice de Paris. Cliché R.M.N.

206. Eglise Saint-Germain-l'Auxerrois. Plan de situation des vitraux (gauche).

206. Eglise Saint-Etienne-du-Mont. Plan de situation des vitraux (droite).

207. Montmorency, collégiale Saint-Martin. Plan de situation des vitraux.

Quatrième de couverture : Eglise Saint-Etienne-du-Mont, baie 115. Apocalypse (vers 1610), détail : un roi. Cliché C. Lautier/Corpus Vitrearum.

CREDITS PHOTOGRAPHIQUES

B. Acloque/C.N.M.H.S. : 97. **Arch. phot. Paris/S.P.A.D.E.M. :** 14, 16a, 16b, 25, 30, 44, 47, 56a, 57, 68a, 68b, 70a, 70b, 72a, 74, 75b, 76a, 81a, 82, 90, 91, 124a, 142, 144b, 144c, 144d, 150, 151, 153a, 159, 190b, 193. **B.N. :** 67c, 69, 71a, 71b. **J.-P. Bozellec/LRMH :** 58, 111, 143, 144a, 160. **British Museum :** 116a. **Bulloz :** 85, 87b, 171. **Corpus Vitrearum (fonds Grodecki) :** 34a, 38, 40a, 40b, 89. **Corpus Vitrearum :** 75a, 75b, 76b, 81b, 93a, 93c, 114, 115a, 115b, 119a, 119c, 119d, 126a, 127b, 128a, 129c, 130b, 135a, 135b, 136a, 136b, 137a, 137b, 140b, 141, 148b, 161b, 162, 164, 165, 166a, 168, 169, 170a, 176a, 183. **E.N.S.B.A. :** 174a, 174b, 175, 177. **S. Gaudin/Corpus Vitrearum :** 10, 34b, 35, 37, 98, 139, 147. **The J.-P. Getty Museum :** 50a, 50b. **J.-L. Godard/C.V.P. :** 1re de couverture, 8, 13, 15, 19, 20, 26, 28, 53a, 53b, 54, 55a, 55b, 60, 61, 67a, 78, 84, 88a, 88b, 93b, 99, 100, 101, 102, 103, 104, 105, 106, 107, 109, 110, 117a, 117b, 119b, 123, 125, 126b, 127a, 128b, 129a, 130a, 130c, 131a, 131b, 132b, 133a, 133b, 138, 140a, 148a, 148c, 153b, 154, 155, 156b, 157a, 157b, 176b, 184, 186a, 186b, 186c, 187, 188a, 188b, 189a, 189b, 190a, 191. **P. Jacky :** 49, 112. **C. Lautier/Corpus Vitrearum :** 32, 41, 42a, 43, 45, 56b, 98, 156a, 158, 170b, 204, dernière de couverture. **J. Lafond/Corpus Vitrearum :** 124b, 124c. **A. Pinto :** 161a. **C. Rapa/C.V.P. :** 59, 63a, 63c, 65, 67b, 73a, 79, 87a, 129b, 179, 180, 181a, 181b, 182a, 182b, 182c. **R.M.N. :** 42b, 51, 80, 116b, 118a, 200. **J. Rollet :** 22, 108, 132a, 145, 166b. **L. Sully-Jaulmes/Musée des Arts décoratifs :** 46, 121.

DESSINS ET CALQUES

C. Drouard : 2, 3a, 3b, 95, 202a, 202b, 203. **T. Owcharenko/F. Lagarde :** 63b, 63d, 72b, 73b, 173a, 173b, 173c.

Château de Pau : Henri IV. Vitrail civil qui proviendrait du palais de Justice de Paris. ►

INDEX

INDEX NOMINUM :

LOCALISATION DES ŒUVRES CITÉES :

N.B. : Les chiffres en italique correspondent aux illustrations.

Églises :

Hôtels et châteaux

Musées :

Cet ouvrage composé en garamond
par Bussière, Paris
a été achevé d'imprimer en juin 1993
sur les presses de l'Imprimerie Alençonnaise

Maquette Béatrice de ANDIA

REMERCIEMENTS

Cet ouvrage et l'exposition réalisés
par la Délégation à l'Action artistique de la Ville de Paris ont été placés sous l'égide de :

M. Jacques CHIRAC, Maire de Paris,
Mme Françoise de PANAFIEU, Député de Paris, adjoint au Maire de Paris, chargée de la Culture,
M. François COLLET, Maire du VIe arrondissement,
M. Michel JUNOT et M. Michel FLEURY, Vice-Présidents de la Commission du Vieux Paris,
M. Jean-Jacques AILLAGON, Directeur des Affaires culturelles de la Ville de Paris,
M. Jean GODFROID, Directeur de l'Architecture de la Ville de Paris,
M. Bernard SCHOTTER, Sous-Directeur du Patrimoine de la Ville de Paris,

Commissaire de l'exposition :
Guy-Michel LEPROUX, Chargé de recherche au CNRS.

Notre gratitude va en premier lieu aux auteurs des textes du catalogue, et tout particulièrement à Mmes Françoise GATOUILLAT, Claudine LAUTIER et à M. Michel HÉROLD, sans le soutien amical desquels ni l'exposition ni l'ouvrage qui l'accompagne n'auraient pu voir le jour.

Les prêts ont été aimablement consentis par :

L'École nationale supérieure des Beaux-Arts,
M. Yves MICHAUD, Directeur, Mme Annie JACQUES, Conservateur en chef, Mme Emmanuelle BRUGEROLLES, Conservateur.

Le musée national des Arts décoratifs,
Mme Danielle GIRAUDY, Conservateur en chef, Mme Monique BLANC, Conservateur.

Le musée national du Moyen Age,
M. Alain ERLANDE-BRANDENBURG, Conservateur général et Directeur, M. Dany SANDRON, Conservateur, M. Pierre-Yves Le POGAM, Conservateur.

Le musée national de la Renaissance,
M. Yves OURSEL, Conservateur général et Directeur, M. Thierry CRÉPIN-LEBLOND, Conservateur.

Le musée Carnavalet,
M. Jean-Marc LÉRI, Conservateur général et Directeur, M. Jean-Pierre WILLESME, Conservateur.

Le Service des Objets d'art des églises de Paris
M. Georges BRUNEL, Conservateur en chef, Mme Catherine GUÉGAND, Conservateur, M. Yves GAGNEUX, Conservateur.

Le Bureau de l'Audiovisuel
et de la Photo de la Ville de Paris,
M. Joël MORO, Directeur, M. Michel TOUMAZET, Photographe.

Nous tenons à exprimer notre reconnaissance à Mme Christine ALBANEL, Directeur adjoint du Cabinet du Maire de Paris, à la Commission du Vieux Paris son personnel et en particulier Mme Monique HÉRAULT, Mlle Françoise LAGARDE et MM. Jean-Luc GODARD et Christian RAPA, au Père Pierre-Marie DELFIEUX, Prieur général des Fraternités monastiques de Jérusalem, à Mme Anne PRACHE, Directeur du Comité français du Corpus Vitrearum, ainsi qu'à Mmes Colette MANHÈS-DEREMBLE et Chantal DROUARD, à M. Claude MIGNOT, Professeur à l'Université de Tours, Directeur de l'U.M.R. 22 du CNRS; à M. Jean-Marie VINCENT, Sous-Directeur de l'Inventaire général, à Mme Nicole BLONDEL, Conservateur général du Patrimoine et à toute l'équipe de la cellule vitrail de l'Inventaire général; à Mmes Anne PINTO, Cecilia MOREIRA de ALMEIDA, Isabelle BAUDOIN et Marie-Françoise DROMIGNY, M. et Mme Le CHEVALLIER, MM. Frédéric PIVET et Jean LAGRANGE, Peintres-verriers; à MM. André MATEAU et Joël RIVALAN; à Mme Elisabeth CORNETTO, Conservateur au service départemental du patrimoine de Seine-et-Marne; à Mme Claude BILLAUD, Conservateur à la Bibliothèque historique de la Ville de Paris ; à M. Jacques GARREAU, Chef du service des Archives photographiques de la Direction du Patrimoine et à Mme Marie-Jeanne ARCHAIX; à M. Jean ROLLET et à Mmes Tania OWCHARENKO et Laurence de FINANCE.

Nous remercions pour leur chaleureux accueil : à la *Rotonde de La Villette,* M. Michel FLEURY, vice-Président, Secrétaire général et tout le personnel de la Commission du Vieux Paris, à la *mairie du VIe arrondissement,* Mme Jacqueline OUY, Adjoint au Maire, Chargée de la Culture, et M. André BERT, Secrétaire général.

Le montage de l'exposition est l'œuvre du Génie civil de la Ville de Paris : M. Jean-Pierre BOURRET, Ingénieur général, M. Vladimir HOFMANN, Architecte, M. Michel BERNÉ, Chef d'atelier, M. Michel LAPAQUETTE, Chef d'atelier, MM. Michel COUTEAU et Michel DESTAT, Agents de maîtrise.

La réalisation de l'ouvrage et de l'exposition revient à la Délégation à l'Action artistique de la Ville de Paris, Marie-Christine d'ALLEMAGNE, Carlos ATENCIO, Philippe AUROIR, Administrateur-conseil, Houria BENSALAH, Sara BOYER, Stagiaire, Florence CLAVAL, Chargée des relations publiques, Jean-Christophe DOERR, Photographe, Françoise HAGUENIN, Secrétaire d'édition, Christophe de LUSSAC, Stagiaire, Sybil ROBIN-CHAMPIGNEUL, Chargée des prêts, Alain SÉGURA, Patrick THIEULON et Françoise VIC-DUPONT, et à son Bureau : Président : Bernard de MONTGOLFIER, Délégué général : Béatrice de ANDIA, Vice-Présidents : Jean GODFROID et Jean-Pierre QUÉRÉ, Secrétaire général : Bernard SCHOTTER, Secrétaire général adjoint : Jean-Pierre BOURRET, Trésorier : Sophie DURRLEMAN.

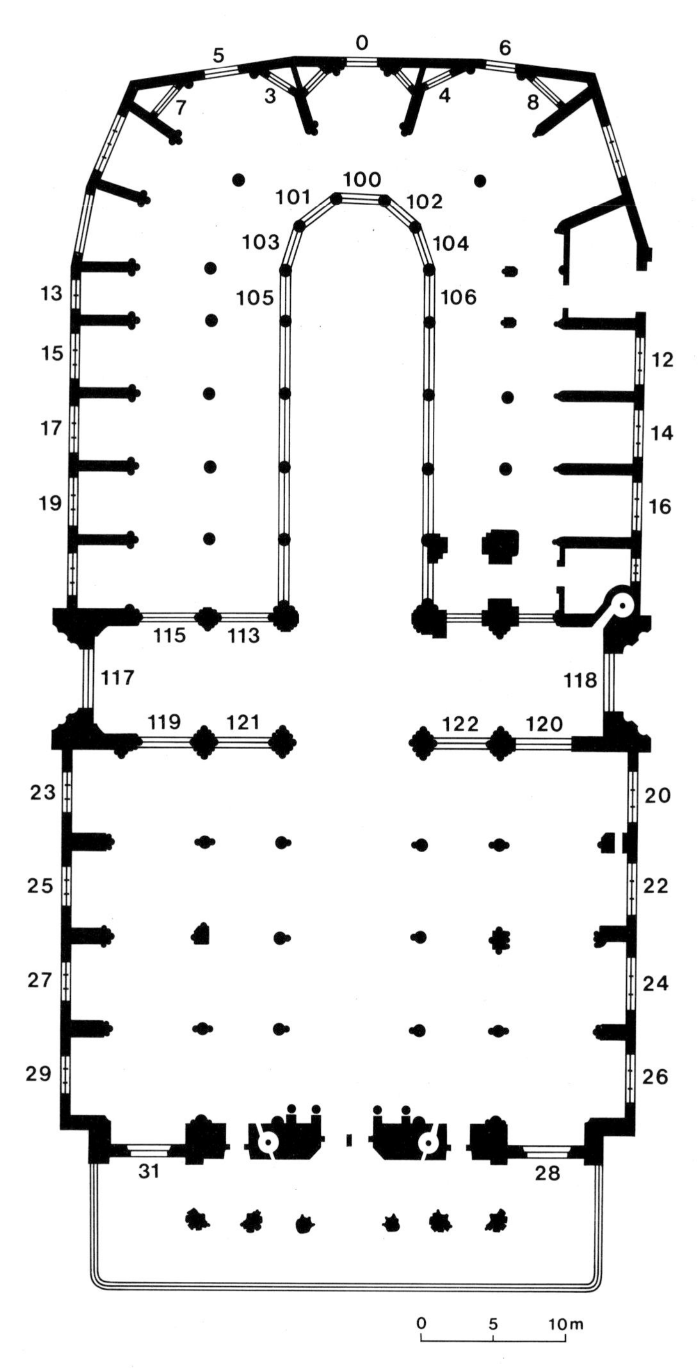

Eglise Saint-Germain-l'Auxerrois. Plan de situation des vitraux.

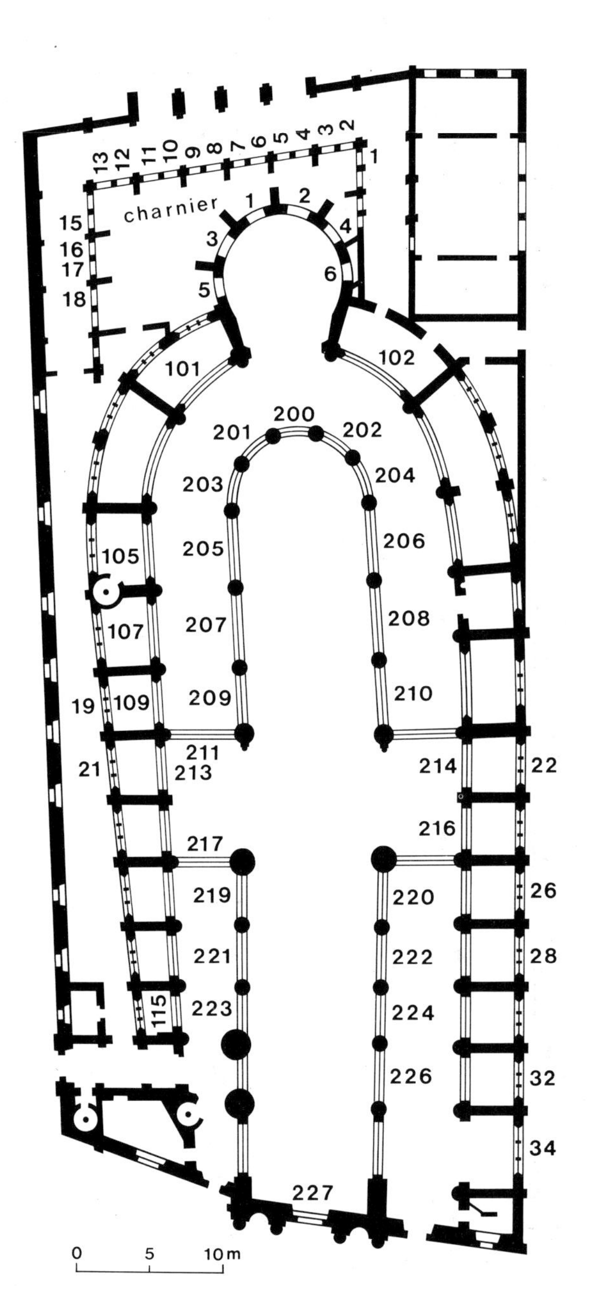

Eglise Saint-Etienne-du-Mont. Plan de situation des vitraux.